nuevo PRISMA

Curso de español para extranjeros

LIBRO DE EJERCICIOS

NIVEL

Amelia Guerrero

David Isa

Nuevo Prisma. Nivel B1. Libro de ejercicios

ISBN Libro de ejercicios: 978-84-9848-639-1
Depósito Legal: M-8233-2016
Impreso en España
Printed in Spain

1.ª edición: 2015
1.ª reimpresión: 2016
2.ª reimpresión: 2017
3.ª reimpresión: 2018
4.ª reimpresión: 2019

Agradecimientos:
Un especial agradecimiento a José Milán por las fotografías del tejo del Retiro y la casa de las siete chimeneas (ambos en Madrid) que aparecen en la página 46 del presente volumen.

Coordinación pedagógica:
María José Gelabert

Coordinación editorial:
Mar Menéndez

Diseño de cubierta:
Juanjo López

Diseño y maquetación:
Ana M.ª Gil

Fotografías:
Archivo Edinumen

Impresión:
Gráficas Glodami. Madrid

Editorial Edinumen
José Celestino Mutis, 4. 28028 - Madrid
Teléfono: (34) 91 308 51 42
Fax: (34) 91 319 93 09
Correo electrónico: edinumen@edinumen.es
www.edinumen.es

Un espacio en constante actualización

- Las actividades de este libro se amplían y complementan en nuestra plataforma educativa.
- Para acceder a este espacio, entra en la **ELEteca** (https://eleteca.edinumen.es), activa el código que tienes a continuación y sigue las instrucciones.

CÓDIGO DE ACCESO ALUMNO

bEszZ5pXEV

Para más información, consultar los términos de uso de la ELEteca.

ÍNDICE

Todas las unidades incluyen un apartado denominado *Actividades por destrezas* que reproduce las pruebas del **examen DELE** (Diploma de Español como Lengua Extranjera) nivel B1 con un doble objetivo:

- trabajar los contenidos de la unidad en cada una de las destrezas principales;
- conocer y practicar estas pruebas específicas para aquel estudiante que tenga previsto presentarse al examen DELE B1.

A este respecto, se reproducen las instrucciones propias de cada prueba con el fin de que estos estudiantes se familiaricen con el examen en todos los aspectos: lenguaje, formato, etc.

1 EXPERIENCIAS EN ESPAÑOL

>| 1 | Estos estudiantes nos hablan sobre su primer día de clase de español en España. Lee los textos y escribe el verbo en el tiempo correcto del pasado.

Aula ELE Usuario Contraseña Me gusta

A 456 personas les gusta esta página · 83 personas están hablando de esto

Astrid

1 Para mí, la idea del "primer día de clase" desde siempre (1)........... **(tener)** implicaciones negativas: (2).......... **(acabarse)** las vacaciones y (3).......... **(empezar)** las clases con nuevos profesores y gente que no (4)........... **(conocer, tú)**. Pero cuando (5).............. **(llegar, yo)** a España y (6).............. **(ir, yo)** por primera vez a la escuela de español, mi idea sobre el primer día de clase (7)............. **(cambiar)** totalmente: nunca (8).............. **(pensar, yo)** que sería una experiencia inolvidable.

Max

2 Cuando (1).............. **(empezar, yo)** hace tres semanas mi curso de español, (2)............ **(darse cuenta, yo)** muy pronto de que (3)........... **(estar, yo)** en buenas manos y de que (4)........... **(ser)** imposible sentirse solo aquí en España. Desde el primer momento (5)........... **(hacer, yo)** amigos, ya que la gente (6).......... **(ser)** muy simpática y (7).......... **(haber)** buen ambiente. Ya antes de empezar las clases, (8).......... **(tener, yo)** la ocasión de conocer a gente muy amable. Nada más llegar, (9)........... **(hacer)** la prueba de nivel de español que (10)............ **(resultar)** ser un éxito, ya que me (11)........... **(asignar, ellos)** una clase que (12)............ **(adaptarse)** perfectamente a mi nivel de español.

Jana

3 (1).......... **(Llegar, yo)** a España el mes pasado. (2)........... **(Estar)** muy nerviosa porque (3).......... **(ser)** la primera vez que (4).......... **(viajar, yo)** sola al extranjero. Como mi curso de español (5).......... **(empezar)** por la tarde, por la mañana (6)............. **(hacer, yo)** el tour guiado que la escuela de español (7)......... **(ofrecer)** gratuitamente después de la prueba de nivel. Esta excursión (8)............. **(ser)** una gran oportunidad para empezar a conocer la ciudad y a los compañeros de clase. Lo más impresionante (9)............. **(ser)** conocer gente de más de diez países diferentes y (10)............. **(poder, nosotros)** disfrutar de un recorrido muy agradable. Ahí (11)............. **(darse cuenta, yo)** de que mi estancia en España sería genial. Después del tour, (12)............. **(empezar, yo)** mi curso de español por la tarde. Me (13)............. **(sorprender)** positivamente también.

>| 2 | Escucha a Astrid hablar de lo que hizo en su primer día de clase en España y marca si las siguientes afirmaciones son verdaderas o falsas. [1]

	V	F
1. Su clase de español en Alemania era muy numerosa.	○	○
2. En España no tenía buena relación con su profesora.	○	○
3. La escuela celebró una fiesta para recibir a los nuevos alumnos.	○	○
4. En la fiesta solo había estudiantes de su nivel.	○	○
5. La fiesta fue por la noche.	○	○
6. Ella regresó a su casa antes de terminar la fiesta.	○	○
7. Disfrutó mucho en la fiesta.	○	○
8. Tras la fiesta, su idea sobre el primer día de clase cambió.	○	○

3 | Ahora, lee la audición y complétala con los conectores del discurso.

porque * ya * por eso * pero * cuando * además * todavía no

En mi curso de español en España, solo éramos ocho personas en total, **(1)**........... las clases eran mucho más cercanas. En Alemania solíamos ser alrededor de 29 alumnos. **(2)**..........., desde el principio tuvimos muy buena relación con la profesora de español **(3)**........... era increíblemente simpática y abierta. Por la tarde, después de clase, la escuela de español organizó una fiesta de bienvenida donde conocí a Max y a Jana, y a otros estudiantes de español de otros cursos. Mientras tomábamos unas tapas, empezamos a hablar entre nosotros y a conocernos mejor. **(4)**........... la fiesta terminó y volví a mi habitación del piso que la escuela **(5)**........... me había asignado previamente, me di cuenta de lo bien que me lo había pasado ese día y de que aprender español estaba siendo genial. Mi pánico a los primeros días de clase desapareció y, gracias a la escuela de español, mi estancia en España ha sido inmejorable, y **(6)**.............. la he olvidado. Me gustaría regresar, **(7)**.............. de momento voy a seguir estudiando en mi país.

4 | Ahora, escucha otra vez y comprueba.

|1|

5 | Astrid llama por teléfono a Max, su compañero de clase de español. Lee la conversación y completa los espacios con el verbo adecuado en condicional simple.

pensar * llegar * tener * ser (2) * querer * poder * encantar * hablar * hacer

Max: ¿Dígame?

Astrid: Hola Max, soy Astrid. Te llamo porque estaba pensando... ¿**(1)**.............. venir luego Jana y tú a mi casa para hacer el trabajo de clase?

Max: Sí, claro, pero Jana me escribió que **(2)**.............. tarde...

Astrid: ¿Y eso?

Max: Pues es que me dijo que a mediodía **(3)**.............. una reunión y que **(4)**.............. larga... De todos modos, iremos, pero llegaremos un poco tarde.

Astrid: No importa. Está bien. Yo **(5)**.............. hacer una tarta para la merienda, si os parece bien.

Max: ¡Me **(6)**...........! Por cierto, ¿has pensado ya qué vas a hacer para la exposición en la clase de mañana?

Astrid: La verdad es que no. Pensaba que hablar del cine en Alemania **(7)**.............. un tema muy interesante, pero la profesora me ha dicho que ella, en mi lugar, lo **(8)**.............. sobre política. No me gusta nada este tema. ¿Qué hago?

Max: Pues, sinceramente, yo que tú no **(9)**.............. de política. Es un tema muy difícil.

Astrid: Tienes razón. No sé por qué me propuso eso. **(10)**.............. que todos los alemanes somos muy serios... Ya sabes, los estereotipos...

Max: Sí, puede ser... Bueno, nos vemos esta tarde, ¿vale?

Astrid: Perfecto. Hasta luego, Max.

6 | Escucha y comprueba tus respuestas.

|2|

7 | Clasifica los verbos en condicional anteriores según su uso.

- Expresar una acción futura respecto a otra pasada. [2]
- Expresar hipótesis en pasado. [ ]
- Pedir u ofrecer algo con cortesía. [ ]
- Dar consejos. [ ]
- Expresar deseos. [ ]

>| 8 | Relaciona y completa las frases, como en el ejemplo. Atención, en casa frase uno de los verbos va en pretérito pluscuamperfecto.

1. Antes de la cena Max *había comido* **(comer)** demasiado,... ✱
2. .... **(Estar, ellos)** agotados... ✱
3. No .... **(dormir, vosotros)** bastante... .... ✱
4. Ya .... **(arreglarse, nosotros)** para salir... .... ✱
5. La profesora .... **(explicar)** una cosa... .... ✱
6. .... **(Querer, yo)** comprar una barra de pan, pero .... **(ser)** demasiado tarde:... .... ✱
7. Cuando la profesora .... **(llegar)** a clase,... .... ✱
8. A pesar de que la novela no .... **(tener)** mucho éxito,... ✱
9. Hasta ese día,...
10. .... **(Desconocer, nosotros)**... .... ✱

- ✱ a. por eso *se puso* **(ponerse)** malo.
- ✱ b. Steven .... **(seguir)** decidido a triunfar.
- ✱ c. y por eso .... **(llegar)** tarde a clase.
- ✱ d. que nunca antes .... **(estudiar, nosotros)**.
- ✱ e. porque .... **(bailar)** mucho.
- ✱ f. ya .... **(cerrar, ellos)** la tienda.
- ✱ g. ya .... **(descubrir, ella)** la sorpresa.
- ✱ h. lo que le .... **(hacer)** cambiar de opinión.
- ✱ i. nunca me .... **(llevar, ella)** la contraria en nada.
- ✱ j. cuando .... **(decir, él)** que venía.

>| 9 | Un suceso ha saltado a los medios de comunicación: la desaparición de la señora Carmen. Lee el diálogo entre un policía y una testigo, y elige la opción correcta.

Policía: Señora Martínez, ¿cómo **(1) era/estaba** la señora Carmen?

Señora Martínez: Yo a doña Carmen la conocía desde hacía veinte años. **(2) Era/Estaba** muy amable y muy servicial, aunque **(3) era/estaba** una persona un poco reservada. **(4) Era/Estaba** sola desde hacía años y muy rara vez la visitaba alguien. Algún día venía su hermano, que creo que no vivía aquí, porque solía traer mucho equipaje. Su hermano **(5) era/estaba** mayor que ella, tenía el pelo cano, aunque **(6) era/estaba** calvo por delante. **(7) Era/Estaba** bajito y rollizo, aunque siempre iba muy arreglado. Creo que tenía gafas. Él, a diferencia de su hermana, **(8) era/estaba** más antipático, ya que nunca me saludaba...

Policía: ¿Qué pasó la otra noche?

Señora Martínez: **(9) Eran/Estaban** las dos de la madrugada. Yo **(10) era/estaba** asomada en la ventana porque esa noche tenía insomnio: **(11) era/estaba** intranquila por la desaparición de mi perro y no podía dormir. Entonces vi entrar a doña Carmen con un señor. Vi que ella **(12) era/estaba** muy contenta, porque se reía con él mientras buscaba las llaves en el bolso. Él **(13) era/estaba** de mediana edad. Nunca antes **(14) había sido/había estado** en este barrio. **(15) Era/Estaba** moreno, delgadísimo y hablaba con ella amigablemente. Pero esa actitud cambió de repente, porque, a los diez minutos, él **(16) era/estaba** de muy mal humor. Podía escuchar sus gritos desde mi habitación.

Policía: ¿Y oyó algún golpe o algo así?

Señora Martínez: No, no oí nada de eso. Aunque por sus gritos pude comprobar que **(17) era/estaba** muy agresivo y que **(18) era/estaba** muy furioso.

Policía: Muchas gracias, señora Martínez, **(19) ha sido/ha estado** usted de gran ayuda. Intentaremos resolver el caso lo antes posible.

>| 10 | Clasifica estas palabras según sean agudas (A) o llanas (LL). Luego, decide si llevan tilde o no.

	A	LL		A	LL		A	LL		A	LL		A	LL
azucar	○	○	ansiedad	○	○	caracter	○	○	Cesar	○	○	despues	○	○
seccion	○	○	complexion	○	○	facil	○	○	ficcion	○	○	huesped	○	○
cesped	○	○	exhausto	○	○	corazon	○	○	angel	○	○	instante	○	○
arroz	○	○	cohete	○	○	solemne	○	○	relax	○	○	corregir	○	○

>|11| Completa los recuadros con dos puntos y puntos suspensivos, según corresponda.

1. Después de mucho pensar☐ no quise aceptar su regalo.
2. Leemos en el libro de ortografía☐ "El punto es una pausa☐".
3. Admiro a los grandes escritores como Cervantes, Góngora☐
4. Ya lo dijo Descartes☐ "Pienso, luego existo".
5. Ya era la hora del concierto y estaríamos☐ unas veinte personas.
6. Querido amigo☐ Te escribo esta carta para comunicarte☐
7. Las palabras del médico fueron☐ "Reposo y una alimentación equilibrada".
8. No sé quién ganará, en realidad☐ no tengo ni idea.
9. La noticia decía así☐ "Una afortunada persona☐".
10. Se fue la luz y, de repente☐ alguien me tocó en el hombro.

>|12| Lee el texto y pon la tilde donde corresponda.

La utilidad de los signos de puntuación

El hombre perdio la coma, empezo a temer a las oraciones complejas, busco frases más sencillas. Frases sencillas implicaron pensamientos sencillos.

Despues, perdio el signo de exclamacion y comenzo a hablar en voz baja, monótonamente. No le alegraba ni le indignaba nada, todo le tenía sin cuidado.

Más tarde, perdio el signo de interrogacion y dejo de formular preguntas; ningun acontecimiento le despertaba curiosidad, ya sucediera en el Cosmos, en la Tierra o, incluso, en su propio hogar.

Luego de un par de años, perdio otro signo de puntuacion –los dos puntos– y dejo de explicar a la gente su conducta.

Hacia el final de su vida, no le quedaron más que las comillas. No expresaba ninguna idea propia, sino que siempre citaba a otros... Asi que se desacostumbro a pensar y llego hasta el punto final. ¡Cuide los signos de puntuacion!

Kanevsky, Alexander. *La utilidad de los signos de puntuación*. Cepea. Manual de lenguaje I. Perú.

ACTIVIDADES POR DESTREZAS

PRUEBA DE COMPRENSIÓN DE LECTURA

>|13| Va a leer seis testimonios de estudiantes de español sobre sus experiencias de aprendizaje y diez textos sobre diferentes cursos y formas de aprender un idioma. Relacione a las personas (1-6) con la modalidad de estudio que eligieron (A-J). Hay tres textos que no debe relacionar.

Persona	Texto	Persona	Texto
1 MATT	....	4 TALIA	....
2 ANUHBA	....	5 RAIMON	....
3 CHASE	....	6 ROSANNA	....

1. MATT

Yo, por mi trabajo, necesitaba aprender español de forma rápida. Ya iba a clases, pero sentía que perdía mucho tiempo porque éramos muchos alumnos. Como me gustaban los profesores y quería seguir asistiendo a la escuela, hablé con ellos y opté por clases personalizadas.

2. ANUHBA

Llevaba un año en España, pero en mi trabajo y con mis amigos solo me comunicaba en inglés, así que apenas hablaba español. Me apunté a este curso por las tardes después del trabajo y ahora, además, ¡puedo practicar mi español con mis compañeros después de clase!

CONTINÚA »

3. CHASE

Estudié español en la escuela y en el instituto. Sabía mucha gramática, pero cuando llegué aquí ¡no era capaz de entender a los españoles y mucho menos de hablar español! Necesitaba un curso para conseguir comunicarme y no aprender solo gramática...

4. TALIA

Me encanta el español, España, su cultura..., pero estudiar gramática dentro de una clase me parecía muy aburrido. Este curso ofrecía aprender las reglas y la cultura al mismo tiempo, y conocer en persona la vida real de los españoles... ¡Había que comprobarlo!

5. RAIMON

Llevaba años en España y ya había aprendido casi toda la gramática del español. Dejé de ir a clase porque casi siempre repetíamos lo que ya sabía, pero después, en la calle, siempre escuchaba expresiones que no acababa de entender. No quería seguir yendo a clase, sino aprender de los nativos el español que no estaba en los libros.

6. ROSANNA

Había decidido estudiar lengua y cultura españolas en la universidad y, aunque ya había estudiado español, me pedían más nivel para poder entrar. Así que me tomé un año sabático antes y vine a España para dedicarme exclusivamente a estudiar español y aprender todo lo posible.

CURSOS DE ESPAÑOL AÑO ACADÉMICO 2015-2016

A CURSOS DE 30 HORAS SEMANALES

Horario: de 9:30 a 13:30h y de 15:00 a 17:00h. de L a V.

Diseñado para alcanzar el nivel más alto de español, este curso asegura el máximo progreso gracias al estudio diario e intensivo. Las horas impartidas aseguran una excelente asimilación de los contenidos. Se requiere una gran dedicación.

B ESPAÑOL A PIE DE CALLE

Combine un curso de español con experiencias de la vida real. Con este curso usted no será un turista pasivo que observa en la distancia, sino que descubrirá la verdadera España visitando museos, mercados, cafeterías, tiendas..., utilizando el idioma aprendido en el aula. Un método de aprendizaje interactivo, divertido y singularmente eficaz.

C CURSOS DE 3 HORAS SEMANALES

Horario: 1,5 h. M y J o 3 h. X, en horarios de mañana o tarde.

Permite lograr un excelente ritmo de progreso asistiendo solo a una o dos clases por semana. Ideal para alumnos de larga duración, que estudian o trabajan en España, y que quieran aprender en un contexto de inmersión.

D CURSO DE NEGOCIOS

Porque sabemos que la vida económica requiere un lenguaje diferente, estos cursos se centran en mejorar su español en el trabajo, permitiéndole comunicarse y hacer negocios de manera efectiva en el mercado de habla española. Gran flexibilidad de horarios.

E TÚ A TÚ

La oportunidad para aprender en una clase hecha a su medida que se adaptará en todo momento a sus requerimientos específicos, centrándose en las áreas que necesitan atención especial. Clases particulares y presenciales en las que el profesor supervisará su desarrollo de forma continua. ¡Saque el máximo provecho de sus clases!

F CLASES DE CONVERSACIÓN

Horario: 3 horas semanales, dos días a la semana.

Para trabajar específicamente las destrezas orales. Este curso está dirigido a estudiantes con ciertos conocimientos de español que desean mejorar sus habilidades de comunicación y su capacidad para relacionarse en un entorno español.

G CURSOS DE PREPARACIÓN AL EXAMEN DELE

Cursos donde se trabajan a fondo todas las técnicas del examen para obtener el Diploma de Español como Lengua Extranjera. Prepárese con profesores altamente preparados, siendo muchos de ellos examinadores de los exámenes DELE. Modalidad de los cursos: extensivos e intensivos.

H ¡¡NUEVOS CURSOS *ONLINE*!!
Si no quieres desplazarte o no tienes tiempo, estas son tus clases. Podrás aprender español cómodamente desde tu casa o desde donde quieras, tan solo necesitas un ordenador y conexión a Internet. Un profesor te dará clases particulares "a medida" y hará un seguimiento de tu evolución.

I CLUB DE INTERCAMBIO
Y no olvides que también disponemos de un tablón de anuncios donde podrás apuntarte si quieres seguir practicando y mejorando tu español fuera del aula. Tanto si eres alumno como exalumno de la escuela, solo tienes que anotar tu nombre, teléfono y lenguas en las que te interesaría hacer el intercambio.

PRUEBA DE COMPRENSIÓN AUDITIVA

>|14| |3| Va a escuchar a seis jóvenes Erasmus que hablan de tópicos y estereotipos sobre los españoles en sus países y de sus propias impresiones después de conocer España. Escuchará a cada persona dos veces. Seleccione el enunciado (A-I) que corresponde a cada una. Hay nueve enunciados. Seleccione seis.

ENUNCIADOS

- **A** Piensa que los españoles son temperamentales.
- **B** Cree que para conocer a una chica española hay que insistir.
- **C** Cree que los españoles son impuntuales como en su país.
- **D** Piensa que los españoles funcionan a un ritmo distinto al de su país.
- **E** Cree que los españoles estudian menos que en su país.
- **F** Piensa que los españoles son menos tolerantes con los inmigrantes.
- **G** Piensa que algunos españoles son más vagos que en su país.
- **H** Cree que los españoles en realidad son menos sociables de lo que se piensa.
- **I** Le costó relacionarse al principio porque los españoles conocen poco su cultura.

OPCIONES

Persona	Enunciado	Persona	Enunciado	Persona	Enunciado
1 Albin (Noruega)	....	**3** Alejandra (México)	....	**5** Ingrid (Alemania)	....
2 Chin-Hu (Corea)	....	**4** John (Nueva York)	....	**6** Tom (Inglaterra)	....

PRUEBA DE EXPRESIÓN E INTERACCIÓN ESCRITAS

>|15| Lea el siguiente mensaje de la página web de su antigua academia de español:

Estamos recopilando anécdotas debidas a malentendidos culturales basadas en la experiencia de antiguos alumnos durante su estancia en España. ¡Anímate a contarnos la tuya! El autor de la anécdota más divertida ganará un curso de español gratuito para el próximo verano.

Redacte un texto de 130-150 palabras para enviar a la página web de la escuela en la que cuente:

- alguna anécdota graciosa que recuerde de aquella estancia en España debida a un malentendido;
- cuál fue el motivo del malentendido, diferencias entre su cultura y la española;
- si cambió su idea sobre España después de su estancia allí.

2 ¡MÓJATE!

>| 1 | Raúl se marcha a trabajar a Nueva York. Completa esta conversación de WhatsApp con la forma correcta del presente de subjuntivo.

1. Chicos, ya me han llamado. ¡Me voy a trabajar a Nueva York! Pero no creo que .... **(estar, yo)** más de dos años.

2. Me parece una gran oportunidad que .... **(vivir, tú)** esta experiencia.

3. Pero me parece necesario que .... **(aprender, tú)** a cocinar antes de irte. ¡Si no vas a pasar muuuucha hambre!

4. No pienso que Álex .... **(comer)** mal. Lo único es que es no le gusta la cocina.

5. Es bueno que .... **(independizarse, tú)** ya. Tienes 30 años

6. Es fantástico que nos .... **(avisar, tú)** antes de irte. ¡Hay que celebrarlo!

7. Es una buena idea que .... **(celebrar, nosotros)** tu despedida. Propongo este sábado.

8. Me parece mal que el Gobierno no .... **(ayudar)** a los jóvenes como tú tan preparados. ¡Me da penita!

9. No me parece bien que siempre .... **(hablar, tú)** de política, Vicky.

10. Es bueno que los jóvenes .... **(prepararse)** en otros países. Yo estuve tres años en China.

>| 2 | Escribe la forma correcta del presente de subjuntivo de los verbos siguientes.

	Yo	Nosotros/as
1. saber	....	....
2. entender	....	....
3. decir	....	....
4. pedir	....	....
5. salir	....	....
6. soñar	....	....
7. ir	....	....
8. tener	....	....

	Yo	Nosotros/as
9. cerrar	....	....
10. querer	....	....
11. leer	....	....
12. oír	....	....
13. construir	....	....
14. ver	....	....
15. jugar	....	....
16. hacer	....	....

>| 3 | 4 Raúl lleva dos meses en Nueva York y recibe una llamada de su padre. Completa el diálogo con los verbos del recuadro en presente de subjuntivo. Luego, escucha y comprueba.

hacer * **ir** * **ser** * **volver** * **conocer** * **tener (2)** * **poder** * **venir** * **comenzar**

Padre: Hola, Raúl, te llamo a estas horas, porque no creo que **(1)** .... luego más tarde.

Raúl: No hay ningún problema, todavía estaba despierto.

Padre: Recibí tu correo y me parece fantástico que **(2)** .... a mudarte a un apartamento cerca de Central Park. ¡Qué lujazo!

Raúl: Bueno, es una pena que **(3)** .... que dejar este apartamento, porque está muy cerca del trabajo, pero es que es muy pequeño.

Padre: ¿Y el trabajo cómo te va?

Raúl: Muy bien. La verdad es que estoy muy contento, aprendiendo mucho de Programación y Sistemas, que es lo que quería.

Padre: ¿Y has conocido ya a mucha gente?

Raúl: Sí, todos son compañeros de trabajo. La mayoría son de México y Colombia, así que en el trabajo casi siempre estoy hablando en español.

Padre: No creo que **(4)** .... una buena idea si lo que querías era aprender bien inglés.

Raúl: Ja, ja, ja... No, la verdad. Por eso he decidido apuntarme a inglés en una academia.

Padre: Me parece bien que **(5)** .... con clases de inglés. ¡Ya era hora! ¿Y cuándo tienes pensado volver para hacernos una visita?

Raúl: Pues no creo que **(6)** .... a España de momento. Tengo pensado hacer algún viaje por aquí.

Padre: Es una buena idea que **(7)** .... algún viaje por el país y que **(8)** .... otros lugares. Tu madre y yo hemos pensado ir a visitarte en Navidad, ¿qué te parece?

Raúl: ¡Genial! Es estupendo que **(9)** .... a verme.

Padre: Lo peor son tantas horas de vuelo.

Raúl: No creo que **(10)** .... ningún problema. Ya habéis estado en el Caribe y son más o menos las mismas horas.

>| 4 | Elige el verbo correcto.

1. Está bien **reducir/reduce/reduzca** el tráfico en el centro de la ciudad.
2. Es una pena que mucha gente no **dedicar/dedica/dedique** tiempo a cuidarse.
3. Opino que no **ser/es/sea** importante colaborar en alguna organización benéfica.
4. Me parece necesario que **probar/probamos/probemos** también la medicina alternativa.
5. A mí no me parece que **ser/es/sea** tan grave estar dos días sin Internet.
6. Me parece que no **ser/es/sea** tan grave estar dos días sin Internet.
7. Está bien que el ayuntamiento **reducir/reduce/reduzca** el tráfico en el centro de la ciudad.
8. Es genial **tener/tengo/tenga** buenos amigos en los que poder confiar.
9. Está bien que **cuidar/cuidamos/cuidemos** el medioambiente.
10. Me parece absurdo **ponerse/te pones/te pongas** nervioso al hablar en público.
11. Creo que **ser/es/sea** importante formarte bien antes de buscar trabajo.
12. No creo que el Gobierno **disminuir/disminuye/disminuya** las becas de la universidad.

>| 5 | Clasifica las frases anteriores según lo que expresan.

a. Expresa opinión en forma afirmativa. ________
b. Expresa opinión en forma negativa. ________
c. Hace una valoración de manera general. ________
d. Hace una valoración de acciones que realizan otras personas. ________

>| 6 | Lee estas noticias y escribe tu opinión.

1. MULTADOS OCHO JÓVENES POR JUGAR AL PARCHÍS Y BEBER BEBIDAS SIN ALCOHOL

La Policía les ha impuesto una multa de 101 euros a cada uno por "permanencia y concentración de personas consumiendo bebidas en zonas no autorizadas".

No creo que...

Me parece mal que..................................

2. UN FUGITIVO SE CONVIERTE EN DIRECTOR DE UN MUSEO Y ROBA 370 000 EUROS

Además de convertirse en el director de un museo, el fugitivo también ganó un concurso público como economista.

Es... que.........................

A mí me parece.................

....

3. RECUPERA A SU LORO TRAS CUATRO AÑOS DESAPARECIDO... ¡Y AHORA HABLA ESPAÑOL!

Un estadounidense recuperó a su loro Nigel tras cuatro años perdido y le sorprende hablando español cuando antes solo hablaba inglés.

Es curioso que.......................

Creo que...........................

4. Diario chileno indemnizará por receta de churros explosivos

125 000 dólares deberá pagar una empresa periodística chilena a 13 personas que resultaron heridas con quemaduras graves después de elaborar una receta publicada en su suplemento.

Me parece horrible que....................

Creo que.................................

5. La cerveza y el billar ayudan a prevenir el envejecimiento

Un investigador danés ha descubierto que tomar una cerveza durante un juego de billar ayuda a las personas mayores de 70 años a permanecer activas.

No pienso que...

Me parece increíble que..

>| 7 | Raúl ha leído las noticias anteriores y da su opinión. ¿A qué noticia crees que se refiere en cada caso?

a. ☐ Es absolutamente imposible que aprenda otras lenguas.
b. ☐ Me parece justo que les paguen por eso.
c. ☐ Creo que la gente puede hacer lo que quiera mientras no moleste.
d. ☐ Me parece alucinante que nadie controle el acceso a este tipo de puestos.
e. ☐ No creo que el estudio sea cierto.
f. ☐ Es una irresponsabilidad que no comprueben antes si salen bien o no.
g. ☐ Es injusto que pase en un país donde priman las libertades.
h. ☐ Pienso que todas las actividades son buenas para mantenerse joven.
i. ☐ Me parece una tontería que haya este tipo de sanciones.

>| 8 | Escucha opiniones sobre varias noticias y señala si la segunda persona está o no de acuerdo con la primera, o si expresa escepticismo.

|5|

	1	2	3	4	5	6	7	8
Acuerdo total.	○	○	○	○	○	○	○	○
Desacuerdo total.	○	○	○	○	○	○	○	○
Acuerdo parcial.	○	○	○	○	○	○	○	○
Escepticismo.	○	○	○	○	○	○	○	○

9 ¿Y tú? ¿Estás de acuerdo o no con la primera persona? Escucha y expresa tu opinión.

|6|

1. ....
2. ....
3. ....
4. ....
5. ....
6. ....
7. ....
8. ....

10 Completa la tabla según lo que expresan los siguientes enunciados.

Tienes razón * ¿Pero qué dices? * En absoluto * Bueno, depende * Si tú lo dices... * Por una parte sí, pero por otra no * Estoy de acuerdo en parte * No tienes razón

Expresar acuerdo total	*Expresar desacuerdo total*	*Expresar acuerdo parcial*	*Expresar escepticismo*

11 Ana se marcha de cooperante a África. Lee el texto y complétalo con los conectores del discurso y los verbos en su tiempo correspondiente.

Conectores	*Verbos*
incluso * sin embargo * como * encima	**ser * decidir * hacer * pasar * tener * poder * servir * dar * cumplirse * mejorar**

Cooperantes

Hoy salimos para el Chad, uno de esos países olvidados que no aparece ni en los telediarios, y que la Wikipedia describe como "el corazón muerto de África, con más del doble de extensión que España y con tan solo 11 millones de habitantes". Desde hace cinco años colaboro como médica con la ONG *Médicos sin Vacaciones*. Es fundamental que estas iniciativas **(1)** .... a conocer los problemas que existen en estos países y es maravilloso que muchos colegas **(2)** .... sus vacaciones ayudando.

(a) .... ya había estado antes en un país pobre, sé que algunas cosas que para nosotros son sencillas y cotidianas allí se transforman en grandes problemas. El simple hecho de enviar un contenedor con material médico se transforma en una aventura llena de dificultades que puede retrasarse muchos meses. Es necesario **(3)** .... la logística en las organizaciones de ayuda al desarrollo, así que me parece genial que en nuestra misión de este año **(4)** .... llevar encima todo lo posible, hasta 450 kg de ayuda en forma de medicamentos y material médico, e **(b)** ...., material deportivo para nuestros niños de los colegios de Beti, Donomanga y Bero. Vamos con grandes objetivos que, **(c)** ...., la realidad se encargará de destruir.

Hoy nos preocupa mucho la llegada al aeropuerto de Djamena con nuestras veinte maletas de ayuda. No creo que **(5)** .... un trabajo fácil. ¿Cuánto dinero nos va a costar pasar la aduana? No creo que las optimistas expectativas de Sor Magdalena (con más de treinta años de experiencia en el Chad) **(6)** .... y **(7)** .... **(nosotros)** solucionar el asunto regalando unos cuantos balones entre el personal de la aduana. Dudo que ella **(8)** .... razón. Es increíble que de nada **(9)** .... las etiquetas de ayuda humanitaria de nuestro equipaje, es más, **(d)** .... serán un reclamo para el chantaje y la extorsión. Estoy totalmente a favor de que los gobiernos **(10)** .... algo para solucionar estos problemas.

Mi labor principal va a ser ayudar en el Hospital de St. Joseph en Bebedja, solucionando las necesidades de este hospital.

Adaptado de: http://blogs.elpais.com/3500-millones/2014/01/mi-experiencia-como-cooperante-amateur.html

>|12| **Lee el texto sobre esta ONG y, teniendo en cuenta todas las reglas generales de acentuación que ya conoces, pon tilde en las palabras que lo necesiten.**

WWF es una organizacion sin animo de lucro que lucha contra el cambio climatico en varios ambitos: sensibilizando a la poblacion mediante campañas, participando en los foros donde se deciden las politicas para la reduccion de gases de efecto invernadero, asi como liderando iniciativas sobre eficiencia energetica y disminucion de emisiones.

Practicamente han sido los pioneros en educacion ambiental, a traves de novedosos proyectos educativos que, basados en el desarrollo sostenible y la conservacion (consumo, uso del agua, contaminacion marina, cambio climatico, bosques...), han llegado a más de 10 000 colegios, institutos y asociaciones de vecinos.

WWF trabaja en cientos de proyectos de estudio y recuperacion de especies amenazadas (lince iberico, lobo, oso pardo, aguila imperial, etc.), proyectos de cooperacion internacional con países en vías de desarrollo (Marruecos, Libano, Colombia...) y numerosas acciones para conseguir la proteccion de lugares de interes ecologico (Doñana, Picos de Europa, Daimiel...).

Toda esta experiencia les convierte, seguramente, en la organizacion más comprometida con los temas ambientales, que ejecuta programas de conservacion e impulsa la cultura ambiental en España. Ademas, WWF tiene gran capacidad de influencia politica, de mediacion y coordinacion entre organismos y empresas. Todo ello les hace ser un referente obligado en comunicacion y formacion ambiental de la opinion publica.

Por ultimo, WWF ha recibido recientemente multiples premios que reconocen su labor en defensa de la naturaleza, como el Premio Principe de Asturias y el Premio Nacional.

ACTIVIDADES POR DESTREZAS

PRUEBA DE COMPRENSIÓN DE LECTURA

>|13| **Va a leer tres textos en los que unas personas nos cuentan su relación y experiencia con la ONG Aldeas Infantiles SOS. Relacione las preguntas (1-6) con los textos (A, B o C).**

	A Alfredo	B Magdalena	C Sinda
1 ¿Quién dice que su relación con la ONG nació por iniciativa propia?	○	○	○
2 ¿Quién dice que se siente agradecido con Aldeas Infantiles por lo que le ha dado?	○	○	○
3 ¿Quién dice que tuvo una infancia difícil?	○	○	○
4 ¿Quién dice que no pertenecer a la misma familia biológica no es un obstáculo para querer?	○	○	○
5 ¿Quién ha seguido el ejemplo de Aldeas Infantiles para crear un hogar?	○	○	○
6 ¿Quién dice que sigue manteniendo contacto con su familia en Aldeas Infantiles?	○	○	○

ALFREDO

Viví en una Aldea Infantil SOS con mis hermanos y de allí pasé a la Residencia Juvenil. Años más tarde, me matriculé en FP de Grado Superior en Hostelería, y de ahí surgió mi trabajo como cocinero en un hotel en el que llevo ya muchos años. Ahora tengo una profesión de verdad, de la que estoy realmente orgulloso y quiero darle las gracias a la Organización por todo lo que me ha ofrecido. Solo puedo decir que me he llevado lo mejor: a mi madre SOS, con la que todavía me relaciono, y el recuerdo de cocinar junto a ella y mis hermanos esas tortillas de patatas que tanto nos gustaban. Y la verdad es que no era mi mamá biológica, pero yo sentía que era mi mamá de verdad. Ella me enseñó lo bonito que era cocinar en familia.

MAGDALENA

Llegué a Aldeas Infantiles SOS a los doce años y puedo decir que a los trece años empezó mi vida. Mi infancia no fue fácil, los Servicios Sociales se hicieron cargo de mí y tuve que pasar dos años en distintos colegios separada de mis hermanos. Con trece años llegamos todos juntos a Aldeas Infantiles y conocimos a la que sería nuestra madre SOS, Encarna. Gracias a su paciencia pude volver a sentirme segura y a tener las únicas preocupaciones propias de una niña: estudiar y jugar. Pero lo más importante es que fue allí donde sentí por primera vez lo que significaba recibir cariño. Mi hogar es Aldeas y todos mis recuerdos de la infancia son esos. Hoy he formado mi propia familia, como la que fuimos Encarna y nosotros, y quiero dar a mis hijas todo el amor que me dieron a mí.

SINDA

Un día llegué a la conclusión de que quería dar otro sentido a mi vida, un giro que me permitiera sentirme satisfecha conmigo misma. Entonces conocí Aldeas Infantiles SOS y quedé fascinada. Darles a los niños una casa, una vida hogareña con una persona que pudiera dedicarse exclusivamente a su cuidado, era un proyecto que me sedujo por completo. Además, ¿por qué un niño tiene que ser de uno para quererlo? Los genes no lo son todo en esta vida y cuando se está dispuesto a querer y entregarse, no hay vínculos de sangre que valgan. Reconozco que al principio fue un shock absoluto, pero poco a poco nos fuimos adaptando, los niños y yo. Cuando miro atrás, considero que mi mayor logro ha sido enseñarles a ser capaces de afrontar la vida por sí mismos.

Adaptado de *Testimonios de Aldeas Infantiles SOS*

PRUEBA DE COMPRENSIÓN AUDITIVA

14 |7| Va a escuchar una conversación entre dos amigos sobre la precariedad laboral en España y la posibilidad de irse fuera a trabajar. Indique si los enunciados se refieren a Ana, a Carlos o a ninguno de los dos. Escuchará la conversación dos veces.

		Ana	Carlos	Ninguno de los dos
1	Duda que ayudar a los jóvenes a marcharse fuera sea una buena idea.	○	○	○
2	No quiere desaprovechar su tiempo en España.	○	○	○
3	Cree que los políticos intentan manipular nuestra opinión.	○	○	○
4	Piensa que la vida en el extranjero es más difícil que en España.	○	○	○
5	No cree que irse al extranjero pueda ser una experiencia positiva.	○	○	○
6	Cree que actualmente uno se puede buscar mejor la vida fuera de España.	○	○	○

PRUEBA DE EXPRESIÓN E INTERACCIÓN ORALES

15 Hable durante 2 o 3 minutos sobre el tema que se indica siguiendo las instrucciones.

VIVIR EN EL EXTRANJERO

Incluya la siguiente información:

- ¿Viviría en un país extranjero?
- ¿Cuáles son los motivos por los que lo haría o no?
- ¿Qué aspectos positivos y negativos cree que puede tener vivir en otro país?
- ¿Qué cree que echaría más de menos viviendo en otro país?
- ¿Cree que se adaptaría bien a unos hábitos o costumbres diferentes?
- ¿Ha vivido ya en un país extranjero? En caso afirmativo, valore la experiencia.

No olvide:

- diferenciar las partes de su exposición: introducción, desarrollo y conclusión final;
- ordenar y relacionar bien las ideas;
- justificar sus opiniones y sentimientos.

>| 1 | Birthe es una chica danesa que está teniendo algunos problemillas de adaptación en España. Ha escrito en un foro pidiendo consejos. Lee y completa los espacios con el verbo entre paréntesis en el tiempo y modo adecuados.

EXTRANJEROS Usuario Contraseña Me gusta

A 985 personas les gusta esta página · 104 personas están hablando de esto

Birthe

1 Hola, soy Birthe, danesa, y he venido a vivir a España. Aunque me siento muy bien aquí y los españoles son muy amables, a veces ¡no los entiendo!
Deseo **(1)**............. **(integrarse, yo)** en el país, y espero que la gente **(2)**........... **(tener)** más paciencia conmigo. Pero no me vendrían mal algunos consejillos. Por ejemplo: el portero de mi edificio siempre me está preguntando cosas, y encima ayer lo escuché diciéndole a otra vecina "parece buena niña pero es muy seca". No entiendo bien a qué se refiere, aunque creo que no es algo muy bueno... También, en la empresa donde hago prácticas, no entiendo por qué cuando llega la hora de irse y recojo, todos siguen sentados en sus sillas y se quedan mirándome mientras me marcho. ¡Ah! y mi novio, que es español, me invitó el domingo pasado a comer a su casa, sus padres fueron muy cariñosos conmigo, pero, aunque insistí diciendo que no como mucho, ¡tuve que comerme hasta dos platos de cocido! Quiero **(3)**............... **(conocer, yo)** la opinión de otras personas y ojalá alguien **(4)**............. **(poder)** explicarme qué no estoy entendiendo.

Thomas

2 Hola, Birthe, ja, ja, me recuerdas a mí cuando llegué a España. Te puedo decir que los españoles tienen la mala costumbre de regalar su tiempo a su empresa y que no suelen salir nunca a su hora. Vamos, que para ellos no queda bien irse puntuales.
Yo te aconsejo que no **(5)**............... **(levantarse, tú)** justo cuando se termina tu jornada y que **(6)**............ **(quedarse, tú)** unos cinco o diez minutos más organizando tus cosas o respondiendo a algún correo. Pero tampoco te recomiendo que **(7)**............ **(pasar, tú)** mucho más tiempo. Creo que esa es una mala costumbre española e igual es mejor que **(8)**........... **(ser)** ellos los que la cambien, ¿no crees? Bueno, suerte y ¡que te **(9)**............ **(ir)** bien!

Consuelo

3 Querida Birthe, es verdad que los españoles podemos ser un poco curiosillos a veces. Lo de tu portero tiene fácil arreglo, seguramente dijo que eras seca porque le respondes con monosílabos o todavía no has contestado a las preguntas de rigor.
Te recomiendo que la próxima vez le **(10)**............ **(contar, tú)** de dónde eres, qué haces en España, a qué te dedicas... Con eso será suficiente para calmar su curiosidad. Después, te aconsejo **(11)**............... **(hacer, tú)** algún comentario trivial cuando os crucéis: "¡Qué buen día hace hoy!", etc. Supongo que esto es un poco extraño para ti, pero yo prefiero tener un portero cotilla a uno al que no le importa quién entra o sale del portal.

Piya

4 Pobre Birthe, te entiendo perfectamente, de hecho yo engordé 5 kilos mi primer año aquí. A mí, mi suegra también me preparaba unos platos suculentos y mucho más grasos de lo que yo acostumbro a comer. Encima, por mi cultura, yo no sabía cómo decirle que no, así que comía y comía sin parar. Hasta que encontré la solución. Para no resultar descortés y no tenerte que comer lo que no quieres, te recomiendo **(12)**............ **(decir, tú)** que te sienta mal ese tipo de comida y que el médico te ha dicho que no puedes comerla. ¡Que **(13)**............ **(tener, tú)** suerte!

>| 2 | Busca en el texto las expresiones que sirven para expresar deseos o para dar consejos y clasifícalas siguiendo el ejemplo.

Expresar deseos	*Dar consejos y hacer recomendaciones*
(1) *Deseo* + infinitivo	

3 | Hay una expresión que no puedes clasificar en la tabla de la actividad anterior. Completa su explicación.

Es mejor que se usa también para expresar: ☐ una condición ☐ un deseo ☐ una valoración

- *Es mejor que* + **(1)**............

Esta expresión también puede usarse para dar consejos:

– *Es mejor que* **(2)**............ **(hablar, tú)** *con él cara a cara que por teléfono.*

– *Es mejor que* **(3)**............ **(irse, vosotros)** *ya. Cierra antes de las seis.*

4 | Podrías darle ahora tú algún consejo a Birthe?

1. En el trabajo te recomiendo que ....
2. Con tu portero, te aconsejo que ....
3. Con tus suegros, te recomiendo ....

5 | Birthe ha seguido vuestros consejos, pero ahora con quien parece no entenderse es con su novio. Lee la conversación telefónica que mantiene con su amiga Hanne y completa los espacios con las palabras del recuadro. Luego escucha y comprueba tus respuestas.

|8|

luego * mientras * incluso * o sea * al mismo tiempo * es que (2) * en definitiva

Birthe: ...De verdad, ya no sé qué hacer. Lo quiero mucho, pero a veces ¡no lo aguanto!

Hanne: Pero, ¿qué ha pasado ahora?

Birthe: Pues nada, habíamos decidido ir el fin de semana al campo, lo teníamos todo listo, **(1)**........... ya me había comprado unas botas de montaña porque las mías me las dejé en Dinamarca, y resulta que me dice que **(2)**........... el sábado, **(3)**..........., el mismo fin de semana, todos sus amigos juegan un partido de fútbol y que le han dicho que él no puede faltar... **(4)**..........., que pretende que dejemos lo del campo para otro fin de semana.

Hanne: Bueno, **(5)**............ parece que el fútbol para los españoles es muy importante, ¿no?

Birthe: Sí, sí, todo lo que tú quieras, y a mí no me importa que quede con sus amigos y que juegue al fútbol, pero si ya tenemos hechos unos planes... Lo peor de todo es que encima **(6)**............ me dice que como yo me voy a aburrir viendo el partido, algo que supone él, claro, que **(7)**............. ellos juegan, puedo irme con las novias de sus amigos a dar una vuelta o a tomar algo, y que así puedo divertirme y practicar mi español **(8)**............ ¿Qué te parece?

Hanne: Bueno, en eso tiene razón...

Birthe: En fin, que al final me quedo sin ir al campo el finde que viene...

Hanne: Bueno, Birthe, espero que todo se arregle entre vosotros, y recuerda que, sean españoles o daneses, al final lo que está claro es que los hombres son de Marte y las mujeres de Venus, ja, ja, ja...

6 | Clasifica los conectores que has escrito en la actividad 5 según su uso o significado correspondiente, y escribe una frase con cada uno de ellos.

Expresar una excusa	*"Después"*	*Introduce dos acciones contemporáneas o simultáneas*	*Expresa conclusión*	*Añade información*	*Reformula una idea*

1. ....
2. ....
3. ....
4. ....
5. ....
6. ....

7 Relaciona los elementos de las dos columnas para formar expresiones referidas a las tareas del hogar.

1. fregar .... *	* a. la ropa
2. pasar .... *	* b. la mesa
3. limpiar .... *	* c. la lavadora/la mesa
4. tirar .... *	* d. el suelo
5. planchar/tender .... *	* e. los platos
6. barrer/fregar .... *	* f. la basura
7. hacer .... *	* g. la cama/la compra/la comida
8. poner .... *	* h. el polvo/los cristales/el baño/la cocina
9. quitar .... *	* i. la aspiradora

8 Birthe ha decidido irse a vivir con su novio. Para que las tareas domésticas no sean un nuevo motivo de discusión, ha escrito algunas normas. Completa las frases con las expresiones de la actividad anterior.

1. Para que la moqueta esté siempre limpia, hay que .... una vez a la semana.
2. Después de comer, hay que ...., así no se acumularán en el fregadero.
3. Antes de salir de casa por la mañana, hay que ...., así no nos dará pereza al volver a casa y las sábanas no estarán arrugadas.
4. Hay que .... todas las noches, si no después huele mal toda la casa.
5. .... es lo que menos me gusta, soy alérgica, así que prefiero que lo hagas tú. Para los muebles usa algún producto que no estropee la madera.
6. De .... mejor te encargas tú. A mí nunca se me ha dado bien la cocina. Si quieres, yo me encargo de .... y .... antes y después de comer. También puedo ...., me gusta ir al mercado y comparar precios.
7. Podemos .... una o dos veces a la semana. Recuerda que hay que separar siempre la ropa de color de la blanca, y la de color, mejor lavarla en agua fría. Después, es importante .... estirada, así se seca sin arrugas y después no hace falta .... tanto.
8. En cuanto al salón, es mejor .... todos los días, pero fregarlo solo será necesario una vez a la semana.
9. Por último, yo me puedo encargar de .... de las ventanas. Para .... la cocina y el ...., como es lo peor, podemos turnarnos.

9 Escribe al lado de los objetos cuál es la tarea del hogar con la que están relacionados.

1. Lavabo, váter, azulejos, grifo, estropajo, bayetas: ....
2. Cacerola, sartén, vitrocerámica, cacharros, horno, microondas: ....
3. Jabón, suavizante, ropa: ....
4. Plancha, tabla, cable, enchufe: ....
5. Estropajo, fregadero, cacharros, escurridor: ....
6. Sábanas, colcha, almohada, edredón: ....

10 El portero de Birthe está barriendo la escalera y no puede evitar escuchar las conversaciones de algunos vecinos. Sin embargo, a veces no consigue escucharlo todo. Reconstruye los diálogos con las palabras del recuadro. Luego escucha y comprueba tus respuestas.

[9]

cumplas con tu parte * decirte una cosita * te impliques * volverá a pasar * entiéndeme ten más paciencia * es que (2) * enfades * perdona * verdad * razón * lo siento

1. **Nacho:** Birthe, tengo que **(1)**............. No te **(2)**............., pero... **(3)**............. ayer puse una lavadora y... mira... ¡no sé qué ha pasado, pero toda la ropa está rosa!

Birthe: ¿Qué? ¡Nacho, de verdad! ya te expliqué que tenías que separar la ropa blanca de la de color, ¡y has metido tu jersey rojo con la ropa blanca! ¡Mira cómo has dejado mi camiseta favorita!

Nacho: **(4)**............., Birthe, **(5)**............. mucho. Pero mira, este fin de semana vamos al centro comercial y te compro una camiseta igual, ¿vale?

2. **Madre:** ¡Luis! ¡Mira cómo has dejado la cocina! ¿No te he dicho mil veces que tienes que fregar los platos después de comer?

Hijo: ¡Ay, mamá! Si los iba a fregar, pero **(6)**............. ha venido Darío y nos hemos puesto a...

Madre: ¡Pero bueno! ¿Y este comedor? ¿Qué hacen todos estos cedés tirados por el suelo?

Hijo: Pues ya te he dicho que ha venido Darío y que...

Madre: Mira, Luisito, ni Darío ni nada. Si quieres salir los fines de semana, te exijo que **(7)**............. de las tareas.

Hijo: Vale, mamá, de verdad que no **(8)**............. Lo recojo todo ahora mismo.

3. **Pepe:** Fernando, ¿has terminado ya los informes que necesitábamos para la reunión?

Fernando: ¡Ay, vaya! Se me ha olvidado completamente.

Pepe: Fernando, no es la primera vez que te pasa. No veo mucho interés por tu parte, la verdad.

Fernando: Pepe, no te pongas así, pero **(9)**............. ..., tengo muchas cosas en la cabeza y...

Pepe: Mira, Fernando, esto tiene que cambiar, te pido que **(10)**............. más en el negocio, si no, me voy a plantear continuar con esto.

Fernando: Es **(11)**............., tienes **(12)**............. Pero, por favor, **(13)**............. conmigo...

>|11| Clasifica las expresiones de la actividad anterior en su lugar correspondiente.

1. Para expresar peticiones o mandatos usamos las expresiones: ....
....
2. Expresiones atenuantes son: ....
3. Para justificarnos usamos las expresiones: ....
4. Para pedir disculpas usamos: ....
....

>|12| En el siguiente correo electrónico se han olvidado de marcar las tildes diacríticas. Léelo con atención y escribe las tildes que correspondan.

ENVIAR | DE: nacho@tucorreo.es | PARA: laura@micorreo.es | ASUNTO: Quedada

Hola, Nacho:

Te escribo porque esta mañana me he encontrado a tu novia Birthe en una cafetería y me he acordado de ti. Me imagino que te lo habrá contado, porque le he dicho que te de recuerdos de mi parte, pero como te conozco y se que tu no vas a escribirme a mi, pues soy yo OTRA VEZ la que te escribo a ti...

No se si es que estás muy liado en el trabajo, pero por mas que lo intento, últimamente no hay forma de verte el pelo. ¿Por qué no me llamas y quedamos un día para tomar un te? Te digo lo del te porque mi nuevo novio es inglés y lo hace muy bueno (no te he contado lo del novio precisamente porque ¡¡nunca nos vemos!!).

Se lo podríamos decir también a Carlos, aunque ya sabemos que el está siempre mas liado que tu. Yo últimamente le he escrito algunos correos, mas no he recibido respuesta. ¿Tu sabes si sigue por Madrid?

Venga, se bueno, contéstame al correo y dime que si vamos a quedar de una vez.

Un beso, Laura.

PRUEBA DE COMPRENSIÓN DE LECTURA

13 Usted va a leer un texto sobre el "fenómeno del nido repleto". Después, debe contestar a las preguntas (1-6). Seleccione la respuesta correcta (a/b/c).

El fenómeno del nido repleto

Actualmente, cada vez los jóvenes tardan más en independizarse de sus padres. Al hecho de que los hijos de más de 18 años permanezcan en el hogar de sus padres se le conoce como el "fenómeno del nido repleto".

En España, por las características sociales, económicas y culturales de nuestro país, los hijos abandonan el hogar más tarde que en el norte de Europa y en EE. UU. Nuestro caso se asemeja más a otros países de cultura mediterránea como Grecia, Portugal o Italia.

Según un estudio realizado por investigadores de la Universidad de La Laguna, si los hijos conviven con sus padres en esta última etapa, los conflictos en casa aumentan. "Hemos trabajado con jóvenes para ver qué ocurre durante el denominado *fenómeno del nido repleto*, explica Beatriz Rodríguez, investigadora de la Universidad de la Laguna y coautora del estudio. El hecho de que los *adultos emergentes* (así llamados a los hijos de entre 18 y 25 años) continúen viviendo en casa de los padres aumenta la conflictividad en el hogar. "Los conflictos en la adolescencia alcanzan el pico más alto al principio, descienden durante la adolescencia media y vuelven a incrementarse en la tardía", señala Rodríguez.

El estudio también ha constatado las diferencias entre los tipos de conflictos y las estrategias de resolución de los mismos a lo largo del tiempo.

"Además, en esta etapa, el tema de conflicto también es diferente", apunta la investigadora. "Mientras que en la etapa adolescente los conflictos llegan a través de los estudios, con más edad se centran más en los valores personales y sobre las perspectivas de futuro. Existe una disociación entre lo que los padres y madres esperan de sus hijos para esa etapa y lo que los propios adultos emergentes esperan para ellos mismos. Hay una separación entre los valores sociales y sus expectativas personales", apunta el estudio.

Asimismo, las estrategias de resolución de conflictos cambian. A medida que avanza la adolescencia, los individuos desarrollan estrategias más constructivas —se orientan a resolver el problema y a aprender de él— y, durante la adultez emergente, las estrategias de negociación o para convencer aumentan.

"Desde nuestra perspectiva aconsejamos que se ponga en marcha una política social que ayude a promover la emancipación de los adultos emergentes de sus hogares familiares. Sin embargo, mientras la situación sea la que es, los padres deben reconocer que sus hijos se encuentran en transición a la vida adulta y asumir que su situación social y cultural es diferente a la que vivieron ellos", concluye Rodríguez.

Adaptado de: http://blogs.diariosur.es/ipsicologia/2012/01/05/el-fenomeno-del-nido-repleto/

1 El "fenómeno del nido repleto" se da cuando...
- ○ a. los jóvenes tardan en independizarse.
- ○ b. los jóvenes de más de 18 años se independizan.
- ○ c. los jóvenes de más de 18 años siguen en casa.

2 Según el texto, los jóvenes españoles se independizan...
- ○ a. igual de tarde que en el resto de Europa.
- ○ b. igual de tarde que en otros países mediterráneos.
- ○ c. por razones sociales, económicas y culturales.

3 Según el estudio, los conflictos en el hogar entre padres e hijos...
- ○ a. terminan cuando llegan a ser adultos emergentes, entre los 18 y 25 años.
- ○ b. ocurren exclusivamente al principio de la adolescencia.
- ○ c. aumentan si continúan viviendo en casa entre los 18 y 25 años.

4 El estudio ha probado que...
- ○ a. los conflictos entre padres e hijos se deben a diferentes motivos, dependiendo de la edad.
- ○ b. existe una separación entre los conflictos por los estudios y por el futuro de los hijos.
- ○ c. existen diferentes tipos de conflictos entre los padres y los adultos emergentes.

5 En el texto se dice que cuando los adultos emergentes se enfrentan a un conflicto...
- ○ a. tratan de aprender de la solución que se le dé al problema.
- ○ b. tratan de resolverlo negociando con sus padres.
- ○ c. siguen las mismas estrategias que en etapas anteriores.

6 La coautora del estudio recomienda que...
- ○ a. el gobierno haga políticas sociales que ayuden a los jóvenes a independizarse.
- ○ b. los padres asuman políticas sociales que ayuden a la emancipación.
- ○ c. los adultos emergentes se independicen.

PRUEBA DE COMPRENSIÓN AUDITIVA

>|14| |10| Usted va a escuchar un fragmento del programa *Actualidad* en el que Virginia, una joven oyente, cuenta su experiencia compartiendo piso. Escuchará la audición dos veces. Después debe contestar a las preguntas (1-6). Seleccione la respuesta correcta (a/b/c).

1 En la audición Virginia cuenta que cuando se fue de casa...
- ○ a. se cumplieron todos sus planes.
- ○ b. se fue a vivir con gente ajena.
- ○ c. pensaba que sus planes se cumplirían.

2 Según la grabación, Virginia...
- ○ a. resume la convivencia con su pareja como muy feliz.
- ○ b. considera dura su convivencia, con momentos de adaptación y negociación.
- ○ c. ha convivido con gente ajena durante tres años.

3 Según la grabación,...
- ○ a. a Virginia le resultó difícil adaptarse a la convivencia con más personas.
- ○ b. recuerda con nostalgia las siete semanas de convivencia con otras personas.
- ○ c. le costó mucho adaptarse porque ella era muy maniática con la limpieza.

4 Sus compañeras de piso...
- ○ a. discutían continuamente.
- ○ b. ensuciaban los espacios comunes de la casa.
- ○ c. ponían la lavadora a las cinco de la mañana.

5 Virginia y su pareja...
- ○ a. entraban en disputas con las otras chicas.
- ○ b. consideraban que las chicas tenían comportamientos propios de su edad.
- ○ c. entendían el comportamiento de las chicas.

6 Según la audición, Virginia cuenta que...
- ○ a. quiere que los oyentes la ayuden sobre esta experiencia.
- ○ b. sabe que mucha gente tiene problemas al compartir piso.
- ○ c. anima a la gente a ceder ante algo que les incomode.

PRUEBA DE EXPRESIÓN E INTERACCIÓN ORALES

>|15| Describa con detalle, durante 1 o 2 minutos, lo que ve en la foto y lo que imagina que está ocurriendo.

Estos son algunos aspectos que puede comentar:

- Las personas: dónde están, cómo son, qué hacen.
- El lugar en el que se encuentran: cómo es.
- Los objetos: qué objetos hay, dónde están, cómo son.
- Qué relación cree que existe entre estas personas.
- Qué cree que están haciendo en ese lugar.

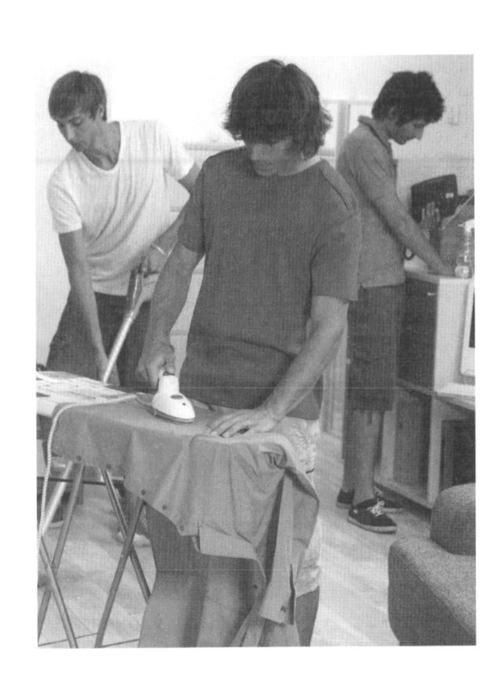

4 SOBRE GUSTOS, COLORES

>| 1 | Escucha la entrevista que radio Kiss FM ha hecho a la cantante española Edurne y señala sus gustos.

- ○ ir a la playa
- ○ pasear por el parque
- ○ descansar
- ○ ser fotografiada
- ○ ver una película en el cine
- ○ conocer gente
- ○ bañarse
- ○ viajar
- ○ hacer ejercicio
- ○ ir a un parque de atracciones
- ○ ir a museos
- ○ ir de copas
- ○ hacer senderismo
- ○ ir al gimnasio
- ○ practicar judo
- ○ ir de compras

>| 2 | Escucha de nuevo y completa las frases extraídas de la entrevista.

1. Me .... hacer miles de cosas. No me .... nada estar parada.
2. ¡............ levantarme temprano!, la verdad.
3. Cuando tengo vacaciones me .... bastante la casa, estar aquí con la familia.
4. Me .... que mi familia venga a visitarme.
5. Me .... no poder pasar el verano con ellos.
6. Me .... montarme en las atracciones, como una niña pequeña, vamos.
7. También me .... muchísimo salir con los amigos.
8. Me .... las películas románticas y son la mejor opción para el fin de semana.
9. Me .... que los periodistas traten de hacerme fotos cuando me estoy divirtiendo.
10. Como suelo trabajar por las noches, pues me .... disfrutar hasta tarde con mi gente.
11. Nos .... que siempre tengas esa sonrisa en tu cara.

>| 3 | Completa las frases conjugando el verbo en el tiempo correcto. No olvides escribir el pronombre.

1. .... **(Gustar, a mí)** que mi pareja me .... **(dar)** una sorpresa de vez en cuando.
2. Paco, ¿............ **(gustar)** los parques de atracciones?
   No .... **(gustar)** nada. .... **(Odiar, yo)** .... **(esperar, yo)** largas colas para subir a una noria.
3. De joven los museos no .... **(gustar, a mí)** mucho. .... **(Fastidiar, a mí)** no .... **(saber, yo)** entender los cuadros.
4. A nosotros .... **(molestar)** que la gente .... **(ser)** impuntual.
5. Antes a ellos .... **(gustar)** bastante las películas de ciencia ficción. Ahora las .... **(odiar)**.
6. A mí .... **(encantar)** los amigos que conocí el sábado pasado.
7. La montaña rusa .... **(encantar)** a Nicolás y Sofía, y se han montado allí tres veces ya.
8. ¡Cuánto .... **(gustar)** que mis padres .... **(hacer)** senderismo! Antes no hacían nada.
9. A mí .... **(disgustar)** que mi madre .... **(enfadarse)** conmigo cuando no le hago caso.
10. ¿Qué .... **(gustar, a vosotros)** más de las declaraciones que hizo ayer el presidente?
    A mí no .... **(gustar)** nada, ... **(molestar)** algunas cosas que dijo.
11. ¿A alguien .... **(gustar)** los ejercicios de aerobic?
12. Ana .... **(odiar)** que la .... **(corregir)** cuando está hablando en español.
13. A ellos no .... **(gustar)** demasiado el intercambio de casas que hicieron el verano pasado.
14. ¿............ **(Gustar, a ti)** que .... **(llover)**, ... **(nevar)** o .... **(hacer)** frío?
15. .... **(Encantar, a mí)** el espectáculo de danza que vi ayer.
16. .... **(Fastidiar, a ellos)** que yo no les .... **(contestar)** a los wasaps.

4 | Completa las frases con el pronombre relativo *que* o *donde*.

1. Necesito una fotografía .... haya un volcán en erupción. ¿Sabes dónde puedo encontrarla?
2. El niño .... estaba jugando en la calle era mi sobrino.
3. Busco a un profesor .... da clases de alemán. Es alto y rubio. ¿Alguien lo conoce?
4. El estudiante .... vino ayer nuevo era croata.
5. Mira, Ana, ese es el chico .... te gustaba de joven.
6. El pueblo .... veraneamos todos los años está en la costa andaluza.
7. El libro .... acabo de leer tiene un argumento .... te engancha desde el primer momento.
8. Han vendido la casa .... vivían desde que llegaron al pueblo.

5 | Elige la opción correcta.

1. Voy a comprarle el regalo en la tienda que **vende/venda** artesanía peruana.
2. Necesito encontrar una tienda que **vende/venda** artesanía peruana.
3. Busco un catálogo que **habla/hable** de los parques de Brasil.
4. Tengo un catálogo que **habla/hable** de los parques de Brasil.
5. Conozco un sitio cerca donde **puedo/pueda** practicar yoga.
6. Busco un centro donde **puedo/pueda** practicar yoga.
7. María es una chica que **es/sea** trilingüe.
8. Me gustaría conocer a una chica que **es/sea** trilingüe.

6 | Lee este foro de viajes y completa con la opción correcta.

donde puedo * **donde pueda** * **que no puedo** * **que me ayudan** * **que me ayuden** * **que tiene** * **que tenga** * **donde hay** * **donde haya** * **que son** * **que sean** * **que cierran**

VIAJAR Usuario Contraseña Me gusta

A 215 personas les gusta esta página · 67 personas están hablando de esto

1 Me gusta aprovechar las vacaciones para hacer las cosas **(1)**............ hacer durante el resto del año. Necesito unas vacaciones **(2)**............ a desconectar, a cambiar. Por ejemplo, yo creo que Grecia es un país **(3)**............ hacer eso.

2 Para mí, unas vacaciones ideales son ir a cualquier lugar **(4)**............ playa, costa, montaña, ciudad... Siempre un lugar **(5)**............ algo que hacer y no quedarse en una hamaca o un sillón. No me gustan las vacaciones **(6)**............ en verano, ¡¡¡no hay quien salga al monte con este calor!!!

3 Me encanta quedarme en agosto en la ciudad y viajar en septiembre u octubre. Es que hay muchas ciudades **(7)**............ todo durante los meses de verano. Madrid es una ciudad **(8)**............ actividades culturales y de ocio hasta septiembre u octubre...

4 Me encanta hacer turismo en lugares **(9)**............ practicar actividades al aire libre. Especialmente siempre busco actividades **(10)**............ tranquilas, como el camping en la playa o en la montaña cerca de algún río o lago.

5 Me gusta ver muchas cosas y vivir aventuras. Creo que puede ser aburrido estar solamente en la playa todas las vacaciones y no ver nada de la ciudad o del país. Me gustan las islas Baleares, porque tiene ciudades **(11)**............ mucha vida nocturna. Además, son vacaciones **(12)**............ realmente a desconectar.

>| 7 | Completa las frases con *que/donde* + indicativo/subjuntivo.

1. Hay pocas cosas .... **(no saber, él)**.
2. Todos los artículos .... **(yo, leer)** ayer tratan del mismo tema.
3. Las orquídeas son plantas .... **(necesitar)** mucha luz y poca agua.
4. Solo los estudiantes .... **(tener)** el examen mañana deben repasar el subjuntivo.
5. Los estudiantes, ... **(tener)** el examen mañana, deben repasar el subjuntivo.
6. ¿Hay alguien .... **(saber)** algunas costumbres de Hispanoamérica?
7. Necesitan un ordenador .... **(funcionar)** más rápido que este.
8. Encontré una fotografía .... **(salir, yo)** yo con cuatro años y vestida de flamenca.
9. No conozco a nadie .... **(decir)** algo negativo de ellos.
10. El restaurante .... **(trabajar, yo)** debe ser de alta cocina.
11. Ayer vi a la chica americana .... **(conocer, nosotros)** en la escuela.
12. Para mi trabajo de Geografía necesito un libro .... **(aparecer)** los mapas políticos de los países del mundo.
13. Conozco pocas tiendas .... **(ser, su ropa)** de tejido ecológico.
14. Pásame el plato .... **(usar, yo)** para poner el pescado a la plancha.
15. Este año regresé de nuevo al hotel .... **(estar, nosotros)** el año pasado.
16. Viajaremos a un lugar .... **(haber)** museos importantes y .... **(estar)** cerca de algún parque de atracciones.

>| 8 | Elige el indefinido adecuado y escribe el verbo correctamente.

1.

¿Hay **alguien/algo/algún** del grupo que .... **(querer)** montarse en la montaña rusa?

Yo conozco a **alguna/alguien/algunas** personas que .... **(querer)** hacerlo.

2.

Conozco a **alguna/pocas/ninguna** personas que .... **(hacer)** intercambio de casa durante sus vacaciones.

Pues yo conozco a **alguien/algunos/algún** que .... **(hacer, él)** intercambio de casa todos los veranos.

3.

No conozco a **alguien/nada/nadie** que .... **(poder)** traducirme este texto al holandés.

Yo sé de **alguien/algunas/ningunas** escuelas donde sus estudiantes .... **(poder)** traducir a varios idiomas.

4.

Buenos, días. ¿Hay **ningún/alguno/algún** producto natural que me .... **(permitir)** adelgazar?

En esta tienda hay **ningunos/pocos/algún** productos que te .... **(hacer)** adelgazar si no haces deporte.

5.

Hay **pocas/ninguna/ningunas** escuelas de idiomas en mi ciudad donde .... **(poder, yo)** aprender coreano.

Sí, tienes razón, aunque yo conozco **alguna/ninguna/algún** donde .... **(poder, tú)** aprender coreano y japonés. Te lo digo luego.

6.

Yo no conozco a **nadie/ningún/pocos** que .... **(ser)** capaz de hablar más de cuatro idiomas perfectamente.

Pues, yo conozco a **alguien/algunas/algún** que .... **(ser)** capaz de hablar hasta siete idiomas.

7.

¿Sabéis si hay **algún/algunas/alguna** agencia donde .... **(poder, nosotros)** reservar el viaje?

No hay **nada/ninguna/nadie** cerca de mi trabajo donde .... **(poder, yo)** ir.

Pues al lado del mío sí hay una. Me acerco a las seis, ¿vale?

> 9 | Completa el texto con los conectores del discurso: *sin embargo, aunque, en otra palabras* y *ya que.*

EDIFICIOS QUE CAMBIARÁN LA CARA DE LA CIUDAD DE MÉXICO

No recuerdo desde cuándo me volví fanático de los rascacielos. Me encanta este tipo de edificios y que se empiecen a ver en la Ciudad de México, **(1)** .... son un símbolo claro del progreso de un país; **(2)** ...., muestran el desarrollo y la modernización de nuestro país, nuestra capital cosmopolita, que cada vez se mantiene más a la vanguardia.

Es por eso que me emocionan los proyectos que están siendo desarrollados actualmente en la Ciudad de México, **(3)** .... se volverán nuevos puntos de referencia en todo el mundo, así como la Torre Mayor lo hizo en el año 2003. **(4)** .... históricamente se conoce al Distrito Federal como la "ciudad de los palacios", gracias a las diversas obras arquitectónicas que en la época colonial caracterizaron a nuestra ciudad, actualmente la ciudad ha empezado a cambiar su imagen por la de una más moderna, gracias a la cantidad de rascacielos que se han edificado en los últimos años. El más reconocido de estos rascacielos es la Torre Mayor, edificada en el año 2003. **(5)** .... en un principio mucha gente se opuso a esta edificación, hoy día todos están de acuerdo en que se ha convertido en un símbolo indiscutible de la ciudad. Su peculiar color verde se puede distinguir desde lugares tan alejados como Milpa Alta, y desde esa fecha ha sido el edificio más alto de nuestro país. **(6)** ...., hoy se están construyendo ya varios proyectos que esperan quitarle pronto ese trono, y que además eclipsarán físicamente a la Torre Mayor, **(7)** ...., curiosamente, tres de ellos se encuentran prácticamente pegados a la Torre, en los inicios del Bosque de Chapultepec.

> 10 | Escucha y rodea la palabra que oigas.

| 12 |

1.	sepa	seta	seda	**5.**	torso	corso	dorso	**9.**	codo	coto	copo	**13.**	drama	trama	brama
2.	cazo	pazo	bazo	**6.**	pela	tela	vela	**10.**	duna	tuna	cuna	**14.**	cabo	cado	capo
3.	coro	boro	poro	**7.**	seca	sega	seta	**11.**	gorra	corra	porra	**15.**	gata	cata	data
4.	tía	día	vía	**8.**	guiso	quiso	biso	**12.**	muerdo	muerto	muergo	**16.**	grape	grave	grate

PRUEBA DE COMPRENSIÓN DE LECTURA

11 Lea el siguiente texto, del que se han extraído seis fragmentos. A continuación, lea los ocho fragmentos propuestos (A-H) y decida en qué lugar del texto (1-6) hay que colocar cada uno de ellos. Hay dos fragmentos que no tiene que elegir.

UN NUEVO OCIO PARA UN NUEVO SIGLO: ALTERNATIVAS A UN TIEMPO LIBRE CONVENCIONAL

La rutina llega a todo en la vida, incluso al tiempo de ocio y esparcimiento. Con la velocidad a la que se desarrolla nuestra sociedad, las opciones tradicionales para ocupar el tiempo libre ya no sirven. Ir al cine o pasar el día en el campo se queda pequeño, aburre. **(1)** ....

La cultura del ocio de este nuevo siglo se ha fortalecido, creando modelos de negocio cuyo objetivo es hacer los sueños realidad. **(2)** .... , que hasta ahora las agencias de viajes tradicionales no ofrecían y que se venían reclamando.

(3) .... Este es el punto de partida de las empresas surgidas alrededor del concepto *box*. Empresas de ocio con un amplio catálogo de actividades distintas y originales que se pueden disfrutar con el simple hecho de comprar una caja. Dentro de ella encuentras la lista de actividades a elegir y un vale para pagarlas.

La vida es bella, empresa *box* pionera en España de este tipo de venta de ocio, ofrece más de 2000 experiencias diferentes, desde un programa espacial que dura ocho meses y que cuesta la escalofriante cifra de 20 millones de euros, hasta actividades de aventura como *rafting* o piragüismo. **(4)** .... ; para los obsequiados "el valor percibido es superior al económico" y la caja se convierte en el regalo ideal.

Otra oferta de ocio original son las recreaciones teatrales que convierten al cliente en el protagonista de la historia. **(5)** .... Casas encantadas, asesinatos sin resolver o barcos pirata sirven de escenario para este tipo de eventos. La idea de estos espectáculos interactivos se atribuye a la empresa española *Viajes con imaginación* y a su directora, Luz Retamar, quien decidió aunar sus dos pasiones, viajar y el cine, para crear su empresa.

(6) ...., ya que son nuevas, originales, llaman la atención y convierten al público en un ente activo. Aunque los inicios fueron difíciles, estas alternativas de ocio se van abriendo al gran público, y además cuentan con un importante as en la manga: el que lo prueba, repite.

Adaptado de: http://www.elimparcial.es/noticia/46314/viajes/Ocio-diferente:-alternativas-a-un-tiempo-libre-convencional.html

FRAGMENTOS

A Este tipo de aventuras, impensables hace unos años, son hoy una firme alternativa al ocio convencional

B Un objeto tan simple como una caja puede sugerir un sinfín de aventuras por vivir

C Aunque las actividades más caras y desconocidas se suelen adquirir para consumo propio, el 95 por ciento de las ventas son regalos

D João Matos, responsable comercial de la empresa, dice: "Queremos ser el gran centro comercial de las experiencias"

E La gente necesita algo más, algo diferente, un nuevo tipo de ocio donde poder ser los absolutos protagonistas

F Así, en su producto estrella, *La casa del miedo*, los actores no se salen en ningún momento de su papel durante las dieciséis horas que dura el espectáculo

G La persona "compra" una historia, un espectáculo, donde se involucra y participa activamente, normalmente en grupo, viviendo su propia aventura

H En este sentido, multitud de empresas ofrecen al cliente nuevas experiencias, viajes de aventura o actividades originales

PRUEBA DE COMPRENSIÓN AUDITIVA

>|12| Va a escuchar seis anuncios sobre ofertas de ocio. Escuchará cada anuncio dos veces. Después |13| debe contestar a las preguntas (1-6). Seleccione la opción correcta (a / b/ c).

ANUNCIOS

1 Según el anuncio, si compra la entrada anticipada al Parque de Atracciones Tibidabo a través de Internet:

- ○ a. recibirá ofertas y descuentos durante todo el año.
- ○ b. se beneficiará de un descuento en el precio de la entrada.
- ○ c. disfrutará del uso ilimitado de todas las atracciones mecánicas del parque.

2 En el anuncio se dice que el alquiler de patines es gratis:

- ○ a. del 15 al 30 de octubre pinchando un enlace.
- ○ b. en las sesiones públicas del 15 al 30 de octubre.
- ○ c. para todas las visitas realizadas del 15 al 30 de octubre.

3 Según la audición, la exposición se encuentra en...

- ○ a. la línea 1 del metro.
- ○ b. un tren ambientado en los años 20.
- ○ c. una estación de metro.

4 En el anuncio se dice que...

- ○ a. el curso incluye una salida a la sierra y una comida tradicional en un restaurante.
- ○ b. la actividad termina con una comida en Los Zagales.
- ○ c. los alumnos del curso podrán comer a un precio reducido.

5 Según la audición, podrán beneficiarse de ofertas o descuentos:

- ○ a. las personas que viven en Madrid y sus acompañantes.
- ○ b. Las personas que contraten baño y masaje relajante.
- ○ c. Los residentes en Madrid que vayan de lunes a viernes.

6 Según la audición, Montse Cortés es:

- ○ a. una conocida bailarina.
- ○ b. cantante.
- ○ c. guitarrista.

PRUEBA DE EXPRESIÓN E INTERACCIÓN ESCRITAS

>|13| Lea la siguiente información sobre *Uolala!*, una nueva plataforma social *online*.

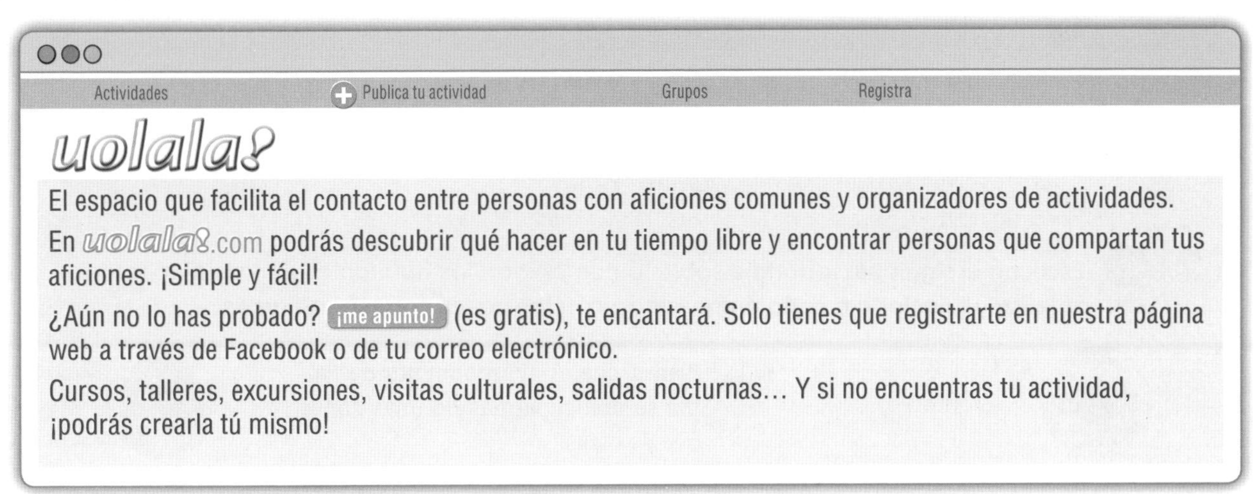

Adaptado de: http://www.uolala.com/es/que-es-uolala

Redacte un texto de 100-120 palabras para inscribirse en esta plataforma en la que deberá:

- presentarse y describirse;
- indicar cuáles son sus gustos (cine, música, libros...) y aficiones;
- explicar qué le gusta hacer en su tiempo libre;
- decir qué tipo de personas quiere conocer y qué actividades le gustaría compartir;
- proponer alguna actividad propia para realizar próximamente.

5 LOS SENTIMIENTOS

>| 1 | ¿Has estado alguna vez en Palma de Mallorca? ¿Crees que es un buen lugar para vivir? El diario londinense *The Times*, sí. Lee el siguiente artículo y responde a las preguntas.

TURISMO INTERNACIONAL

Palma de Mallorca, elegida mejor ciudad del mundo para vivir por *The Times*

Palma de Mallorca es la mejor ciudad para vivir del mundo, según el diario londinense *The Times*, que recientemente ha publicado su lista de las 50 ciudades predilectas del planeta.

Palma supera a ciudades como Toronto (mejor ciudad para los urbanitas), Auckland (la mejor ciudad marítima), Hoi An en Vietnam (mejor ciudad en cuanto a gastronomía) y Berlín (la mejor gran ciudad con un presupuesto ajustado).

Esta lista se ha confeccionado mediante aportaciones de los especialistas de viajes del periódico, usando datos y estadísticas sobre el clima, el entorno, la calidad de vida y la facilidad de "asimilación" de los ciudadanos británicos.

"La capital de las islas Baleares cuenta con un pintoresco y bien conservado casco antiguo, con playas a las que se puede llegar andando y con un clima excepcional", ha dicho *The Times*.

El diario ha destacado también que está bien conectada con el resto de Europa, la fácil accesibilidad, la cultura gastronómica, las infraestructuras de la ciudad –pequeña pero cosmopolita a la vez–, y el hecho de ser "la puerta de entrada a la bella, sofisticada y encantadora Mallorca".

Texto adaptado de: http://www.telecinco.es/informativos/sociedad/Palma-Mallorca-elegida-The Times_0_1959300145.html

1. ¿Piensas que el diario ha hecho una buena elección? ¿Por qué?

....

2. Según tu opinión, ¿cuál sería el mejor lugar para vivir? Explica los motivos.

....

....

>| 2 | |14| Escucha el siguiente reportaje sobre lo que opinan los habitantes de la isla en relación al artículo anterior y relaciona a cada entrevistado con las frases correspondientes.

A. Joan (escritor)

B. Montse (miembro de Ecologistas en Acción)

C. Josep (miembro de una asociación de vecinos)

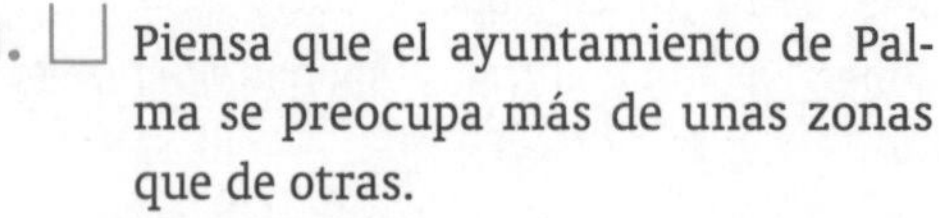

1. ☐ Piensa que el ayuntamiento de Palma se preocupa más de unas zonas que de otras.

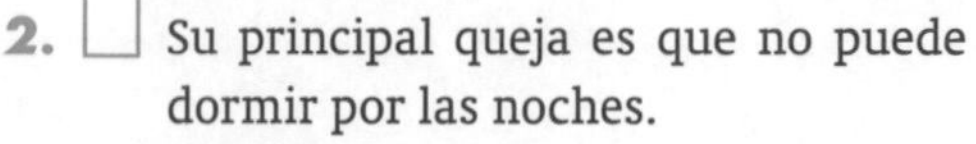

2. ☐ Su principal queja es que no puede dormir por las noches.
3. ☐ Se avergüenza del comportamiento de algunos turistas.
4. ☐ Se lamenta de que algunos solo vean una imagen idealizada de la isla.
5. ☐ Piensa que la actual situación económica de España beneficia a terceros.
6. ☐ Piensa que vivir en según qué zona de la isla es peligroso para la salud.

D. Marta (portavoz del colectivo Illa Nostra)

E. Frédéric (agente inmobiliario)

F. Claudia (hostelera)

3 | Completa los testimonios de las personas entrevistadas con las expresiones de la caja. Después, escucha de nuevo y comprueba.

[14]

no soporto * es una pena * me indignan * es una vergüenza * estamos hartos * es injusto

1. .... que en pleno siglo XXI tengamos que vivir con una incineradora tan cerca.
2. .... que el ayuntamiento gaste más en mejorar las infraestructuras en unas zonas que en otras.
3. Yo, porque también lo soy, ... ver cómo se comportan algunos extranjeros cuando vienen, que no respetan ni la isla ni a los que vivimos en ella.
4. A mí, como arquitecto, ... algunos casos de corrupción urbanística que han arruinado algunas de las zonas más bellas de la isla.
5. .... que la gente se quede solo con la imagen de postal y no se interese por conocer la verdadera ciudad.
6. En el barrio .... de poner denuncias y de que el ayuntamiento no tome medidas eficaces para solucionar el problema de los ruidos.

4 | En el siguiente foro otros españoles han escrito qué les molesta de sus ciudades. Completa sus opiniones con los verbos del cuadro usando infinitivo o *que* + subjuntivo.

pagar * respirar * oír * ver * intentar * encontrarse * coger * haber * seguir * gastarse * no respetar

QUEJAS SOBRE TU CIUDAD

Usuario | Contraseña | Me gusta

A 1815 personas les gusta esta página · 305 personas están hablando de esto

1. Yo lo que más odio es .... con excrementos de perro en cada esquina cuando voy caminando por la calle. Deberían multar a la gente que no sabe tener mascotas.
2. A mí me molesta .... a los ciclistas cuando circulan por la ciudad. Algunos conductores no se dan cuenta de que usar transporte ecológico beneficia a todos y de que no es lo mismo golpear a una bicicleta que a un coche...
3. Es inadmisible .... un aire tan contaminado y .... engañarnos situando los medidores de polución solo en las zonas menos contaminadas de la ciudad. ¿Piensan que nuestros pulmones no se dan cuenta de la porquería que respiran?
4. Para mí es intolerable .... cada vez menos zonas donde aparcar. ¡Muchas veces tardas más en encontrar aparcamiento que en llegar a un sitio!
5. A mí me irrita muchísimo .... a todas horas el ruido del tráfico. Y lo peor es cuando la gente se pone a tocar el claxon en los atascos. ¿Es que creen que por eso van a desaparecer?
6. A mí me da mucha rabia .... el dinero en hacer obras innecesarias. Hace un año cambiaron el diseño de las paradas de los autobuses y ahora, ¡las están cambiando todas otra vez! Los ciudadanos estamos cansados de .... impuestos para que tiren el dinero de esa manera.
7. A mí me indigna .... subiendo las cifras de paro juvenil sin que se tomen medidas efectivas para solucionarlo. Ya tengo un hijo que trabaja en el extranjero, y el que termina la carrera este año ya está pensando en irse también.
8. Es una pena .... el estado de abandono de algunos parques. Después dirá el ayuntamiento que los árboles están enfermos y que hay que talarlos. ¡Pues que los cuiden antes!
9. A mí me fastidia .... el metro en hora punta. Eso de ir como sardinas en lata y no poder ni respirar me pone de mal humor para el resto del día.

5 Vas a escuchar una entrevista al psicólogo español Rafael Santandreu, donde habla sobre su última obra *Las gafas de la felicidad*. Antes, contesta a estas preguntas según tu propia opinión.

1. ¿Qué es para ti la felicidad?
   Tú: ....
   Rafael Santandreu: ....
2. ¿Cuáles piensas que son las claves para ser feliz?
   Tú: ....
   R.S.: ....
3. ¿Cuál es la principal causa de infelicidad o depresión?
   Tú: ....
   R.S.: ....
4. ¿Qué crees que es la "necesititis"?
   Tú: ....
   R.S.: ....
5. ¿Y qué crees que es la "terribilitis"?
   Tú: ....
   R.S.: ....
6. ¿Podemos controlar nuestros sentimientos? ¿Cómo?
   Tú: ....
   R.S: ....
7. ¿Cuál es tu opinión sobre los libros de psicología o autoayuda?
   ....
8. ¿Has leído un libro de este tipo alguna vez? ¿Te sirvió?
   ....

6 [15] Escucha ahora la entrevista y escribe en la actividad anterior las respuestas del psicólogo. ¿Coinciden con las tuyas?

7 Las palabras de la tabla aparecen en la entrevista que acabas de oír. Escribe las que faltan ayudándote del diccionario.

ADJETIVO	SUSTANTIVO	EXPRESIÓN
	la calma	Me ... (que)
	la tranquilidad	Me ... (que)
insatisfecho/a		Me ... (que)
deprimido/a		Me ... (que)
preocupado/a		Me ... (que
	el miedo	Me da ... (que)
	la infelicidad	Me hace ... (que)
	la ansiedad	Me da ... (que)
	el estrés	Me ... (que)
		Me irrita ... (que)
		Me molesta ... (que)

8 Fíjate en el ejemplo de la entrevista y, basándote en tus propios sentimientos, escribe 8 frases en tu cuaderno con las expresiones de la actividad anterior. Recuerda que puedes usar infinitivo o *que* + subjuntivo.

Ejemplo: *Nos molesta encontrarnos con un atasco de tráfico o tener que hacer cola en el súper.*

>|9| Completa las siguientes conversaciones y mensajes combinando *ser* o *estar* en la forma correcta con los adjetivos propuestos.

bueno/a * **orgulloso/a** * **católico/a** * **negro/a** * **malo/a** * **interesado/a** * **abierto/a** * **rico/a** * **atento/a** * **verde** * **listo/a**

1. — El sábado quiero ir de excursión a la sierra. Si alguien **(1)**............ ...., ¡que me llame!
   — Lo siento, es que yo hoy no **(2)**............. muy .... Creo que el pescado que cené ayer **(3)**............ .... y me he tirado toda la noche vomitando...
   — ¿Seguro que quieres ir de excursión mañana? Pues te recomendaría ver antes la previsión del tiempo, por lo menos hoy el cielo **(4)**............. pero que muy ....…
   — ¡Me apunto! Eso sí, dime a qué hora hay que **(5)**............ ...., que ya sabes que yo soy una tardona y no quiero que me tengáis que esperar...

2. Paquito, he hablado con la profesora y me ha dicho que has sacado las mejores notas de la clase. Dice que no solo **(1)**............. .... a las explicaciones en clase, sino que **(2)**............. muy .... y lo entiendes todo a la primera. También me ha dicho que **(3)**.......... muy .... y que te portas siempre bien en el colegio y con todos tus compañeros. No sabes lo **(4)**............. que .... de ti. Un beso, cariño. Cómete la cena. Nos vemos esta noche.

3. — Yo no sé qué piensas tú, pero yo **(1)**............. .... con Laura. ¡No se le puede contar nada! ¡Pues no va y le dice a Carlos que yo el otro día dije que **(2)**............ muy ....!!! ¡Vaya vergüenza!
   — ¡Anda, hija! Lo diría sin darle importancia. Ya sabes que Laura **(3)**............ muy ...., habla con todo el mundo y lo cuenta todo...
   — Ya, y también a Carlos que me gusta, ¿no? Que no, que no pienso hablarle nunca más.
   — Bueeeno, olvídalo, no **(4)**............ tan .... Igual hasta te ha hecho un favor. Siempre estás suspirando por Carlos y ¡nunca le dices nada! Además, con lo cortado que es él también, ni se habrá enterado. En esto del amor, **(5)**............. más .... los dos...

4. Hola, Antonio. He estado pensando en hacerle un pastel de plátanos a Dani para su cumpleaños, ese que dice que **(1)**........... tan .... y que le gusta tanto. Pensaba que lo tenía todo, pero cuando he llegado a casa, he visto que los plátanos que tenemos todavía **(2)**........... muy .... He bajado a la calle por si algún súper aún **(3)**............. ...., pero ya habían cerrado todos. Si no te importa, cuando salgas del trabajo, ¿te puedes pasar por un Openmark para ver si tienen plátanos maduros? ¡Muchas gracias! Besos.

>|10| Por lo que ya conoces del español, lee las siguientes definiciones e intenta escribir la palabra a la que se refieren cada una. Te damos una pista. En cada grupo, las palabras deben contener alguna de las consonantes indicadas.

Contienen *g*, *j* o *gu*

1. Sustancia química que se utiliza para lavar la ropa: ....
2. Expresé en una lengua lo escrito o expresado antes en otra: ....
3. Persona que gobierna, rige o lleva el mando de un país o entidad: ....
4. Ciencia que trata la descripción de la Tierra: ....
5. Nombre de un parque muy famoso de Barcelona diseñado por Antoni Gaudí: ....
6. Conjunto de chaqueta y pantalón hechos de la misma tela: ....
7. Figura, representación o apariencia de algo: ....
8. Ave zancuda de cuello largo, cuerpo blanco y alas negras, que anida en torres y campanarios: ....

Contienen *c*, *qu* o *k*

1. Libro o revista que cuenta una historia mediante viñetas: ....
2. Sinónimo de *informar* o *decir* en 1.ª pers. sing. del pretérito indefinido: ....
3. Ayer hice ruido por la boca mientras dormía: Ayer... ....
4. Especie de bata de origen japonés con mangas anchas y largas: ....

Contienen *b* o *v*

1. Lo hace el agua cuando llega a los 100 grados: ....
2. Contrario de *entregar*: ....
3. Persona que trabaja en un lugar donde se prestan libros: ....
4. Ciencia que estudia los seres vivos: ....
5. Cuando llegas a un lugar, las personas te lo dicen para recibirte bien: ....
6. Mirar con atención y detenimiento: ....
7. Cuando todo está muy desordenado, decimos que está: ....

>|11| |16| ¿Difícil? Para ayudarte a completar lo que te falte, vas a escuchar las palabras de los tres grupos desordenadas. Por último, puedes comprobar tu respuesta y si has escrito correctamente las palabras mirando la página 137 en el apartado de soluciones.

ACTIVIDADES POR DESTREZAS

PRUEBA DE COMPRENSIÓN DE LECTURA

>|12| Usted va a leer tres textos en los que unos miembros de Change.org nos hablan de unas campañas que han conseguido ganar. Relacione las preguntas (1-6) con los textos A, B o C. Marque la opción elegida en la columna correspondiente.

	A Pablo	B Ana	C Roberto
1 ¿Qué persona dice que este logro es muy importante para su región?	○	○	○
2 ¿Qué persona agradece la participación en nombre de otros?	○	○	○
3 ¿Quién puso alguna queja personal antes de hacerlo a través de Change.org?	○	○	○
4 ¿Quién ha conseguido evitar el cierre de un lugar?	○	○	○
5 ¿Qué persona considera que la unión hace la fuerza?	○	○	○
6 ¿Quién dice que ese plan perjudicaría el medioambiente?	○	○	○

PABLO

No a la mina de oro en Salave (Asturias) por no cumplir con la normativa. El Principado de Asturias nos ha dado la razón y ha frenado el plan minero que la empresa canadiense Asturgold quería poner en marcha en Salave. Con la crisis económica, las grandes multinacionales de la minería han puesto su ojo en España prometiéndonos creación de empleo rápido. Pero todos sabemos a qué coste: la destrucción de nuestro entorno natural y la puesta en riesgo de cientos de empleos arraigados en la comarca en sectores sostenibles como el turismo, la pesca, la agricultura y la ganadería. Por eso, esta victoria es muy importante. Con el apoyo que tuvimos a través de Change.org pudimos demostrar el rechazo social que el proyecto de Asturgold generaba, así como llamar la atención de los medios de comunicación sobre este asunto. Mil gracias por ello.

ANA

Después de varias semanas de nervios, incertidumbre y enfado, mi madre y yo volvemos a sonreír. Y lo hacemos gracias a ti. Porque con tu apoyo y el de otras 80 000 personas hemos conseguido nuestro objetivo: hoy, 24 de octubre, Sanitas le realizó a mi madre el TAC coronario que su médico le había recomendado. Durante varios días, Sanitas puso todo tipo de excusas para no realizar esta prueba. Incluso llegó a dar de baja a mi madre de la póliza. Pusimos varias quejas y reclamaciones, pero no nos hacían caso... Hasta que iniciamos nuestra petición en Change.org y miles de personas empezaron a firmarla. Si algo he aprendido de todo esto es que, unidos, tenemos poder para luchar contra las injusticias. Por eso te pido que no cambies: sigamos luchando y ayudando al que lo necesita y quizá algún día no será necesario reunir 80 000 firmas para que una empresa te escuche. Muchas gracias por tu apoyo.

ROBERTO

¡Lo hemos conseguido! ¡La Unidad de Pediatría Social del Hospital Niño Jesús no cerrará sus puertas! Los niños con necesidades especiales, como mi hijo Jaime, seguirán contando con este servicio de referencia pionero en España que integra a médicos y trabajadores sociales. Gracias y enhorabuena, porque esta es una gran noticia para todos. La Pediatría Social protege a cualquier niño que necesita de una atención médica especial: desde niños con Síndrome de Down, a chicos que hayan pasado por situaciones traumáticas, como el maltrato psicológico, físico o cualquier tipo de trastorno infantil. Por eso, en nombre de ellos y de mi hijo Jaime, quiero darte las gracias por ser parte de este logro fundamental para tantos niños y familias como la mía.

PRUEBA DE COMPRENSIÓN AUDITIVA

>|13| |17| Usted va a escuchar a seis personas que hablan sobre algunos productos con denominación de origen. Escuchará a cada persona dos veces. Seleccione el enunciado (A-J) que corresponde al tema del que habla cada una (1-6). Hay diez enunciados. Seleccione solamente seis. Debe escribir la letra del enunciado en la casilla correspondiente.

Enunciado

- **A** El clima tiene que ver con su calidad.
- **B** Es un producto de origen animal.
- **C** Está formado por más de 70 cooperativas.
- **D** Su olor y sabor es una marca indiscutible.
- **E** Tiene un consumo nacional mayoritariamente.
- **F** No es originario de ese país.
- **G** Se cultiva en una región volcánica de Colombia.
- **H** Este producto se extrae del jugo de una planta.
- **I** Su producción se exporta al extranjero en su mayoría.
- **J** Adquiere la denominación de origen en época colonial.

Persona	Enunciado
1 PERSONA 1	....
2 PERSONA 2	....
3 PERSONA 3	....
4 PERSONA 4	....
5 PERSONA 5	....
6 PERSONA 6	....

PRUEBA DE EXPRESIÓN E INTERACCIÓN ESCRITAS

>|14| Lea el siguiente mensaje que ha aparecido en una plataforma de peticiones.

Redacte un texto dirigido al ministro de Justicia en el que cuente:

- en qué consiste este problema;
- por qué apoya esta iniciativa;
- qué es lo que más le preocupa y por qué;
- qué se podría hacer y por qué;
- alguna experiencia o anécdota que conozca.

Número de palabras: entre 130 y 150.

6 UN POCO DE EDUCACIÓN

1 |18| Escucha a cuatro personas contar sus experiencias en relación con los estudios y relaciona cada frase con la persona correspondiente.

Manuel

Marta

Santi
1,

Paula

1. Piensa que es un error estudiar algo cuando no se tiene verdadera vocación.
2. Piensa que cuando termine la carrera las cosas no serán fáciles.
3. Retomó los estudios cuando se dio cuenta de su verdadera vocación.
4. Cuando dejó de trabajar, se apuntó a una escuela y volvió a estudiar.
5. Tuvo problemas con su familia cuando les comunicó qué quería estudiar.
6. Cree que tendrá las ideas más claras cuando llegue el momento de ir a la universidad.
7. Cuando era joven no era tan fácil como ahora acceder a los estudios.
8. Cambió de decisión sobre lo que quería estudiar cuando empezó el instituto.
9. Cuando era joven casi todo el mundo tenía la posibilidad de estudiar.
10. Piensa que, cuando alguien quiere conseguir algo, nunca es tarde para intentarlo.
11. No tiene claro que estudiando algo "serio" sea más fácil encontrar trabajo cuando termine los estudios.
12. Se entristece cuando ve a jóvenes desaprovechar oportunidades que él no tuvo.

2 Fíjate de nuevo en las oraciones anteriores introducidas por *cuando*, clasifícalas en tres grupos según el valor temporal que tienen, y completa la siguiente tabla.

FRASES	Hacen referencia a una acción...			Usan *cuando* + ...	
	○ presente o general	○ pasada	○ futura	○ indicativo	○ subjuntivo
	○ presente o general	○ pasada	○ futura	○ indicativo	○ subjuntivo
	○ presente o general	○ pasada	○ futura	○ indicativo	○ subjuntivo

3 Selecciona la opción correcta en cada caso.

1. Yo, cuando **tengo/tenga** un examen, me acuesto pronto la noche anterior.
2. Cuando **llegaba/he llegado** a casa, **me encontraba/me he encontrado** la ventana abierta y todos mis apuntes tirados por el suelo.
3. Cuando llegó a la escuela, le **contaban/contaron** lo ocurrido.
4. Cuando entró en la sala, todos **estaban/estuvieron** hablando de él.
5. Cuando **sabes/sepas** a qué hora vas a ir a la biblioteca a estudiar, dímelo.
6. Cuando **verás/veas** a mi hijo, no lo vas a conocer, ha crecido mucho.
7. De pequeña, cuando **empezaron/empezaban** las vacaciones, **me iba/me fui** siempre a pasar los veranos al pueblo.
8. Cuando tenía diez años, mis padres me **regalaron/regalaban** una bicicleta preciosa.
9. Cuando **salimos/salgamos** de clase, iremos a merendar a una cafetería.
10. Por las tardes, cuando **vuelvo/vuelva** de la universidad, me gusta darme una ducha para despejarme.
11. En mi primer año de carrera, **comí/comía** muchos bocadillos porque antes no me **gustó/gustaba** nada cocinar.
12. Los alumnos **estuvieron/estaban** haciendo un examen cuando desalojaron la escuela.

>| 4 | Ahora, clasifica las frases de la actividad anterior según lo que expresan los verbos que has seleccionado.

- Presente habitual. [ ]
- Acción puntual en el pasado. [ ]
- Pasado habitual. [ ]
- Acción en el pasado interrumpida por otra acción. [ ]
- Acción futura. [ ]

>| 5 | Escribe los verbos entre paréntesis en el tiempo y modo adecuados.

1. Cuando .... **(enterarse, él)** de que le habían concedido la beca, lo celebró con todos sus compañeros.
2. Cuando .... **(llegar, tú)** a casa, ponte a hacer los deberes.
3. Estábamos viendo una película cuando .... **(irse)** la luz.
4. Llámame cuando .... **(saber, tú)** los resultados del examen.
5. Espérame cuando .... **(salir, tú)** de clase, tengo que contarte algo.
6. Los pasajeros .... **(estar)** a punto de subir al avión cuando cancelaron el vuelo.
7. Cuando .... **(ser, yo)** mayor, seré médico como mi padre.
8. Yo, cuando .... **(necesitar)** concentrarme para estudiar, prefiero ir a la biblioteca.
9. Ya sabes que puedes quedarte en nuestra casa cuando .... **(querer, tú)**.
10. Mi profesor de la escuela era muy comprensivo. Cuando no .... **(entender, nosotros)** algo, siempre nos lo .... **(volver, él)** a explicar las veces necesarias.

>| 6 | Ahora vas a trabajar otras expresiones temporales. Forma frases con un elemento de cada columna y escríbelas en tu cuaderno.

a. Se fue a Londres a estudiar y	* **desde que** *	llegues a la oficina, ha preguntado por ti varias veces.
b. Recoge las cosas	* **siempre que** *	dos meses encontró también un trabajo.
c. Me quedaré con el niño	* **mientras** *	usarlas, eres un desordenado.
d. Haz los deberes	* **al cabo de** *	estás estudiando.
e. Estudio inglés	* **hasta que** *	ponerte a jugar con el ordenador.
f. Nos trae algún regalo	* **en cuanto** *	viene a vernos, es muy detallista.
g. Ve al despacho del jefe	* **antes de** *	tenía cinco años.
h. No me gusta que uses el móvil	* **después de** *	lleguen sus padres.

>| 7 | Clasifica las frases de la actividad 6 en el lugar adecuado según la relación temporal que se establece entre las acciones.

1. [ ] Acción simultánea.
2. [ ] Acción inmediatamente posterior a otra.
3. [ ] Límite de una acción.
4. [ ] Acción que sucede siempre que se realiza otra acción.
5. [ ] Acción posterior a otra.
6. [ ] Acción anterior a otra.
7. [ ] Comienzo de una acción.
8. [ ] Periodo de tiempo que separa dos sucesos.

>| 8 | Escribe los verbos entre paréntesis en el tiempo y modo adecuados.

1. En cuanto .... **(empezar)** la película, todo el mundo dejó de hablar.
2. Antes de que .... **(terminar)** el curso, todos hablaremos mucho mejor en español.
3. Cuando .... **(hacer)** buen tiempo, suelo ir a todos sitios en bicicleta.
4. Cuando .... **(venir, tú)** a verme, te llevaré a los sitios más bonitos de mi ciudad.
5. En cuanto .... **(saber, yo)** lo sucedido, la llamé para contárselo.
6. No te olvides de apagar todas las luces antes de .... **(salir, tú)** de la sala.
7. En cuanto .... **(llegar, vosotros)** a Madrid, llamadme. Estaré pendiente del teléfono.

8. Me fue imposible hablar con él. Cada vez que lo .... **(intentar, yo)**, cambiaba de tema.
9. En cuanto Mario .... **(terminar)** de trabajar, nos vamos. Si no, llegaremos tarde al teatro.
10. Si quieres, yo pongo la mesa mientras tú .... **(terminar)** de preparar la comida.
11. Un mes después de .... **(acabar, yo)** los estudios, empecé a trabajar en esta empresa.
12. Hasta que no me .... **(decir, ellos)** si estoy admitido, no quiero hacerme ilusiones.
13. Se conocieron en una fiesta y, al cabo de unos meses, ... **(empezar, ellos)** a salir.
14. Mientras .... **(vivir, tú)** en esta casa, tendrás que respetar unas normas.
15. El concierto, fatal. Nada más empezar, ... **(estropearse)** el sonido y no pudimos escuchar nada.
16. Mientras algunos alumnos .... **(terminar)** el examen, los demás salimos a tomar un café.

>| 9 | Lee el siguiente texto y completa los espacios con la expresión temporal adecuada del cuadro.

hasta que * en cuanto * cada vez que * al cabo de * nada más * después de * mientras * antes de que * más tarde * antes de

CÓMO SOBREVIVIR A LA ÉPOCA DE EXÁMENES EN LA UNIVERSIDAD

La universidad es una de las más importantes y decisivas oportunidades que te brinda la vida. Muchas personas no cuentan con este privilegio. La voluntad, la perseverancia y el interés en la propia superación son la mejor inversión para tu futuro profesional y personal, como un ser pensante y crítico. A continuación, te damos algunos consejos útiles para superar los exámenes. El primero: estudia con la intención de aprender, no solo con la de obtener un simple aprobado.

(1) .... empezar el curso, organízate. Estudia desde el primer día, cada día. Llevar a cabo una rutina de estudio ayuda a conseguir la inspiración necesaria. Pasa a limpio los apuntes de clase **(2)** .... llegues a casa. No los dejes para interpretarlos más tarde, porque los datos complicados se transformarán, **(3)** .... unos días, en una masa difícil de digerir. La interpretación debe ser inmediata y, en caso de duda, recurre a tu profesor.

Divide la materia según el tiempo disponible que tengas, siendo realista. Una buena idea es hacerte un calendario con la planificación y pegarlo en la pared de tu zona de estudio.

Una vez que hayas empezado a prepararte los exámenes, realiza primero una lectura general de los contenidos; **(4)** ...., haz una segunda lectura subrayando los conceptos más importantes, así te será mucho más fácil memorizar. El siguiente paso es hacer los esquemas. Esto te obligará a analizar las ideas del texto y, lo que es más importante, a clasificarlas y relacionarlas entre sí. Después, memoriza y repite la lección tantas veces como sea necesario, **(5)** .... creas que has aprendido todos los contenidos.

Si estás seguro de que ya lo sabes todo, autoexamínate y analiza los fallos. Y no olvides el repaso final de todos los contenidos **(6)** .... llegue el día del examen.

Por último, ten muy en cuenta que nada de todo esto te funcionará si no te cuidas. Así que come sano y con normalidad **(7)** .... dura la temporada de exámenes (nada de dar paseos a la nevera **(8)** .... te levantes de la silla). **(9)** .... estudiar todo el día, es importante relajarse y desconectar: da un paseo, practica algo de deporte y, sobre todo, duerme bien.

Y llegado el momento del examen... Acuérdate: **(10)** .... empezar a escribir, debes leer primero con atención todas las preguntas. Empieza a responder las que puntúan más alto y las que mejor te sepas y continúa con las demás. Por último, relee el examen, fijándote en no cometer faltas gramaticales o errores de estilo. Y recuerda: responde solo lo que te pregunten.

Fuentes: https://sites.google.com/site/elhilodearidna/Home/universidad/decalogo-para-el-estudiante-universitario-exitoso (Por: Dra. María Luisa Regueiro Rodríguez, Universidad Complutense de Madrid) y https://www.aprendemas.com.

>|10| Escribe frases con los verbos y las expresiones temporales propuestas, según tu propia experiencia.

1. Seguir asistiendo a clases de español **(mientras)**

....

2. Vivir en casa de mis padres **(hasta que)**

....

3. Cuando tener tiempo **(soler)**

....

4. En cuanto tener vacaciones **(ir)**

....

5. Cuando ser pequeño **(gustar)**

....

6. Tener hijos **(cuando)**

....

>|11| Escucha y escribe la letra correspondiente: *j*, *g* o *f*.

|19|

1. ☐a☐a	6. ☐i☐ar	11. su☐i☐o	16. ☐este☐o
2. a☐li☐ido	7. centri☐ugar	12. ☐arin☐e	17. con☐igurar
3. a☐lo☐ar	8. al☐or☐a	13. agua☐uerte	18. cruci☐i☐o
4. ☐in☐an	9. ☐icha☐e	14. re☐u☐io	19. ☐ustificar
5. des☐igurado	10. dia☐ragma	15. ☐i☐ación	20. ☐ri☐oles

Ahora, señala las palabras que tienen la letra *g*, pero no el sonido /j/. ¿Por qué ocurre?

....

>|12| Escucha los siguientes pares de palabras y completa con las grafías correspondientes a los sonidos /s/ o /z/.

|20|

1. abra☐ar/abra☐ar	4. ☐eda/☐eda	7. ve☐/ve☐	10. ba☐o/va☐o
2. ha☐ia/A☐ia	5. ☐epa/☐epa	8. ☐ueco/☐ueco	11. cau☐e/cau☐e
3. ba☐ar/ba☐ar	6. ri☐a/ri☐a	9. a☐ada/☐ada	12. ☐iervo/☐iervo

>|13| Los siguientes grupos de palabras o expresiones son homófonas, es decir, suenan igual pero se escriben de forma diferente. Averigua el significado de las que no conozcas y escribe una frase en la que este quede claro.

1. ir viendo/hirviendo	3. ablando/hablando	5. hasta/asta	7. hora/ora	9. huso/uso
2. as/has	4. a ver/haber	6. halla/haya	8. hizo/izo	10. honda/onda

1. ..../..
2. ..../..
3. ..../..
4. ..../..
5. ..../..
6. ..../..
7. ..../..
8. ..../..
9. ..../..
10. ..../..

ACTIVIDADES POR DESTREZAS

PRUEBA DE COMPRENSIÓN DE LECTURA

14 Lea el siguiente texto, del que se han extraído seis fragmentos. A continuación, lea los ocho fragmentos propuestos (A-H) y decida en qué lugar del texto (1-6) hay que colocar cada uno de ellos. Hay dos fragmentos que no tiene que elegir.

J.K. Rowling, una autolíder de éxito

Existe una clase de líderes que los expertos denominan empresarios o famosos que no tuvieron una educación formal, heredaron sus compañías o tenían un apellido detrás, sino que **(1)**.............. que al final influenciaron su obra y que se convierten en "autolíderes". Un ejemplo de esto es J.K. Rowling, autora de *Harry Potter*, una de las sagas literarias y fílmicas más famosas del mundo.

En 1990, mientras esperaba el tren de Manchester a Londres, a Joanne Kathleen Rowling se le ocurrió la idea de la historia de Harry Potter. Sin embargo, en ese momento de su vida **(2)**............., por lo que decidió mudarse a Portugal a buscar mejor suerte. Allí se casó y tuvo a su primera hija, pero lamentablemente su matrimonio no funcionó, y de Portugal partió hacia Escocia. Según lo narró Rowling en una columna escrita para el *Sunday Times online*, esa "fue una época oscura, **(3)**............. ".

Por esa época, le diagnosticaron depresión clínica, por lo que se refugió en la escritura y, de hecho, **(4)**............. para crear a los "dementores" (seres malvados) de su obra.

Entre 1990 y 1996, Rowling presentó su escrito a dos casas editoriales sin ningún éxito. Fue en una nueva editorial, *Bloomsbury Publishing*, donde logró publicar *Harry Potter*, porque el director de la editorial le había dado a leer el primer capítulo a su hija y recibió de esta una gran respuesta.

Al siguiente año, Scholastic ganó los derechos para llevar la novela de Rowling a Estados Unidos por 105 000 dólares. Lo demás es una historia que todos conocemos. Ese mismo año, la revista Forbes clasificó a Rowling como la 48.ª celebridad más poderosa del mundo.

J.K. Rowling siempre dice que **(5)**............., en que vivía de la ayuda del gobierno.

La experta en *management* profesional, Theresa María Nappa, señala que Rowling es una "autolíder". Este tipo de personas tienen la habilidad de evitar que una situación fuera de su control las frene. Una vez superadas las dificultades, **(6)**.............. Y es que la clave del éxito de la autora no vino de una instrucción formal, y como ella dice repetidamente: "Todo es posible si tienes el valor suficiente".

Adaptado de: http://www.altonivel.com.mx

- **A.** enfrentaba las deudas que la muerte de su madre había generado
- **B.** usó su enfermedad como inspiración
- **C.** tuvieron que enfrentarse a situaciones extremas
- **D.** se enfrentaba a situaciones que no podía controlar
- **E.** utilizan sus experiencias para alimentar sus nuevos proyectos
- **F.** son capaces de ver más allá de las circunstancias actuales
- **G.** pues tenía que robar los pañales de mi hija para poder comprar una lata de judías
- **H.** todas las decisiones empresariales que ha tomado se alimentan de aquella lejana época de su vida

PRUEBA DE COMPRENSIÓN AUDITIVA

>|15| [21] Usted va a escuchar una conversación entre dos amigos, Claudia y Antonio. Indique si los enunciados (1-6) se refieren a Claudia, a Antonio o a ninguno de los dos. Escuchará la conversación dos veces.

	Claudia	Antonio	Ninguno de los dos
1 Desconocía qué iba a estudiar.	○	○	○
2 Hace sus prácticas con otros estudiantes.	○	○	○
3 No le gusta su carrera porque es más lógica que memorística.	○	○	○
4 Pasa todo el día en la universidad.	○	○	○
5 Piensa que en su universidad se sale menos formado.	○	○	○
6 Siempre supo lo que iba a estudiar.	○	○	○

PRUEBA DE EXPRESIÓN E INTERACCIÓN ESCRITAS

>|16| Lea el siguiente mensaje que aparece en la página web de la universidad donde estudió.

BIENVENIDO AL FORO *UNIVERSALIA*

Este foro es un lugar de debate y de cooperación entre alumnos universitarios de toda Europa. En estos foros queremos compartir nuestras experiencias en la universidad y establecer contactos con compañeros de otras carreras en distintas universidades europeas. Para entrar, solo tienes que enviarnos un texto contando tu experiencia universitaria. ¡Anímate! ¡Cuéntanos tu experiencia!

Participa

Redacte un texto de 130-150 palabras para enviar al foro en el que deberá:

- saludar y presentarse;
- decir qué estudió y por qué se decidió por esa carrera;
- explicar cómo fue su experiencia durante esos años;
- qué personas conoció y qué recuerdos tiene de ellas;
- qué es lo más positivo que recuerda de aquellos años;
- despedirse.

ENVIAR | DE: | PARA: participa@unversalia.org | ASUNTO:

....

....

....

....

....

....

....

....

7 ¿SABES POR QUÉ...?

1 |22| Pedro está escuchando en su ordenador un *podcast* sobre algunas explicaciones científicas. Antes de escuchar, intenta contestar tú a las siguientes preguntas. Luego, escucha y corrige tus respuestas.

1. ¿Por qué se deshiela el planeta?

....

....

....

....

2. ¿Por qué se oye el ruido del mar en las caracolas?

....

....

....

....

3. ¿Por qué en las pastas dentales salen los colores sin mezclarse?

....

....

4. ¿Por qué se nos duermen los brazos o las piernas?

....

....

5. ¿Por qué nos encogemos cuando tenemos frío?

....

....

2 Relaciona las frases extraídas del *podcast*.

1. Es un gran problema para todo el mundo,... .... *
2. **Como** hay demasiado dióxido de carbono,... .... *
3. Tenemos la sensación de estar oyendo las olas del mar... .... *
4. La blanca está en la parte inferior del tubo,... .... *
5. La pasta azul o roja es la encargada de dibujar las estrías,... .... *
6. Los brazos y las piernas se nos duermen cuando estamos despiertos, y puede ocurrir... .... *
7. **Dado que** al encogernos se reduce el área de nuestro cuerpo en contacto con el exterior,... .... *

* a. **debido a que** el flujo de la sangre circula por nuestro oído y su sonido es amplificado por la propia concha.
* b. **porque** nuestro planeta necesita el hielo del Ártico para mantenerse fresco.
* c. se disminuye la pérdida de calor.
* d. **ya que** tiene una mayor densidad.
* e. la tierra se está calentando.
* f. **por** diversas razones.
* g. **puesto que** tiene menor densidad.

3 | Fíjate en las frases anteriores y relaciona los conectores causales con sus significados.

1. **porque** .... *
2. **como** .... *
3. **debido a/a causa de** ..... *
4. **por** .... *
5. **puesto que/dado que/ ya que** .... *
6. **no es que/no porque... sino que/es que/ es porque** .... *

* a. Se usa en situaciones formales, muchas veces en contextos escritos y pueden ir en la primera o segunda frase.
* b. Es un conector que puede ir delante o detrás de la oración principal e indica que la causa es conocida por los interlocutores.
* c. Es el conector que más se utiliza para expresar la causa y se coloca en la segunda frase.
* d. Puede ir acompañado de un adjetivo, un sustantivo o un infinitivo, y generalmente tiene connotaciones negativas.
* e. Indica que la causa de un hecho no es real o auténtica y que la causa es otra.
* f. Se usa cuando se antepone la causa a la oración principal.

4 | Lee otras curiosidades que han aparecido en el *podcast* y complétalas con los conectores causales anteriores.

52:23

1. **¿Por qué resulta más fácil boicotear a un orador con silbidos que con gritos?** .... el oído humano es mucho más sensible a los sonidos de frecuencias elevadas (agudos) que a los de baja frecuencia (graves), el silbido resulta más molesto que los gritos.
2. **¿Por qué el helio nos cambia la voz?** Nuestra voz cambia .... el sonido viaja más rápido en el helio que en el aire. Las ondas sonoras que se desplazan por el helio rebotan mucho más rápido contra la laringe, lo que hace que el sonido sea mucho más agudo.
3. **¿Por qué estornudamos cuando miramos al sol?** Si es lo que te sucede cada vez que miras al sol, no te preocupes, no es que estés enfermo, ... es una reacción del nervio óptico a una fuerte exposición a la luz.
4. **¿Por qué nos salen los ojos rojos en las fotos?** Este desagradable efecto es .... la utilización del flash. La luz atraviesa la pupila e ilumina el ojo hasta el fondo de la retina, que está bañada en sangre, de ahí el color rojo. No hay que preocuparse, ... existen cientos de programas que ayudan a eliminarlos.
5. **¿Por qué el papel antiguo se vuelve amarillo?** El color amarillo es .... la oxidación de la celulosa, uno de los principales componentes del papel, que amarillea con el paso del tiempo.
6. **¿Por qué estrechamos la mano derecha al saludar?** .... en el pasado se utilizaba la mano derecha para llevar el arma, estrechar esta mano indicaba que se estaba desarmado.
7. **¿Por qué se dice que los gatos negros traen mala suerte?** No es porque sean callejeros, ... antiguamente se creía que las brujas tomaban la forma de un gato negro por la noche.
8. **¿Por qué nos salen las canas?** Los cabellos, lo mismo que la piel, pierden su color .... la disminución de la melanina.
9. **¿Por qué nos ponemos morenos?** El bronceado es el oscurecimiento de la piel producido .... la exposición a los rayos del sol. Cuando los rayos inciden directamente sobre nuestra piel, esta genera una sustancia llamada melanina. .... ella, nuestra piel se oscurece protegiéndose así de las quemaduras solares.

>| 5 | Escribe una oración causal con el conector propuesto en cada caso.

Ejemplo: *El profesor está enfermo. Suspenderemos la clase.* **(como)**

Como el profesor está enfermo, suspenderemos la clase.

1. Mis abuelos me llamaron con insistencia. Fui a visitarlos. **(como)**
   ....
2. Los cocodrilos no lloran porque se sienten tristes. Lloran para atraer a sus víctimas. **(no es que... sino que)**
   ....
3. La profesora castigó a sus alumnos. Ellos tuvieron muy mal comportamiento. **(a causa de)**
   ....
4. Todos han llegado. La reunión va a empezar. **(puesto que)**
   ....
5. Podríais ayudarme. Habéis venido. **(ya que)**
   ....
6. Llegaré tarde. No tengo problemas con el coche. Ha habido un accidente de tráfico. **(no es porque... es porque)**
   ....
7. Javier tiene problemas económicos. Lo despidieron. **(debido a)**
   ....
8. Hay una manifestación. Mucha gente observa desde sus ventanas. **(porque)**
   ....
9. Han operado a Ana. No ha podido viajar a la playa. **(por)**
   ....
10. Creíamos que no vendrías. Hemos empezado a cenar. **(como)**
    ....

>| 6 | Escucha el siguiente *podcast* sobre animales en peligro de extinción. Escribe la especie y las causas de su extinción.

|23|

1. 2. 3. 4. 5. 6.

CAUSAS

1. ....
   ....
2. ....
   ....
3. ....
   ....
4. ....
   ....
5. ....
   ....
6. ....
   ....

>| 7 | Completa los siguientes correos electrónicos con las fórmulas para agradecer y disculparse que has aprendido en la unidad.

ENVIAR | DE: Virginia | PARA: Gonzalez | ASUNTO: Gracias

Estimado Sr. González:
La siguiente carta es para saludarlo y comentarle que estoy **(1)**............................ todo el tiempo que he trabajado junto a usted. Asimismo, le **(2)**............................ me ayudara en mi primer trabajo, ya que eso me ha permitido ganar una invaluable experiencia profesional.
(3)............................ haberme dado la oportunidad de trabajar en una empresa tan reconocida como esta. A pesar de no tener la experiencia requerida, usted me aceptó en el puesto. ¡No sabe cuánto **(4)**............................!
Saludos cordiales,
Virginia

ENVIAR | DE: seur | PARA: Gutierrez | ASUNTO: retraso

Estimado Sr. Gutiérrez:
Nos **(5)**............................ los trastornos originados ante el retraso en la entrega de su pedido. Somos conscientes de la gravedad del problema ocasionado y **(6)**............................ que no haya podido disfrutar de su pedido. Queremos compensarle por las molestias, remitiéndole directamente el paquete a su domicilio sin coste alguno.
Reiteramos nuestras **(7)**............................ y quedamos a su disposición para cualquier aclaración que necesite.
Atentamente,
SEUR

>| 8 | Escucha y escribe *ch*, *ll* o *y* en las siguientes palabras.

| 24 |

1. meji☐a	5. ☐egua	9. ☐ema	13. ☐eso	17. re☐es
2. ☐aleco	6. bue☐es	10. zambu☐ir	14. atrope☐o	18. ☐acer
3. ☐acimiento	7. murmu☐o	11. trin☐era	15. ca☐alote	19. ☐ocolate
4. ladri☐o	8. can☐a	12. cepi☐o	16. arci☐a	20. ☐ave

>| 9 | Relaciona las siguientes siglas, acrónimos y abreviaturas, con su significado.

1. RTVE .... *
2. RAE.................. *
3. I + D .... *
4. EE. UU. .... *
5. P. ej. .... *
6. ONG .... *
7. DELE .... *
8. n.º .... *
9. Sr. .... *
10. TIC .... *
11. DNI .... *
12. Internet .... *

* a. Organización no Gubernamental.
* b. Número.
* c. Radiotelevisión Española.
* d. Red Internacional.
* e. Diploma de Español como Lengua Extranjera.
* f. Tecnología de la Información y de la Comunicación.
* g. Documento Nacional de Identidad.
* h. Señor.
* i. Estados Unidos.
* j. Por ejemplo.
* k. Investigación y Desarrollo.
* l. Real Academia Española.

>| 10 | Clasifica las palabras anteriores en su lugar correspondiente.

ABREVIATURAS	SIGLAS	ACRÓNIMOS
....	....	....

ACTIVIDADES POR DESTREZAS

PRUEBA DE COMPRENSIÓN DE LECTURA

>|11| **Lea la siguiente carta publicada en una revista científica y rellene los huecos con la opción correcta (a/b/c).**

Por qué nos olvidamos de las cosas

Estimado Luis:

Te agradezco mucho que **(1)**............ preguntando por este tema. A tu pareja le alegrará saber que si olvidas la fecha de su cumpleaños, no es que la **(2)**........... menos que ella a ti, sino que la explicación a este hecho **(3)**............ más que ver con el poder regenerador del olvido.

¿Cuántas veces nos hemos lamentado de haber olvidado un nombre, el PIN del teléfono y hasta una cara? Según descubrimientos recientes, estos olvidos no significan falta de interés o que nos volvamos olvidadizos con la edad, sino que se producen **(4)**............. que borramos de nuestra mente los recuerdos insulsos que compiten por sobrevivir frente a aquellos recuerdos asociados a un objetivo relevante en nuestras vidas y que, a través de complejos mecanismos cerebrales, se instalan en la memoria a largo plazo. **(5)**............ nuestra capacidad para almacenar recuerdos es limitada, borrar algunos de ellos en el día a día nos permite conservar los que sí consideramos importantes.

¿Quiere esto decir que siempre olvidamos lo que no es importante para uno, **(6)**............ tal vez sí lo es para algún ser querido? Un cumpleaños, por ejemplo, o un aniversario. En realidad se suele tratar, efectivamente, de recuerdos competitivos y poco importantes para nosotros, en relación a aquellos recuerdos que sí han conseguido un sitio perdurable en la memoria a largo plazo.

Así que dile a tu pareja que no hay mal que por bien no venga, si un olvido de fechas fortalece la memoria de las emociones o los acontecimientos que deberían durar toda la vida.

Adaptado de: http://www.eduardpunset.es/116/general/por-que-nos-olvidamos-de-las-cosas

	a.	b.	c.
1	a. nos escribes	b. nos escribas	c. escribirnos
2	a. querrás	b. quieres	c. quieras
3	a. tiene	b. tenga	c. tenía
4	a. debido a	b. a causa	c. como
5	a. Porque	b. Como	c. Por
6	a. ya que	b. sino que	c. aunque

PRUEBA DE COMPRENSIÓN AUDITIVA

>|12| |25| **Va a escuchar seis noticias de un programa radiofónico. Escuchará el programa dos veces. Después debe contestar a las preguntas (1-6). Seleccione la opción correcta (a/b/c).**

NOTICIAS

1 Según la audición...
- ○ a. Alberto Sánchez no suele llegar tarde a sus citas.
- ○ b. los políticos no suelen pedir disculpas a través de las redes sociales.
- ○ c. el concejal de Medioambiente solo se disculpó por su retraso a través de las redes sociales.

2 Los acertijos son difíciles de resolver...
- ○ a. porque nos hacen pensar de otro modo.
- ○ b. porque nos hacen pensar mucho.
- ○ c. porque son muy creativos.

3 El grado de facilidad para los idiomas podría explicarse…

- ○ a. por las conexiones entre los dos hemisferios del cerebro.
- ○ b. por la calidad de las conexiones del hemisferio izquierdo.
- ○ c. por las conexiones de las zonas del hemisferio derecho.

4 Según la audición…

- ○ a. Alejandro González Iñárritu ha ganado el Óscar por segundo año consecutivo.
- ○ b. el director mexicano ganó dos premios Óscar anteriormente con *Amores Perros* y *Beautiful*.
- ○ c. la película de Alejandro González Iñárritu ha ganado dos premios Óscar este año.

5 Según la audición, el gobierno vasco quiere…

- ○ a. regular la cantidad de buitres en Guipúzcoa.
- ○ b. controlar el modo de alimentarse del buitre leonado en algunas zonas.
- ○ c. conseguir que el buitre leonado se declare especie protegida.

6 Según los resultados del barómetro…

- ○ a. ha habido algunos cambios en relación con los estereotipos de España.
- ○ b. los estereotipos sobre España siguen siendo los mismos que otros años.
- ○ c. figuran algunos estereotipos nuevos y otros han dejado de serlo.

PRUEBA DE EXPRESIÓN E INTERACCIÓN ESCRITAS

>|13| Lea el siguiente mensaje de la página web de su escuela de idiomas.

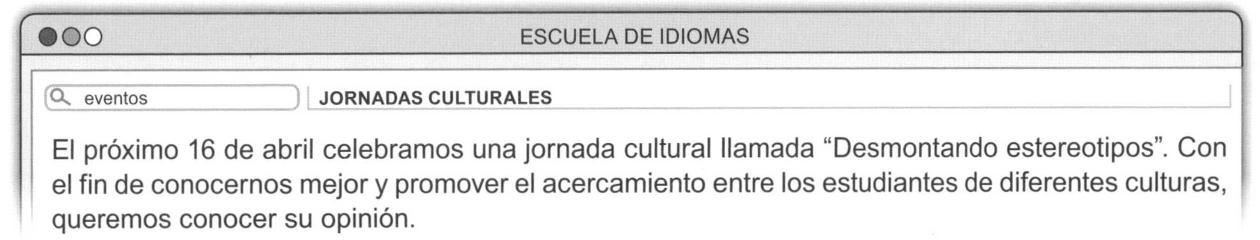

Escriba un texto de entre 130 y 150 palabras para enviar a la página web de la escuela contestando a las siguientes preguntas:

- ¿Cree en los estereotipos?
- ¿Qué opinión tiene sobre ellos?
- ¿Cree que nos ayudan a conocer mejor otras culturas o que, por el contrario, nos alejan de ellas?
- ¿Cree que tienen su lado positivo? ¿Por qué?
- Cite algún estereotipo con el que esté o no de acuerdo y justifique su respuesta.

PRUEBA DE EXPRESIÓN E INTERACCIÓN ORALES

En la siguiente prueba usted debe dialogar con su compañero/a en una situación simulada durante **dos o tres minutos**.

>|14| Usted está preparando, junto con su compañero/a de la clase, un trabajo para la clase de español. Su compañero/a le ha propuesto quedar varias veces, pero usted no ha podido hacerlo y llevan el trabajo algo atrasado. Ahora están en clase hablando sobre el tema.

En la conversación deberá:

- pedirle disculpas por no haber podido quedar hasta ahora;
- explicarle las causas por las que no ha podido hacerlo;
- darle las gracias a su compañero/a por haber adelantado parte del trabajo y comentarle qué le parece su parte;
- proponer una nueva cita y reorganizar el trabajo para igualar el esfuerzo realizado por ambos.

8 FENÓMENOS INEXPLICABLES

>| 1 | *Misterios de Madrid* es un programa de radio que nos descubre algunos de los secretos y curiosidades de esta ciudad. Observa las imágenes y relaciónalas con las historias de las que hablarán hoy.

A

B

C

D

1. ◯ El tejo del Retiro.
2. ◯ Unos madrileños muy felinos.
3. ◯ La casa de las siete chimeneas.
4. ◯ ¿Dónde está la puerta en la Puerta del Sol?

>| 2 | Estas son algunas hipótesis que vas a escuchar en el programa. Léelas y selecciona el marcador adecuado en cada una.

1. **Lo mismo/Posiblemente** el nombre le venga de su supuesta ubicación, en el lado este de la plaza, por donde sale el sol.
2. **Igual/Es posible que** se llaman así porque son ariscos, o porque son muy ágiles.
3. **Puede ser que/A lo mejor** se trate de una entrada secreta al más allá.
4. Algunos creyeron que la joven Elena **posiblemente/es posible que** murió de pena por la muerte de su marido.
5. **A lo mejor/Probablemente** su apodo se deba a la hazaña de un valiente soldado de las tropas de Alfonso VI.
6. **Probablemente/Es probable que** fue Felipe II, hijo de Carlos V, quien ordenó construirla.
7. **Lo mismo/Puede ser que** has escuchado a alguien decir orgulloso que él es un verdadero gato.
8. Otras teorías afirman que **igual/es posible que** su construcción sea de época musulmana, aunque **es improbable que/lo mismo** sea cierto, puesto que no existe ninguna mención a ella en documentos anteriores a 1570.
9. **Tal vez/A lo mejor** Hécate, con sus hechizos y misteriosos poderes, atraiga a los que pasan por él.
10. **A lo mejor/Es probable que** su nombre viene por estar siempre en la calle, a cualquier hora del día.
11. **Igual/Quizás** su nombre venga de una pintura del sol en esta entrada de la muralla.
12. La extraña y espectral figura en forma de mujer **quizá/es posible que** era el fantasma de Elena, que reclamaba justicia por su muerte.
13. Si ves algún pájaro muerto bajo su copa, **es probable que/lo mismo** se haya envenenado con sus semillas.
14. Se decía que **podía ser que/tal vez** fue asesinada para ocultar su relación con el príncipe.

>| 3 | |26| Lee de nuevo las hipótesis de la actividad anterior y relaciónalas con el misterio o curiosidad al que crees que se refieren. Después, escucha y comprueba tus respuestas.

El tejo del Retiro. [ ]

La casa de las siete chimeneas. [ ]

Unos madrileños muy felinos. [ ]

¿Dónde está la puerta en la Puerta del Sol? [1,]

>| 4 | Señala si los siguientes marcadores de hipótesis rigen indicativo (I), subjuntivo (S) o ambos modos (A).

	I	S	A		I	S	A		I	S	A
A lo mejor	○	○	○	Probablemente	○	○	○	Es probable que	○	○	○
Tal vez	○	○	○	Es improbable que	○	○	○	Posiblemente	○	○	○
Puede ser que	○	○	○	Quizá	○	○	○	Es imposible que	○	○	○
Igual	○	○	○	Es posible que	○	○	○	Lo mismo	○	○	○

>| 5 | Completa los espacios en blanco con el verbo en indicativo o subjuntivo. Recuerda que en algunos casos ambas opciones son correctas.

1. Es posible que el teletrabajo .... **(ser)** algo habitual en un futuro, pero no creo que para todas las profesiones.
2. A lo mejor .... **(dormir, tú)** mal porque te pasas muchas horas delante del ordenador.
3. Según el director de la NASA, existió vida en Marte y quizás .... **(existir)** también ahora.
4. Lo mismo .... **(ir, nosotros)** a ver una peli de miedo esta noche, ¿te apuntas?
5. Probablemente los laboratorios .... **(encontrar)** pronto una vacuna contra el ébola.
6. Es improbable que la venta *online* .... **(hacer)** desaparecer la compra en los comercios. Muchas personas siguen prefiriendo probarse antes lo que compran.
7. Tal vez practicar algún deporte te .... **(ayudar)** a estar menos estresado.
8. Puede ser que .... **(tener, nosotros)** que cambiar muchos hábitos si queremos frenar el cambio climático.
9. Posiblemente la tecnología nos .... **(facilitar)** la vida, pero cuando falla también nos la complica.
10. Paco no ha venido a trabajar, igual .... **(estar)** enfermo. Ahora hay mucha gente con gripe.

>| 6 | En el programa de televisión *Nadie sabe nada*, algunas personas escriben preguntando por la explicación de dudas cotidianas. Lee sus preguntas y escribe una respuesta usando los marcadores de hipótesis aprendidos y la forma verbal adecuada.

1. ¿Cómo se acuerdan los camareros de quién ha pedido café con leche, té con limón y uno solo, pero con sacarina?
   ....
   ....
2. ¿Por qué los aviones no están hechos del mismo material que la caja negra?
   ....
   ....
3. Las plantas de interior, ¿dónde viven en la naturaleza?
   ....
   ....
4. ¿Por qué los dibujos animados van siempre con la misma ropa?
   ....
   ....
5. ¿Por qué en películas y series nadie se despide cuando cuelga el teléfono?
   ....
   ....
6. ¿Por qué bajamos el volumen de la radio cuando buscamos sitio para aparcar?
   ....
   ....
7. ¿Dónde van a parar los calcetines que perdemos?
   ....
   ....

>| **7** | Escucha las respuestas dadas en el programa de la actividad anterior. ¿Coinciden con las tuyas?
|27|

>| **8** | Lee las siguientes intervenciones de blog sobre temas de discusión y completa los espacios con el verbo en la forma adecuada.

¿Y TÚ QUÉ OPINAS...?

Usuario | Contraseña | Me gusta

A 126 personas les gusta esta página · 38 personas están hablando de esto

Arturo — **10 de marzo** Responder

Es obvio que los niños de ahora no **(1)**............ **(saber)** divertirse como los de antes. Probablemente **(2)**............ **(tener)** tantas cosas y **(3)**............ **(recibir)** tantos estímulos que, al final, se aburren.

Pau — **10 de marzo** Responder

Sí, es posible que **(4)**............ **(llevar)** razón, pero yo pienso que todos nos hemos aburrido (y no solo divertido) de niños, independientemente de la cantidad de juguetes o estímulos recibidos, que antes no eran pocos, sino diferentes.

Lula — **12 de marzo** Responder

Está claro que **(5)**............ **(vivir, nosotros)** en una sociedad de consumo y, en consecuencia, compramos mucho más de lo que necesitamos. Sin embargo, es evidente que lo único imprescindible en nuestras vidas **(6)**............ **(ser)** poder alimentarnos y protegernos del frío. Lo demás son caprichos prescindibles.

Ami — **12 de marzo** Responder

No, yo no lo creo. Es obvio que, en primer lugar, **(7)**............ **(deber, nosotros)** cubrir nuestras necesidades básicas, pero la diferencia está entre "vivir" y que nuestra vida merezca la pena. ¿Qué hay de la música, los libros, el amor, las ilusiones...? Posiblemente **(8)**.......... **(haber)** gente que pueda vivir sin ello, pero está demostrado que para "vivir la vida" **(9)**............ **(necesitar, nosotros)** alimentar también nuestro espíritu.

Sete — **13 de marzo** Responder

Hoy en día, algunos deportes, como el fútbol, son un mal ejemplo para los chavales. Está claro que algunas actitudes de jugadores, árbitros y aficionados solo **(10)**............... **(fomentar)** valores negativos, como la rivalidad o la violencia.

José — **13 de marzo** Responder

A ver... Es cierto que **(11)**............ **(haber)** deportes que despiertan pasiones y es posible también que a veces **(12)**............ **(ver, nosotros)** algunas escenas lamentables, pero no es verdad que solo **(13)**................ **(transmitir)** valores negativos. Muchos deportistas son un ejemplo de deportividad y superación para los jóvenes.

Lea — **14 de marzo** Responder

Probablemente, con la irrupción de las nuevas tecnologías en el mundo de la enseñanza, la asistencia a las clases **(14)**............ **(tener)** fecha de caducidad.

Dani — **14 de marzo** Responder

Sí, es muy probable. Si ya podemos asistir a una clase virtual y trabajar desde casa, no está claro que en un futuro próximo **(15)**............ **(ser)** necesario mantener el sistema de enseñanza tradicional.

>|9| Vuelve a leer las intervenciones de la actividad anterior y marca quién...

	Arturo	Pau	Lula	Ami	Sete	José	Lea	Dani
1. ...formula una hipótesis.	○	○	○	○	○	○	○	○
2. ...expresa acuerdo con una hipótesis planteada.	○	○	○	○	○	○	○	○
3. ...expresa acuerdo parcial con una hipótesis.	○	○	○	○	○	○	○	○
4. ...expresa desacuerdo con una hipótesis.	○	○	○	○	○	○	○	○
5. ...confirma una realidad.	○	○	○	○	○	○	○	○
6. ...desmiente una realidad.	○	○	○	○	○	○	○	○

>|10| Y tú, ¿qué opinas sobre los temas planteados en la actividad 8? Escribe tu opinión en tu cuaderno usando las estructuras estudiadas.

>|11| Imagina una situación posible en cada caso y escríbela usando el pretérito perfecto de indicativo o subjuntivo según el marcador indicado. Fíjate en el ejemplo.

1. Te montas en el autobús y cuando vas a pagar te das cuenta de que no llevas la cartera.

   Probablemente me la haya olvidado en casa, últimamente no sé dónde tengo la cabeza.

2. Has quedado con un amigo para tomar café y no aparece. No te coge el teléfono ni responde a tus wasaps.

   A lo mejor ....

3. Tienes una cita a ciegas con un/a chico/a, pero llevas media hora esperando y no llega.

   Quizás ....

4. Tu compañero de piso te ha dejado una nota diciendo que se marcha y que no volverá más.

   Puede ser que ....

5. Llegas a tu academia de español y ves que hay mucha gente en la puerta.

   Posiblemente ....

6. Sales a la calle para ir a trabajar y ves que todo el mundo te mira fijamente.

   Es posible que ....

7. Te montas en el metro y ves que algunas personas van tumbadas en el suelo.

   Igual ....

8. Sales a comprar y ves que no hay nadie en la calle, ni coches circulando y todas las tiendas están cerradas.

   Tal vez ....

>|12| Completa con *ser* o *estar* según los usos que ya conoces.

1. ► ¿Sabes dónde **(1)**.......... la conferencia?
   ► Sí, **(2)**.......... en el aula magna.
   ► ¿Y dónde **(3)**.......... el aula magna? Perdona, es que no **(4)**.......... de esta universidad.
   ► Sí, mira, **(5)**.......... muy fácil. **(6)**.......... al fondo de este pasillo, a mano derecha.

2. ► ¿Vas a ir a la fiesta de cumpleaños de Marcos?
   ► No sé... ¿Dónde **(1)**.......... este año? Es que el año pasado **(2)**.......... en un local que **(3)**.......... lejísimos y tuvimos que ir en coche.
   ► No, este año creo que **(4)**.......... en su casa. ¿Has estado alguna vez?
   ► Creo que sí. ¿**(5)**.......... cerca de la plaza de la Independencia?
   ► No, ya no, se mudó el año pasado. Su nueva casa **(6)**.......... en las Vistillas.

>13 Escucha y di en qué palabras se produce seseo (S), ceceo (C) o en cuáles hay distinción entre /s/ y /θ/ (D).
|28|

	S	C	D
1. sazonar	◯	◯	◯
2. camiseta	◯	◯	◯
3. recesión	◯	◯	◯
4. vecinos	◯	◯	◯
5. perezoso	◯	◯	◯
6. sociedad	◯	◯	◯
7. rocío	◯	◯	◯
8. necesidad	◯	◯	◯
9. especial	◯	◯	◯
10. quizás	◯	◯	◯
11. salazón	◯	◯	◯
12. casilla	◯	◯	◯

>14 Escucha y marca en qué palabras se produce el yeísmo rehilado.
|29|

	Sí	No
1. pesadilla	◯	◯
2. belleza	◯	◯
3. mayores	◯	◯
4. lluvia	◯	◯
5. arroyo	◯	◯
6. llave	◯	◯
7. hallazgo	◯	◯
8. leyes	◯	◯
9. orilla	◯	◯
10. ayudar	◯	◯
11. llanto	◯	◯
12. cordillera	◯	◯

ACTIVIDADES POR DESTREZAS

PRUEBA DE COMPRENSIÓN DE LECTURA

>15 Usted va a leer un texto sobre La Pascualita, un misterioso maniquí mexicano. Después, debe contestar a las preguntas (1-6). Seleccione la respuesta correcta (a / b / c).

La Pascualita

La Pascualita o "La Chonita" es quizás una de las leyendas más conocidas de todo México y que perdura en la actualidad, probablemente debido a que, a diferencia de tantas otras, tiene la magia de que su ser legendario esté a la vista de todos.

Se sabe que el maniquí de la Pascualita apareció en un aparador de La Popular (un local chihuahuense de vestidos de novia) el 25 de marzo de 1930. La versión más común dice que la dueña del negocio, Pascualita Esparza, la mandó traer de Francia. Otra versión también dice que la Sra. Esparza lo adquirió en México D.F., dentro de una prestigiosa tienda conocida como "El Puerto de Liverpool", de la cual ella solía traer telas, azahares, ramos y otros productos que revendía en su local. Al principio no le quisieron vender la hermosa figura de cera; pero ella estaba tan prendada del maniquí que amenazó con dejar de comprar en la tienda si no se lo vendían, por lo que accedieron, y así la Sra. Esparza lo llevó a su local.

Si nos preguntamos ahora por qué La Pascualita impresionaba tanto que se convirtió en un icono de la época y se ganó el título de "la novia más bonita de Chihuahua", la razón está en que era distinta a los demás maniquíes de la época: tenía un mejor acabado en cera, sus ojos eran de cristal, su pelo y sus pestañas eran implantes de verdadero pelo, y su expresión, a diferencia de las de tantos maniquíes de mirada inerte, era viva y reflejaba emociones.

En algún momento de la década de los sesenta, empezaron a surgir rumores de que la novia de cera estaba viva y era capaz de moverse de noche, cuando no había nadie en el local, o sonreír a algunas personas. Particularmente, los rumores se hicieron más frecuentes cuando Pascualita Esparza falleció en 1967: entonces algunas personas empezaron a decir que La Pascualita les seguía con la mirada, que su fantasma les seguía un tiempo si se quedaban mirándola fijamente, o que por breves segundos le aparecían venitas rojas en los ojos...

Actualmente todavía hay bastantes personas que afirman haber vivido cosas extrañas en presencia del maniquí. Sea o no verdad la leyenda, es indudable que los propietarios de La Popular cuidan con esmero a La Pascualita porque saben que conservar su belleza y fomentar su leyenda es necesario para que esta siga siendo un imán de dinero, ya que el vestido que lleva es el vestido que más se compra, en parte porque es como un amuleto que traerá un matrimonio feliz y exitoso.

Adaptado de: http://www.leyendas-urbanas.com/la-pascualita/

1 La leyenda sobre La Pascualita...
- ○ a. está vigente porque el maniquí es real.
- ○ b. tiene su origen en Francia.
- ○ c. tiene un carácter mágico.

2 El maniquí...
- ○ a. apareció en El Puerto de Liverpool.
- ○ b. tenía una mirada inerte.
- ○ c. fue adquirido por La Popular.

3 Según el texto, la Sra. Esparza...
- ○ a. mandó traer a La Pascualita desde México D.F.
- ○ b. se enamoró del maniquí cuando lo vio.
- ○ c. llamó al maniquí "la novia más bonita de Chihuahua".

4 La Pascualita asombraba a la gente porque...
- ○ a. era diferente al resto de maniquíes.
- ○ b. era capaz de moverse de noche.
- ○ c. traía un matrimonio feliz y exitoso.

5 Se le conoce como la "novia más bonita de Chihuahua" porque...
- ○ a. está en una tienda de vestidos de novia.
- ○ b. todo el mundo se enamora de ella por su belleza.
- ○ c. lleva un traje de novia.

6 La leyenda de La Pascualita...
- ○ a. surge tras la muerte de Pascualita Esparza.
- ○ b. se basa en rumores de la gente.
- ○ c. se ha convertido en un amuleto.

PRUEBA DE COMPRENSIÓN AUDITIVA

>|16| |30| Usted va a escuchar una conversación entre dos amigos, Felipe y Aurora. Escuchará la conversación dos veces. Indique si los enunciados (1-6) se refieren a Felipe, a Aurora o a ninguno de los dos.

	Felipe	Aurora	Ninguno de los dos
1 Le interesa el significado de los sueños.	○	○	○
2 No entiende por qué su amigo/a busca el significado de los sueños en los libros.	○	○	○
3 Piensa que los sueños tienen su origen en las experiencias diarias.	○	○	○
4 Considera que los sueños los genera el subconsciente.	○	○	○
5 Insiste en que para interpretar los sueños hay que recurrir a los libros.	○	○	○
6 Tiene sueños que parecen reales.	○	○	○

PRUEBA DE EXPRESIÓN E INTERACCIÓN ORALES

>|17| Le proponemos el siguiente tema con algunas indicaciones para preparar una exposición oral. Tendrá que hablar durante 2 o 3 minutos sobre el tema.

ENIGMAS Y MISTERIOS

Hable sobre un enigma o fenómeno curioso que conozca.

Incluya la siguiente información:
- qué fenómeno es; por qué lo ha elegido;
- qué explicaciones tiene;
- qué explicación le parece más verosímil;
- cuente alguna experiencia personal relacionada con ese fenómeno.

No olvide:
- diferenciar las partes de su exposición: introducción, desarrollo y conclusión final;
- ordenar y relacionar bien las ideas;
- justificar sus opiniones y sentimientos.

>|18|  |31| Escuche las instrucciones y las preguntas, y responda. Use el botón de PAUSA para responder.

9 LEER ENTRE LÍNEAS

> 1 |32| Escucha los siguientes sonidos y escribe hipótesis sobre lo que pasa o ha podido pasar. Luego, compáralo con tu compañero. ¿Coincidís?

1. Quizás...
2. Puede ser que...
3. A lo mejor...
4. Posiblemente...
5. Es probable que...
6. Tal vez...

> 2 Observa las imágenes y completa las siguientes frases en futuro o en condicional.

1. **¿Qué crees que hizo ayer Esteban?**
   - Ayer (1)................ **(ser)** su último día de trabajo y (2)................ **(estar)** disfrutando de su primer día de jubilado.
   - (3)................ **(Ganar)** su equipo de fútbol y ahora (4)................ **(sentirse)** feliz por ello.
   - (5)................ **(Regresar)** de un viaje a la costa de Málaga y (6)................ **(conocer)** a una persona muy especial.

2. **¿Cómo crees que se conocieron Marta y Julio?**
   - Julio (1)................ **(ir)** al parque a pasear a su perro y este (2)................ **(perderse)**. A los dos días Marta lo (3)................ **(encontrar)** y (4)................ **(conseguir)** localizar a Julio.
   - Marta (5)........... **(ser)** la veterinaria de Toby. Un día (6)................ **(coincidir)** en el parque y (7)................ **(decidir)** tomar algo juntos.

3. **¿Qué piensas que le ocurrió a Javier el otro día?**
   - Javier (1)................ **(obtener)** su carné la semana pasada y no (2)................ **(tener)** mucha experiencia en conducir. Le (3)................ **(coger)** el coche a su padre sin decirle nada. Ahora él (4)................ **(estar)** bastante preocupado y no (5)................ **(saber)** qué hacer.
   - (6)............. **(Ser)** muy temprano cuando se dio el golpe. Javier (7)............. **(tener)** mucha prisa porque (8)............. **(ir)** a un examen de español muy importante. (9)............. **(Conducir)** muy rápido y no (10)............. **(ver)** el semáforo en rojo. Ahora no (11)............. **(tener)** ni coche ni ganas de conducir.

3 | 33 | Observa de nuevo las imágenes anteriores y escribe tus hipótesis para cada una de ellas. Luego, escucha la versión real y comprueba. ¿Coinciden con las tuyas?

1. ....

....

2. ....

....

3. ....

....

4 | Completa las frases con los verbos del recuadro. Conjuga el verbo en el tiempo correcto para expresar hipótesis en presente y en pasado (terminado o cercano al presente).

acabar * tener * ver * irse * suspender * entrar * venir * alquilar * viajar

1. Ana .... con nosotros a la exposición, porque me ha enviado un mensaje preguntando la dirección.
2. Mis vecinos no .... el fin de semana pasado a Canarias. No están muy morenos.
3. ▶ Vamos al cine pero no sé qué vamos a ver.
   ▶ Conociendo a Carmen, ... la última película de Brad Pitt. Le encanta lo que hace.
4. Juan y su clase ya .... al museo de arte contemporáneo, porque son la diez.
5. Está lloviendo a cántaros. Me temo que .... la ruta de senderismo.
6. Mi padre .... todo el trabajo pendiente y por eso ha salido antes del trabajo.
7. Jaime .... ya al examen porque lo estoy llamando por teléfono y no contesta.
8. El fin de semana Lorena no contestó ni a los wasaps. .... un gripazo increíble.
9. Mis vecinos .... el apartamento, porque hace un año que se fueron de la ciudad y siempre escucho gente hablando en su piso.

5 | Ahora, clasifica las frases anteriores según el tipo de suposiciones.

Expresar hipótesis en un pasado terminado	*Expresar hipótesis en un pasado cercano*	*Expresar hipótesis en presente*

6 | Javier es un chico muy especial y siempre hace cosas que nadie se explica. Relaciona las columnas para formar frases.

1. ¿Qué está haciendo Javier que todavía no ha llegado? .... *
2. ¿Qué hizo ayer Javier que no vino a clase? .... *
3. ¿Qué le han dicho sus padres? .... *
4. ¿Por qué se marchó tan pronto? .... *
5. ¿Por qué se marcha tan pronto hoy? .... *
6. ¿Por qué no nos llama? .... *
7. ¿Por qué no ha llamado aún? .... *
8. ¿Por qué no te llamó ayer? .... *

* a. Estará sin batería.
* b. Tendrá una cita con alguien.
* c. Saldría con sus amigos de fiesta y se olvidaría de poner el despertador.
* d. Se habrá quedado sin batería.
* e. Se quedaría sin batería.
* f. No le gustaría el tipo de música o se enfadaría con algún amigo.
* g. Estará hablando en secretaría sobre el precio de la matrícula.
* h. Le habrán aconsejado que no llegue tan tarde a casa un día de diario.

>| 7 | Lee los siguientes titulares y formula hipótesis para explicarlos. Luego, mira el resumen de las noticias en la pág. 139 y compara con tus hipótesis. ¿Coinciden?

1. **Un joven británico recibe en su casa más de 50 paquetes de Amazon.**
   ¿Qué habrá pasado? ....
2. **Descubiertos en China los más antiguos que existen.**
   ¿Qué descubrirían? ....
3. **Chile: transexual demanda a gimnasio por discriminación.**
   ¿Qué le habrá ocurrido? ....
4. **Ministra de Cultura admite no haber leído un libro en dos años.**
   ¿Por qué será? ....

>| 8 | María tiene muchos planes para este año. Léelos y ayúdala a completar las frases.

1. Leeré un libro cada quince días, o sea que al año *habré leído 24 libros.*
2. Meteré en mi hucha 10 euros cada semana, o sea que a los tres meses ....
3. Escribiré una entrada de blog a la semana, o sea que a los dos meses ....
4. Viajaré a una ciudad española todos los meses, o sea que en dos años ....
5. Iré al cine dos veces a la semana, o sea que en un mes ....

>| 9 | Escucha los siguientes diálogos y señala cómo es la respuesta del interlocutor.

| 34 |

	1	2	3	4	5	6	7	8
Responde con seguridad	○	○	○	○	○	○	○	○
Niega con decisión	○	○	○	○	○	○	○	○
Afirma con decisión	○	○	○	○	○	○	○	○

>| 10 | Lee el siguiente fragmento de la novela *No soy un libro*, de José Merino y rodea en color verde diez erres que tengan sonido suave y en rojo otras diez que tengan sonido fuerte.

Aquel día había sido muy caluroso. La llegada de la noche no anunciaba frescor y desde el cielo seguía derramándose un bochorno sólido, que se mezclaba con el humo acre de los motores e iba formando bajo las marquesinas de los andenes una masa ligera de bruma pegajosa.

Faltaban alrededor de cinco minutos para la salida del tren. Casi todos los viajeros ocupaban ya su sitio y la gente que los había acompañado permanecía inmóvil junto a los vagones, en esa actitud rígida y un poco desorientada que precede a las despedidas. –Esta es la última que le aguanto –exclamó Juan Luis–. En la vida vuelvo a hacer planes con él.

A la hora de la cita –más de tres cuartos de hora antes– únicamente Juan Luis había llegado a la estación. Al no encontrar a ninguno de sus amigos, había debido asumir con fastidio, una vez más, aquel desasosiego suyo que le hacía llegar siempre demasiado pronto a los sitios.

Marta había aparecido poco después. El desasosiego de Juan Luis se esfumó y, sentados ambos muy cerca del lugar convenido –el mostrador de información–, hablaron un rato, entre risas, de los incidentes menudos que habían surgido durante la preparación de sus equipajes. Pero transcurrieron treinta minutos más, Piri no acababa de llegar, y Juan Luis volvió a sentir su acostumbrada desazón y a expresarla con tanta insistencia que Marta había acabado por desazonarse también.

Observaban cada vez con mayor avidez la muchedumbre que se movía en el vestíbulo, bajo el continuo retumbar de los altavoces. Su impaciencia les hizo inquietarse tanto que se habían vuelto a colocar a la espalda sus grandes mochilas, preparados para no perder ni un instante de un plazo que se iba agotando. A las diez menos veinte, Juan Luis se había levantado con gesto iracundo, manifestando de nuevo su preocupación.

– ¿Pero qué puede estar haciendo?

>| 11 | Completa el siguiente cuadro con ejemplos del texto anterior.

Sonido *r* suave
– Entre vocales: ....
– A final de sílaba o palabra: ....
– Detrás de consonante (*b, c, d, f, g, p, t*): ....

Sonido *r* fuerte
– Al principio de palabra: ....
– Entre vocales: ....
– Después de *l, n* y *s*: ....
– Detrás de las consonantes *b, d* y *t* cuando no forma parte de la sílaba: ....
....

>| 12 | |35| Lee de nuevo el texto anterior y responde a la pregunta final. Luego, escucha la continuación de la historia. ¿Coincide con la tuya?

....
....
....
....
....
....

ACTIVIDADES POR DESTREZAS

PRUEBA DE COMPRENSIÓN DE LECTURA

>| 13 | Usted va a leer seis textos en los que unas personas hablan sobre sus intereses literarios y nueve reseñas de libros escritos en español. Relacione a cada persona (1-6) con el libro apropiado según sus gustos (A-J). Hay tres textos que no debe relacionar.

Persona	Texto
1 CLAUDIA	....
2 JORDI	....
3 LUCÍA	....
4 ANA	....
5 JAVIER	....
6 CARLOS	....

1. CLAUDIA

Siempre me ha gustado mucho leer poesía y, ahora que ya tengo un buen nivel de español, pienso que puedo empezar a leer algunos poemas en esta lengua.

2. JORDI

A mí me gusta la literatura de compromiso. Las historias con un trasfondo político o social que no te dejan indiferente. Como tengo poco tiempo para leer, prefiero leer obritas cortas ya que, si es demasiado larga, termino dejándola a medias.

3. LUCÍA

Me apetece leer un libro de ficción que me transporte a otras épocas y a otros mundos irreales. Alguna historia de aventuras con mucha intriga y emoción. Pero no busco un libro para niños.

CONTINÚA »

4. ANA

Yo soy una apasionada de la novela negra y policíaca, me encantan las tramas cargadas de intriga y de misterio, que te enganchan desde el primer momento sin que puedas parar de leer hasta el final.

5. JAVIER

Yo estoy buscando una gran novela. Un buen clásico que contenga mucha emoción, sentimientos, amor, vivencias, pasión... Y si incluye a una heroína dispuesta a enfrentarse a todo, mejor.

6. CARLOS

Me interesa mucho la literatura hispanoamericana, por su forma de escribir, donde lo maravilloso forma parte de la realidad cotidiana, y por reflejar su complejidad histórica: la lucha por conservar lo propio frente a la influencia colonial, sus dictaduras y revoluciones...

A ***La tabla de Flandes***, de Arturo Pérez Reverte

En el siglo XV un viejo maestro flamenco introduce en uno de sus cuadros, en forma de partida de ajedrez, la clave de un secreto que pudo cambiar la historia de Europa. Cinco siglos después, una restauradora de arte, un anticuario y un jugador de ajedrez tratarán de resolver el enigma. La investigación se irá complicando hasta convertirse en un apasionante y misterioso juego que acabará por envolver a sus protagonistas.

B ***Hombres de maíz***, de Miguel Ángel Asturias

Con un título que hace referencia a un mito del *Popol Vuh*, libro sagrado de los mayas, denuncia, a lo largo de sus más de 500 páginas, los efectos del imperialismo europeo sobre las costumbres, creencias ancestrales y tradiciones de los campesinos guatemaltecos. El realismo mágico, estilo barroco y lenguaje poético dotan a esta obra de una singularidad inconfundible.

C ***El tragaluz***, de Antonio Buero Vallejo

Recluidos en un sótano, un grupo de vencidos de la Guerra Civil española contempla la vida a través de una simbólica ventana. Jugando con el tiempo, el autor consigue involucrar al espectador, haciéndole entrar en acción y afrontar los problemas de su entorno. Su perfecta combinación de ética y estética elevan a esta breve obra teatral a la categoría de clásico contemporáneo.

D ***Bolinga***, de Elvira Lindo

Bolinga significa "gorila encantador amigo del hombre", y es el protagonista de esta divertida historia en la que nos cuenta sus aventuras: su vida en el Congo, donde llegó a ser jefe de la manada, su llegada al zoo y su posterior acogida en casa del doctor Graham. Un relato enternecedor que enseña a querer y a respetar a los animales.

E ***Hija de la fortuna***, de Isabel Allende

Eliza Sommers es una joven chilena que vive en Valparaíso en 1849. Cuando su amante parte hacia el norte en busca de oro, ella decide seguirlo. El viaje infernal y la búsqueda de su amado en una tierra de hombres, transformarán a la joven inocente en una mujer fuera de lo común. En una época marcada por la violencia y la codicia, los protagonistas rescatan el amor, la amistad, la compasión y el valor.

F ***Vida. Días de mi vida*** (Volumen I), de Juan Ramón Jiménez

En 1940, finalizada la Guerra Civil española, el poeta Juan Ramón Jiménez, ya en Estados Unidos, presentía que no volvería nunca más a España. La escritura de *Vida*, proyecto ideado en 1923, se convirtió entonces para él en una autobiografía indispensable para sobrellevar la soledad del exilio y sentirse cerca de su mundo perdido.

G ***El viaje al amor***, de Eduardo Punset

Los secretos del amor se habían interpretado siempre desde los campos de la moral o la literatura, pero hoy empezamos a saber que se mueve por causas evolutivas y biológicas extremadamente precisas. La revolución tecnológica está permitiendo, por primera vez en la historia de la evolución, que la ciencia aborde los secretos del amor. Ahora resulta que los ciegos éramos nosotros...

H ***Tala***, de Gabriela Mistral

Pasado el tiempo, puede considerarse *Tala* como el poemario más consistente y significativo de la premio nobel chilena, tanto por sus formas tradicionales tocadas de irracionalismo como por el modo entrañable y compasivo de abordar el amor y la muerte, desde una sensibilidad ya puramente americana.

I ***Olvidado rey Gudú***, de Ana María Matute

Repleta de fábulas y fantasías y ambientada en la época medieval, la novela narra el nacimiento y la expansión del Reino de Olar, mezclando elementos de la literatura fantástica, el libro de caballerías y el cuento de hadas. Alegoría antibelicista, es a la vez una obra de carácter universal sobre el tiempo y sus criaturas, donde la historia que se narra es la de las emociones humanas.

Fuentes: www.casadellibro.com y es.wikipedia.org

PRUEBA DE COMPRENSIÓN AUDITIVA

>|14| |36| Usted va a escuchar a seis personas que hablan sobre obras literarias llevadas al cine. Escuchará a cada persona dos veces. Seleccione el enunciado (A-J) que corresponde al tema del que habla cada una (1-6). Hay diez enunciados. Seleccione solamente seis. Debe escribir la letra del enunciado en la casilla correspondiente.

Enunciado

- **A** Las adaptaciones no gustan cuando se ha leído el libro antes.
- **B** La película supera en varios aspectos a la obra original.
- **C** Las adaptaciones no deberían incluir contenidos que no aparecen en el libro.
- **D** El fallo de la película fue la elección de los actores.
- **E** Destaca, sobre todo, el sobresaliente trabajo de sus actores.
- **F** La película no consigue cautivar al espectador como la novela al lector.
- **G** La película no ha sabido adaptar con éxito la estructura de la novela.
- **H** La adaptación respeta completamente el texto original de la obra.
- **I** Su opinión sobre la película coincide con la crítica.
- **J** La película es demasiado larga.

Persona	Enunciado
1 PERSONA 1	....
2 PERSONA 2	....
3 PERSONA 3	....
4 PERSONA 4	....
5 PERSONA 5	....
6 PERSONA 6	....

PRUEBA DE EXPRESIÓN E INTERACCIÓN ORALES

>|15| En la siguiente prueba de expresión oral usted debe dialogar con el entrevistador en una situación simulada durante dos o tres minutos.

Situación:

Usted está en la puerta del cine con un amigo porque han quedado para ver una película. Están esperando a otro amigo que parece que se retrasa y, mientras llega, están viendo la cartelera para decidir qué película van a ver.

Instrucciones:

Imagine que el entrevistador es su amigo.

Hable con él/ella. Durante la conversación, usted debe:

- hacer sus conjeturas sobre la tardanza del otro amigo;
- rechazar la propuesta de su amigo para ver una película porque leyó el libro y no le gustó;
- rechazar otra propuesta haciendo predicciones sobre los motivos por los que cree que no les gustará la película;
- proponer una película para ver y hacer predicciones sobre los motivos por los que cree que les podrá gustar;
- llegar a un acuerdo sobre la película que van a ver.

10 POR TU FUTURO

>| 1 | Alumnos preuniversitarios y sus padres han asistido a una conferencia titulada "10 formas seguras de no equivocarse en la elección de una titulación profesional". Lee el resumen de la conferencia y selecciona el marcador correcto en cada caso.

1. **Infórmate sobre todas las alternativas posibles a fin de que/para/a** no quedarte con las cuatro opciones de siempre. Si todavía no lo tienes claro, te sorprenderá saber que hay más de 3000 estudios en diferentes universidades y más de 200 especialidades de Formación Profesional.
2. **No pienses solo en los títulos y el estatus, sino también en las tareas y profesiones.** No elijas una carrera solo **porque/para que/por** te parece muy atractiva a priori o **a fin de/por/para** el simple hecho de tener un título. Debes tener muy claro en qué consistirá realmente tu trabajo **con el fin de/por/a fin de que** no acabar haciendo en un futuro algo que no te motiva lo más mínimo.
3. **No estudies lo que te quede más a mano.** Aunque puede que ni te plantees estudiar fuera de tu ciudad, y mucho menos en el extranjero, no rechaces otras posibles opciones por lejanas o, simplemente, por desconocidas **a fin de/con el fin de que/por** no cerrarte muchas puertas.
4. **No bases tu elección en padres o amigos.** Aunque está claro que todos los padres aconsejan a sus hijos **porque/para/con el fin de que** tengan el mejor futuro laboral, debes ser tú el último responsable de tu elección.
5. **No tienes que acabar siempre lo que empiezas.** Si después de un tiempo compruebas que la cosa no es como habías imaginado, es mejor ser valiente y subsanar el error **para que/a fin de/a** no seguir perdiendo el tiempo en algo que no quieres hacer.
6. **No persigas un sueño sin tener un "plan b".** No elijas un grado pensando solo en lo que te ilusiona en la vida, sin tener en cuenta sus malas perspectivas laborales. Considera, al menos **por/para/a fin de** precaución, la posibilidad de que no llegues a conseguirlo y que puede haber planes alternativos.
7. **Pero no renuncies a cualquier sueño ni te resignes.** Estudiar lo que realmente te interesa, y en una buena universidad, tal vez te exija sacrificios, pero, si se tiene claro, hay que luchar **a fin de/por/para** lo que se quiere.
8. **No pienses que con sacar la carrera será suficiente.** Si crees que tantos años de estudio y esfuerzo serán suficientes para conseguir buenos empleos, te equivocas. Hay que salir **a fin de que/a/porque** ver cómo funcionan las empresas que te interesan y cómo buscan a sus trabajadores.
9. **No olvides, además, estudios complementarios como la informática o los idiomas.** Independientemente de la carrera que elijas, a veces, entre tanto currículum brillante, necesitarás algún valor añadido **con el fin de que/para/por** ser tú el elegido.
10. **No sigas equivocándote, no tienes tanto tiempo.** Si llevas ya un tiempo como titulado universitario sin encontrar empleo de lo tuyo y aceptando trabajos precarios, tal vez ha llegado el momento de replantearte tus objetivos y enfoques profesionales **a fin de que/con el fin de/para** el reloj no siga corriendo en tu contra.

Adaptado de: http://yoriento.com/2007/06/10-formas-de-elegir-mal-estudios-profesiones-carrera-orientacion-profesional.html/

>| 2 | |37| Algunos asistentes a la conferencia nos han contado sus propias experiencias a la hora de decidir qué estudiar. Escúchalos y escribe qué consejos de la actividad 1 relacionas con cada uno de ellos.

	CONSEJOS		CONSEJOS
Pedro, dueño de un restaurante		**Susana,** estudiante	
Mateo, médico		**Elena,** economista	
Alicia, abogada		**Jorge,** arquitecto	

3 | Completa las frases. Usa un sustantivo, infinitivo o subjuntivo según el conector propuesto.

1. Abandonaría los estudios
   - por... ....
   - para... ....
2. Cambiaría de trabajo
   - por... ....
   - a fin de... ....
3. Me iría a vivir a otro país
   - por... ....
   - para... ....
4. Haría un curso de posgrado
   - por... ....
   - con el fin de que... ....
5. Estudiaría un nuevo idioma
   - por... ....
   - para... ....

4 | Estas son algunas de las frases que han dicho los asistentes a la conferencia. Completa los espacios con *por* o *para* según corresponda.

1. Empecé a estudiar una ingeniería .... contentar a mis padres.
2. A la hora de decidir qué estudiar, es importante saber que nadie puede decidir .... ti.
3. Abandoné la carrera a los dos años de empezar .... falta de motivación.
4. Terminé dedicándome al negocio familiar .... seguir con la tradición.
5. Cuando eres joven, no es fácil saber qué quieres estudiar. .... eso le digo a mi hijo que no tenga miedo de volver a empezar.
6. En mi profesión, hay que formarse continuamente .... estar al día.
7. No sabría decir si estudié .... vocación o .... tradición, supongo que un poco .... las dos cosas.
8. Estoy trabajando en verano .... ayudar a mis padres con los gastos.
9. Aquí el alquiler es carísimo, no encuentras una habitación .... menos de 300 euros.
10. Tuve que cambiar mis planes iniciales .... otros .... poder estudiar lo que realmente quería.
11. .... mí, tal vez es más sensato dedicarte a algo que te pueda proporcionar un mejor futuro laboral.
12. He enviado un montón de currículos .... correo, ... *email*, en persona...
13. Casi todas las ofertas de empleo son .... un perfil que no se corresponde con el mío.
14. Ahora acabo de solicitar una beca .... especializarme más, pero solo hay 10 plazas .... 500 candidaturas.
15. Estoy pensando en irme .... primavera a Alemania, a ver si .... allí hay más trabajo de lo mío.
16. Si .... septiembre no he encontrado trabajo en Alemania, creo que me volveré .... España.

5 | Marca si los siguientes usos se expresan con *por* o *para*. Después, indica en qué frases de la actividad anterior aparece cada uso.

	POR	PARA	FRASES
Causa.	✔		1,
Destinatario.			
Opinión.			
Precio.			
Capacidad.			
Cambio.			

	POR	PARA	FRASES
Localización espacial indeterminada.			
Tiempo aproximado.			
Destino.			
Plazo de tiempo.			
Finalidad.			
Medio.			

>| 6 | Los asistentes a la conferencia también han dicho estas expresiones. Relaciona cada una con su significado correspondiente. Puedes usar el diccionario.

1. atravesársele algo a alguien *
2. buscarse la vida *
3. ver (algo) negro *
4. ser coser y cantar *
5. quemarse las pestañas *
6. tirar la toalla *
7. cortarle las alas a alguien *
8. dársele bien algo a alguien *
9. dar mal rollo *

* a. Poner los medios para mantenerse uno o para conseguir lo que se considera necesario.
* b. Causar impresión, no gustar algo por desagrado o temor.
* c. Tener habilidad, facilidad o inteligencia para hacer algo.
* d. Quitarle a alguien la ilusión o el permiso para realizar algo.
* e. Creer que es muy difícil o complicado que algo suceda o se pueda realizar.
* f. Estudiar con esfuerzo y dedicación.
* g. Volverse algo más complicado de lo que parecía generando antipatía hacia ello.
* h. Darse por vencido, rendirse en algo que uno se ha propuesto.
* i. Ser algo muy fácil de hacer, no ofrecer ninguna dificultad.

>| 7 | Ahora, escribe las expresiones anteriores en su lugar correspondiente haciendo las modificaciones necesarias.

1. Yo siempre tuve claro lo que quería hacer, aunque sabía que sería duro y que tendría que estudiar muchísimo. ¡........................ para conseguirlo!
2. Puede que a algunos estudiantes la sangre les ...., pero seguro que habrá alguna especialidad en la que no tengan que cortar ni coser a la gente.
3. En mi sector, las cosas están difíciles, pero es lo que quiero hacer, así que no voy a .... antes de intentarlo.
4. Siempre hay opciones a la hora de encontrar trabajo, y si no es aquí, ya .... en otro sitio.
5. A mí .... las matemáticas, así que no lo pensé mucho y fui práctica, estudié Económicas.
6. En la carrera me lo pasaba muy bien y cada vez me gustaba más lo que hacía. Aunque no todo ...., tuve que estudiar mucho e incluso hubo un par de asignaturas que ...., pero me esforcé y las saqué...
7. Si mi hija quiere estudiar una carrera con pocas salidas laborales, yo no voy a ...., pero siempre le digo que piense en otras posibilidades.
8. He solicitado una beca de investigación, pero solo hay 10 plazas para 500 candidaturas, así que más que difícil ....

>| 8 | Indica si las siguientes expresiones son de saludo (S), inicio del cuerpo (I), cierre (C) o despedida (D) de una carta formal.

1. ☐ Me dirijo a ustedes para...
2. ☐ Finalmente...
3. ☐ En espera de sus noticias,
4. ☐ Estimado Sr. Pérez:
5. ☐ Atentamente...
6. ☐ Les escribo con la intención de...
7. ☐ Estimada Directora de...
8. ☐ Estoy a su entera disposición para...
9. ☐ Cordiales saludos,
10. ☐ Estimados Señores:
11. ☐ Por último,
12. ☐ Agradeciéndoles de antemano su atención,
13. ☐ Le/Les saluda atentamente,
14. ☐ Para terminar...
15. ☐ No dude en ponerse en contacto conmigo para una entrevista personal.
16. ☐ Distinguido Sr. Luján:
17. ☐ Reciba un cordial saludo,
18. ☐ Gracias por su atención.
19. ☐ Apreciados señores:

>| 9 | Lee los fragmentos de una carta de motivación y escribe el orden en el que deberían aparecer completando los espacios en blanco con las palabras propuestas.

aunque * finalmente * en relación con * con el fin de * a pesar de * por esa razón

a. ☐ .... mis estudios, estoy particularmente interesada por el derecho laboral y tengo interés por profundizar en mis conocimientos en este campo. Dada la cambiante situación actual en materia de legislación laboral y la precaria situación del empleo en nuestro país, me gustaría entender cómo manejar este tipo de conflictos .... ser capaz de tomar las decisiones correctas.

b. ☐ Les saluda cordialmente,

c. ☐ Raquel Sánchez Merino
P.º Universal, 63
08003 Barcelona
Móvil: 656 48 36 48
email: rmerino24@lmail.com

d. ☐ Estimados/as señores/as:

e. ☐ ...., disponiendo de la capacidad de trabajo y motivación para el éxito en la realización del máster, solicito su atención y consideración en la aceptación de mi solicitud de admisión.

f. ☐ Barcelona, 21 de julio de 2015

g. ☐ Habiendo concluido recientemente mi último curso en la Facultad de Derecho de la Universidad de Barcelona, les envío mi solicitud y candidatura para el Máster en Derecho Laboral y Recursos Humanos que su facultad ofrece.

h. ☐ Raquel Sánchez Merino
Firma RSánchez

i. ☐ ...., realizar este máster sería un complemento ideal a mis conocimientos aprendidos y aportaría gran valor a mi carrera profesional. .... de momento no dispongo de experiencia laboral previa y .... la situación actual, mi objetivo es trabajar al servicio de una gran empresa y pienso que este máster me abrirá muchas puertas.

j. ☐ Facultad de Derecho ESADE
Av. Pedralbes, 60-62
08034 Barcelona

Adaptado de: http://www.milejemplos.com/cartas/ejemplo-carta-de-motivacion-para-master.html

>|10| Vas a escuchar una noticia relacionada con la música. Primero, lee las preguntas y completa con *qué, cuál* o *cuáles*. Después, escucha y responde.

|38|

1. ¿................ derrotaron los violines según la noticia?
2. ¿................ cambió por completo en el joven Diego Marinero cuando se integró en el grupo?
3. ¿De .... parte de la capital procedían los jóvenes?
4. ¿................ fue la oportunidad que se les dio?
5. ¿................ fueron los músicos interpretados por estos jóvenes?
6. ¿................ es la idea de la orquesta y el coro Don Bosco para prevenir la violencia?
7. ¿................ es el sobrenombre por el que se conoce al padre José María Moratalla?
8. ¿En .... afamados lugares tocaron estos jóvenes?

>|11| Escucha y marca el orden en el que oigas las palabras.

|39|

☐ cana	☐ soñar	☐ uña	☐ sana	☐ una	☐ sonar
☐ ordenar	☐ caña	☐ ceno	☐ ceño	☐ saña	☐ ordeñar

>|12| Escribe en cada frase la palabra correspondiente de la actividad anterior. Usa el diccionario si lo necesitas, y haz los cambios necesarios cuando se trate de verbos.

1. Una persona que goza de buena salud está ....
2. Artículo indefinido femenino singular: ....
3. Si estás en España y pides una cerveza, pides una ....
4. Cuando yo era pequeña e iba al campo, bebía la leche que mi abuelo .... de las vacas.
5. Odio que el despertador .... por las mañanas.
6. Un pelo de color blanco es una ....
7. De adolescente mi madre siempre me regañaba porque no .... mi habitación.
8. Espacio que hay entre las cejas, entrecejo: ....
9. Tomo alimento por la noche: ....
10. Parte dura del cuerpo que nace y crece en las extremidades de los dedos: ....
11. Puede que .... por las noches, pero yo nunca me acuerdo de nada al despertarme.
12. Cometer una acción con rencor y crueldad es cometerla con ....

ACTIVIDADES POR DESTREZAS

PRUEBA DE COMPRENSIÓN DE LECTURA

>|13| Usted va a leer la historia de tres empresas hispanas. Relacione las preguntas (1-6) con los texto (A, B o C).

	A Laharrague-Chodorge	B Grupo Herdez	C Vogue
1 ¿Qué empresa elabora productos para la construcción?	○	○	○
2 ¿Qué empresa amplió su gama de productos desde su creación?	○	○	○
3 ¿Qué empresa contaba con el conocimiento previo de sus dueños en ese sector?	○	○	○
4 ¿Qué empresa trata de mejorar la calidad de sus productos?	○	○	○
5 ¿Qué empresa es una de las más antiguas del sector en su país?	○	○	○
6 ¿Qué empresa lleva a cabo políticas de respeto al medioambiente?	○	○	○

Laharrague-Chodorge es una empresa foresto-industrial que opera en la zona norte de la provincia de Misiones, Argentina. Con más de 40 años de experiencia, realiza sus actividades con bosques de pino resinoso, a partir de los cuales elabora una gran variedad de productos de calidad destinados a la fabricación y equipamiento de viviendas. La empresa inició sus actividades en el año 1968 con el nombre de Establecimiento Maderero Chodorge S.A. Fue fundada por inmigrantes franceses y actualmente es una de las compañías madereras con más tradición que se encuentra funcionando en la provincia. Sus productos son considerados los de mejor calidad del mercado argentino.

Grupo Herdez es una empresa líder en el sector de alimentos procesados y en el segmento de helado de yogur en México, y uno de los líderes en la categoría de comida mexicana en Estados Unidos. La compañía fue fundada en 1914 y está listada en la Bolsa Mexicana de Valores desde 1991. Grupo Herdez cuenta con un centro de investigación y desarrollo, lo cual le permite ofrecer nuevos y mejores productos que brinden valor agregado a sus clientes y consumidores. Parte importante de su estrategia es la responsabilidad social, mediante el uso eficiente de recursos y la utilización de energías limpias, y la educación alimentaria para reducir los índices de desnutrición en México.

En 1955, el joven matrimonio, formado por Roberto Chaves y María de Chaves, fundó en Bogotá la sociedad **Laboratorios de Cosméticos Vogue S.A.**, lanzando inicialmente al mercado esmaltes para uñas, removedor y lápices de cejas con la marca Vogue. Su experiencia en trabajos anteriores en el mundo de los cosméticos, una excelente asesoría, así como el tesón y la perseverancia los llevaron a formar, más tarde, una pequeña empresa propia. Años después complementaron su línea Vogue con lápices labiales, sombras para ojos, cremas para manos y otros. Durante más de 50 años, esta marca de cosméticos ha sido reconocida en Colombia y en el exterior por sus productos de excelente calidad y presentación, mereciendo la fidelidad de todos sus clientes y consumidores.

PRUEBA DE COMPRENSIÓN AUDITIVA

>|14| |40| **Usted va a escuchar un fragmento de un artículo de Risto Mejide, publicista español, sobre la reinvención laboral. Escuchará la audición dos veces. Después debe contestar a las preguntas (1-6). Seleccione la respuesta correcta (a/b/c).**

1 En la audición, el autor desanima al oyente a...
- ○ a. buscar trabajo.
- ○ b. trabajar gratis.
- ○ c. no buscar trabajo.

2 El publicista considera que el hecho de no encontrar trabajo...
- ○ a. es una patraña.
- ○ b. no depende de la edad que tengas.
- ○ c. lleva a la frustración.

3 En la grabación se dice que...
- ○ a. trabajar en una empresa no es difícil.
- ○ b. los parados deberían crear su propia empresa.
- ○ c. hay que aspirar a ser director general o director de marketing.

4 El autor considera que se debe buscar...
- ○ a. la habilidad que tenemos en nuestro sector.
- ○ b. aquella habilidad que nos asemeja al resto de competidores.
- ○ c. aquella habilidad por la que uno puede cobrar.

5 Con respecto al mercado, hay que pensar en...
- ○ a. crear una necesidad en los clientes.
- ○ b. qué dinero puedes gastar.
- ○ c. qué necesita la gente de nuestra confianza.

6 El autor concluye diciendo que...
- ○ a. hay que pensar en una vida para retirarse con cierta estabilidad.
- ○ b. debemos anteponer el disfrutar con lo que haces a buscar la estabilidad.
- ○ c. hay que aprender a gastar menos.

PRUEBA DE EXPRESIÓN E INTERACCIÓN ORALES

>|15| **Hable durante 2 o 3 minutos sobre el tema que se indica siguiendo las instrucciones.**

OFERTA DE TRABAJO: VETADOS MAYORES DE 35

Hable sobre el problema que tienen muchas personas mayores de 35 años que se disponen a buscar trabajo.

Incluya la siguiente información:

- ¿Cuál es su opinión sobre el empleo actual de las personas mayores de 35 años?
- ¿A qué problemas deben enfrentarse? ¿Por qué?
- ¿Qué opina sobre el hecho de que muchas ofertas de trabajo pongan restricción de edad?
- ¿Por qué muchos empresarios se niegan a contratar a estos trabajadores?
- ¿Cómo es la situación laboral en su país?
- ¿Conoce a gente cercana que haya tenido este problema? En caso afirmativo, cuente la experiencia.

No olvide:

- diferenciar las partes de su exposición: introducción, desarrollo y conclusión final;
- ordenar y relacionar bien las ideas;
- justificar sus opiniones y sentimientos.

11 A PUNTO DE TERMINAR

>| 1 | ¿Sabes qué es Univisión? Escucha y marca las afirmaciones correctas.
|41|

	V	F
1. Es la televisión más importante de Hispanoamérica.	○	○
2. Es una de las televisiones con más telespectadores en EE. UU.	○	○
3. Es líder dentro de las cadenas que emiten en español.	○	○
4. Es un canal destinado al público hispano.	○	○
5. Las primeras emisiones tuvieron lugar en Miami.	○	○
6. Tiene más de cincuenta años de historia.	○	○
7. El programa *Sábado Gigante* tuvo poco éxito en sus comienzos.	○	○

>| 2 | Lee algunos comentarios de los espectadores de Univisión y complétalos con las palabras del recuadro.

series * cadena * telespectador * emisora * informativos * cambiar de emisora * antena * programación * bajarse un programa * canal * consultar la programación * cartelera

Univisión ofrece una excelente **(1)**.............................. con respecto a noticias, ya que a través de este **(2)**.................. tenemos la opción de ver un buen número de **(3)**.................. y conocer la actualidad nacional e internacional.

Necesito saber dónde puedo encontrar la **(4)**.................. de Univisión de la próxima semana. ¿Algún **(5)**.................... puede ayudarme? Soy un cinéfilo y quiero saber los estrenos que ponen esta semana.

Gracias a Univisión *online* puedo ver esta **(6)**.................. desde mi ordenador y disfrutar de una programación muy variada: **(7)**.................., concursos, *reality shows*... Incluso puedo **(8)**.................. y verlo en diferido.

Yo soy colombiana y resido en los Estados Unidos. ¡Estoy enganchada a Univisión desde que vivía en Colombia! Todas las mañanas me gusta **(9)**.................. y ver qué ponen durante el día. Esto me ayuda a no tener que **(10)**.................... continuamente cuando llego a casa y me pongo a ver la televisón.

Me encanta ver el programa *Sábado Gigante*. Recientemente me he enterado de que la **(11)**.................. está pensando retirarlo. Es un programa que lleva en **(12)**................ más de 50 años. ¿No es increíble? Recuerdo cuando nos reuníamos toda la familia frente al televisor y veíamos a su presentador, los diferentes espéctáculos que había... ¡Qué tiempos!

>| 3 | Univisión ha elaborado un informe con los tipos de programas televisivos preferidos por sus espectadores. Escucha y relaciona cada texto con el programa a que se refiere.
|42|

a. ☐ programas deportivos
b. ☐ informativos
c. ☐ dibujos animados
d. ☐ documentales
e. ☐ telenovelas
f. ☐ musicales
g. ☐ programas humorísticos
h. ☐ películas

>| 4 | Uno de los mayores iconos de Univisión es Don Francisco. Lee su biografía y complétala con las perífrasis del recuadro conjugando los verbos adecuadamente.

seguir presentando * **estar a punto de retirar** * **deber de ser** * **deber marcharse** * **volver a dirigir** * **estar conduciendo** * **dejar de estudiar** * **ponerse a trabajar** * **dejar de emitirse**

Mario Luis Kreutzberger Blumenfeld, conocido como Don Francisco, es un presentador de televisión chileno y uno de los personajes más populares en el mundo de los medios de comunicación de habla hispana. De padres alemanes, Mario nació en Chile en 1940. **(1)**.............................. muy pronto y **(2)**..................................... en el negocio familiar, una sastrería. Sin embargo, sus cualidades histriónicas **(3)**............................ las que lo llevaron a trabajar animando eventos y a actuar en el Club Israelita Macabbi. A los 21 años **(4)**......................... a Estados Unidos por un año a estudiar Corte y Confección y quedó fascinado por la televisión estadounidense. Fue en aquel momento cuando decidió que la televisión sería su carrera. Su primera labor fue conducir *Show dominical,* pero a los pocos programas **(5)**.............................. Como el público reclamaba su presencia en televisión, en 1962 **(6)**.............................. otro programa de variedades, concursos, entrevistas y humor, *Sábado gigante.* Don Francisco **(7)**.............................. el programa en Chile hasta 1986. Luego, se trasladó a Estados Unidos, desde donde **(8)**.............................. *Sábado Gigante,* esta vez para el público latino en este país. Esto lo ha convertido en el programa más antiguo en la historia de la televisión chilena y ha sido certificado por el *Libro Guinness de los récords* como el "programa de variedades más antiguo de la televisión mundial", siendo transmitido hasta hoy por diferentes televisiones de 43 países. Tras 53 años de emisión ininterrumpida, la cadena Univisión **(9)**.............................. el programa de antena.

>| 5 | Completa las frases con las perífrasis que has utilizado en la actividad anterior.

1. En 2003 ganó el premio al mejor programa de entretenimiento en mi país, y al año siguiente lo .... **(ganar)**.
2. Hace más de un mes que terminó la octava temporada de *Big Bang Theory*. .... **(Tener, ellos)** mucho éxito porque ya .... **(grabar, ellos)** la siguiente temporada.
3. Don Francisco .... **(trabajar)** en Univisión nada más llegar a Estados Unidos.
4. Ya son las nueve. .... **(estar, ellos)** ya emitiendo el documental sobre la Amazonia.
5. Javier y Elena .... **(reírse)** durante toda la película.
6. La programación infantil en este canal .... **(mejorar)** si no quieren que el defensor del menor los denuncie.
7. Todos .... **(exigir, nosotros)** una televisión digna, sin programas basura.
8. El canal .... **(poner)** la serie a pesar de su baja audiencia.
9. La presentadora .... **(caerse)** desde el escenario. ¡Menos mal que su ayudante la sujetó!
10. La telenovela .... **(emitirse)** inesperadamente tras dos años de éxito en las pantallas.

>| 6 | Relaciona las frases de la actividad anterior según el significado de la perífrasis verbal.

- Expresa una acción que va a suceder de forma inminente. [ ]
- Expresa una obligación. [ ]
- Expresa una suposición. [ ]
- Expresa el fin de una acción. [ ]
- Expresa el comienzo de una acción. [ ]
- Expresa la repetición de una acción. [ ]
- Expresa la continuación de una acción. [ ]
- Expresa una acción en desarrollo. [ ]

>| 7 | Completa las frases sobre la biografía de Gabriela Godoy combinando las perífrasis verbales con los verbos del recuadro.

mejorar * aparecer * formarse * conseguir * trabajar * estar * presentar * actuar

1. De joven, ... de modelo para pagarse los estudios de Arte dramático.
2. Debutó en el teatro a los 25 años, pero .... en los escenarios porque su verdadera pasión era la gran pantalla.
3. .... varios programas de televisión durante cinco años, antes de realizar su gran película.
4. En 2005 .... un Goya como mejor actriz protagonista por esta película, pero no lo consiguió.
5. Cree que .... su interpretación dramática porque quiere trabajar en otros estilos.
6. Tras dos años retirada de las cámaras, ... en la gran pantalla en una película colombiana.
7. Aunque es famosa y hace bastantes películas, todavía .... en la interpretación.
8. Actualmente .... rodando una película porque no se deja ver en las fiestas de famosos.

>| 8 | Completa el cuadro con palabras del texto.

Singularia tantum	*Pluralia tantum*

El otro día me levanté muy tarde, no por pereza sino porque regresé de un viaje del norte de España la noche anterior. Resulta que estaba de boda. Mi amiga contrajo nupcias con un chico del País Vasco. La boda fue en un pequeño pueblo en los alrededores de San Sebastián. ¡Era un lugar idílico! Mi hija pequeña llevaba las arras de la boda y eso me hacía bastante ilusión.

Todo estaba yendo muy bien hasta que en el banquete surgió el caos. Al final de la noche, como tenía mucha sed, me acerqué a la barra a tomar algo y a picar unos frutos secos, cuando, de repente, un adolescente me dio un golpe en las gafas. Estas cayeron al suelo y se hicieron añicos. La verdad es que del golpe vi las estrellas y se me puso el ojo morado. Pero lo peor no fue eso, sino que además ni me pidió perdón. Pero bueno, no le di mucha importancia, ¡es lo que tiene la adolescencia! Al final estuve todo el banquete sin ver nada y con el ojo morado. ¿Ahora entiendes por qué me levanté tarde?

>| 9 | Lee los siguientes diálogos y elige la opción correcta.

1. ¡Qué fiesta! Nos hemos puesto las botas. ¡Ojalá se vuelva a repetir!
   Eso, eso, que se repita, que no falten más fiestas como esta.
   Le ha gustado la fiesta porque...
   ○ a. se han divertido mucho. ○ b. ha durado hasta tarde. ○ c. han comido mucho.

2. Oye, Javi, ¿qué tal fue la película?
   Pues si te digo la verdad, me pasé toda la película riéndome a carcajadas.
   Durante la película, Javier...
   ○ a. se reía a veces. ○ b. se reía de forma ruidosa. ○ c. se reía irónicamente.

3. ¿Ya te hablas con Marta?
   Sí, estuvimos hablando e hicimos las paces.
   Ella y Marta...
   ○ a. se dieron la mano. ○ b. se llevan muy bien. ○ c. se perdonaron.

4. Ha recibido muchas críticas por sus gritos en la reunión.
Efectivamente, perdió los papeles.
Le critican porque...
○ a. no se controló. ○ b. ha ido a la reunión. ○ c. no presentó el informe.

5. Me he leído este libro de filosofía a duras penas.
Entonces, ¿nos lo recomiendas?
Ha leído el libro...
○ a. con facilidad. ○ b. con dificultad. ○ c. con tristeza.

>|10| Lee la siguiente crítica de cine y elige el artículo determinado o indeterminado según corresponda.

***A cambio de nada*: Oportunidades**

Daniel Guzmán debuta tras **(1) las/unas** cámaras con **(2) el//un** dinámico drama urbano de marcado carácter autobiográfico. Es **(3) la/una** propuesta respetable por su evidente y sensible honestidad, pero que no trascenderá en **(4) el/un** tiempo. A pesar de todo, merece sin duda **(5) el/un** visionado desenfadado.

Darío es **(6) el/un** chaval como tantos otros. Estudiante regular, hijo de padres separados y tensos, tiene **(7) el/un** colega inseparable... pues eso, **(8) el/un** chico normal, con sus circunstancias y sus cosas.

(9) Las/Unas aventuras de juventud, de **(10) los/unos** pasos que damos hasta convertirnos en lo que somos y **(11) del/de un** precio que inevitablemente tenemos que pagar en **(12) el/un** camino.

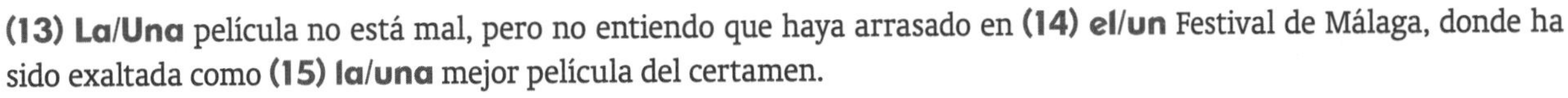

(13) La/Una película no está mal, pero no entiendo que haya arrasado en **(14) el/un** Festival de Málaga, donde ha sido exaltada como **(15) la/una** mejor película del certamen.

Adaptado de: http://www.labutaca.net/criticas/a-cambio-de-nada-oportunidades//

>|11| |43| Escucha algunos extractos de críticas sobre la película *A cambio de nada* y clasifica sus intervenciones según su entonación.

	1	2	3	4	5	6	7	8	9	10
Descendente.	○	○	○	○	○	○	○	○	○	○
Suspendido.	○	○	○	○	○	○	○	○	○	○
Ascendente.	○	○	○	○	○	○	○	○	○	○
Mixto.	○	○	○	○	○	○	○	○	○	○

ACTIVIDADES POR DESTREZAS

PRUEBA DE COMPRENSIÓN DE LECTURA

>|12| Usted va a leer un texto sobre las series españolas en la actualidad. Después, debe contestar a las preguntas (1-6). Seleccione la respuesta correcta (a/b/c).

El paso adelante de las series españolas.

La ficción nacional arriesga con temáticas y géneros poco frecuentes

Algunas series españolas están marcando y marcarán la diferencia en los próximos meses, con argumentos y géneros poco habituales en la ficción nacional. Para creadores, productoras y canales ha llegado el momento de correr riesgos, dar el salto hacia adelante que los espectadores están pidiendo, algo que se nota tanto en las tramas como en el resultado final del producto.

CONTINÚA

"Con todo lo que se ve de fuera, no se podía seguir con lo que se hacía aquí", dice Javier Olivares, creador, junto a su hermano, de la serie *El Ministerio del tiempo*. "Es una tendencia internacional, el tsunami ha llegado a España", añade Ramón Campos, uno de los responsables de series como *Velvet* o *Refugiados*. "Ha surgido una nueva generación de contadores de historias muy influenciada por las series de fuera que se ha animado a proponer cosas diferentes".

Álex Pina, productor ejecutivo del *thriller Vis a vis*, también destaca la influencia de las series que vienen de fuera. "Es el momento de acercarnos a planteamientos más atrevidos. El espectador está consumiendo mucha ficción, ha ido aprendiendo, y si vuelves a darles viejas series o a clonarte, no lo van a aceptar. Estamos obligados a darles algo nuevo, aunque podamos equivocarnos y darnos un tortazo.

Sin embargo, aún quedan escollos que superar. No siempre es fácil conseguir que se apueste por proyectos arriesgados. En los canales privados, los anunciantes tienen el poder, y los buenos datos de audiencia son básicos para que un programa se mantenga. Innovar puede significar fracasar. Se necesita una televisión de pago sólida que arriesgue a la hora de producir ficción para recuperar la cuota de mercado de años anteriores, algo que ya se está empezando a hacer "con imaginación y esfuerzo", según César Benítez, uno de los creadores de *El Príncipe* y *Allí abajo*.

Por otro lado, estos avances están tardando más en llegar a la comedia. "Es más fácil hacer la revolución con *thrillers* o historias futuristas", dice Alberto Caballero, uno de los creadores de *La que se avecina*. "En estos años ha habido mayor índice de fracasos en comedia que en otros géneros. Aquí hay más gente que sabe hacer drama que comedia", añade Caballero, para quien la evolución que está viviendo la ficción televisiva nacional se está produciendo con años de retraso respecto a la estadounidense.

Señala también Javier Olivares que la revolución televisiva no se completará hasta que se reduzca la duración de los capítulos de los 70 minutos actuales a 50 o 60. *Refugiados*, por ejemplo, sí ha apostado por capítulos de 50 minutos.

Está claro que aún queda por avanzar, pero los cimientos para una nueva ficción nacional están ahí. Como dice Pina, "este es el punto cero de la nueva ficción contemporánea en este país".

Adaptado de: http://cultura.elpais.com/cultura/2015/04/24/television/1429887394_202902.html

1 El cambio de rumbo de las series españolas...
- ○ a. se trata de una iniciativa de creadores, productoras y canales.
- ○ b. se debe exclusivamente a la influencia de las series americanas.
- ○ c. responde a la demanda de los telespectadores.

2 Según Álex Pina:
- ○ a. Es importante copiar las series extranjeras.
- ○ b. Hay que innovar aunque se corran riesgos.
- ○ c. Es el momento de fijarse en las series de fuera.

3 Álex Pina afirma que...
- ○ a. el público no está dispuesto a seguir viendo las mismas series de siempre.
- ○ b. los espectadores prefieren ver series de otros países que series españolas.
- ○ c. el espectador no quiere ver copias de series extranjeras.

4 Según el texto...
- ○ a. existen algunos obstáculos para que las series puedan seguir innovando.
- ○ b. las productoras se niegan a invertir en productos arriesgados.
- ○ c. en las cadenas privadas, el éxito de una serie depende de los anunciantes.

5 Para Alberto Caballero, en la comedia...
- ○ a. se han conseguido peores resultados que en el drama por no copiar a las series americanas.
- ○ b. es más difícil innovar que en el drama.
- ○ c. se han cosechado más fracasos que en el drama porque sus actores son peores.

6 Para Javier Olivares,...
- ○ a. las series deberían durar menos.
- ○ b. las series deberían tener menos capítulos.
- ○ c. los episodios de las series deberían ser más breves.

PRUEBA DE COMPRENSIÓN AUDITIVA

>|13| |44| Usted va a escuchar en un programa radiofónico español seis noticias. Escuchará el programa dos veces. Después debe contestar a las preguntas (1-6). Seleccione la opción correcta (a/b/c).

NOTICIAS

1 Según la audición, Sofía Vergara...
- ○ a. visitó Hollywood para ver a sus admiradores.
- ○ b. viajó a Hollywood para visitar algunos lugares, como el Paseo de la Fama.
- ○ c. fue galardonada con un premio.

2 El nuevo programa de Risto Mejide...
- ○ a. tendrá un formato similar al de su anterior programa.
- ○ b. será un programa tradicional de entrevistas.
- ○ c. será muy innovador con respecto a su programa anterior.

3 *Historia de nuestro cine...*
- ○ a. es un nuevo programa que emitirá 690 películas del cine español.
- ○ b. volverá a emitir películas españolas clasificadas por periodos de diez años.
- ○ c. hará un homenaje al cine español emitiendo una selección de sus mejores películas.

4 Según la audición, Jordi Évole...
- ○ a. dedica su premio al cámara asesinado en Irak José Couso.
- ○ b. piensa que tiene más suerte que otros compañeros de profesión.
- ○ c. opina que lo mejor de su profesión es la libertad que da.

5 Según la noticia, Enrique Iglesias...
- ○ a. se vio perjudicado por su apellido.
- ○ b. en sus inicios contó con la aprobación de sus progenitores.
- ○ c. sigue creando música para adolescentes.

6 Según la audición...
- ○ a. el lugar de rodaje y los actores de la segunda parte de *Ocho apellidos vascos* no seguirán siendo los mismos.
- ○ b. esta segunda parte aspira a ser mejor que la anterior.
- ○ c. *Ocho apellidos vascos* ha sido la película más vista en la historia del cine español.

PRUEBA DE EXPRESIÓN E INTERACCIÓN ESCRITAS

>|14| Lea el siguiente anuncio de la sección "Lo mejor de nuestra televisión" de la revista digital *Teleadicción*.

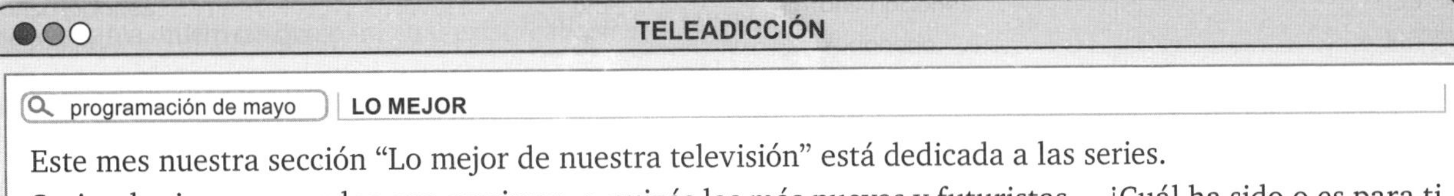

Este mes nuestra sección "Lo mejor de nuestra televisión" está dedicada a las series.
Series de siempre, con las que crecimos, o quizás las más nuevas y futuristas... ¿Cuál ha sido o es para ti la mejor serie de la historia de la televisión? ¿Por qué? ¿Qué tiene esa serie de especial para hacer que no te levantes del sofá o ser tu principal tema de conversación?
Esperamos las respuestas de nuestros teleadictos en el trascurso del mes de mayo.

Redacte, para la revista, un texto de 100-120 palabras en el que deberá:

- Indicar la serie que, según su opinión, ha sido o es la mejor de la historia.
- Informar de los datos básicos que recuerde de la serie (ambientación, fecha aproximada, personajes, temática, formato...).
- Describir el argumento de la serie.
- Explicar los motivos de su elección y por qué cree que le "enganchó".

12 VIAJA CON NOSOTROS

>| 1 | |45| Las siguientes imágenes representan diferentes formas de viajar. ¿Qué tipo de viaje relacionas con cada una? Escríbelo en "Antes de escuchar". Después, escucha la conversación entre dos amigas y comprueba tu respuesta. Escribe los tipos de viajes de los que hablan en "Después de escuchar".

Antes de escuchar

A. ______ B. ______ C. ______ D. ______ E. ______

Después de escuchar

A. ______ B. ______ C. ______ D. ______ E. ______

>| 2 | Las siguientes frases están relacionadas con el diálogo que has escuchado. Selecciona la opción u opciones correctas en cada una y, después, marca el viaje de la actividad anterior al que se refieren (A, B, C, D o E).

1. ☐ Esta forma de viajar te da total libertad, **o sea que/por consiguiente/de ahí que** no tienes que depender de nadie.
2. ☐ Muchas personas no siempre coinciden con sus amigos a la hora de viajar, **de modo que/de ahí que/o sea** optan por esta otra forma de hacerlo.
3. ☐ Es una forma de moverte más económica, **por eso/de ahí que/de modo** cada vez hay más gente que prefiere este tipo de transporte.
4. ☐ Es un viaje de voluntariado, **de ahí que/de manera/por lo tanto** tendrás que trabajar ayudando a otras personas.
5. ☐ Con esta plataforma es mucho más cómodo y seguro este modo de viajar, **de ahí que/así que/de modo que** esté teniendo tanto éxito.
6. ☐ Se convive con desconocidos en la misma casa, **de ahí que/por lo tanto/así que** es cuestión de adaptarse.
7. ☐ Tus compañeros de viaje compartirán tus mismos intereses, **de ahí que/de modo/entonces** es más fácil que todos quedéis satisfechos.
8. ☐ Se trata de hacer turismo social. Además de estar viajando, estás ayudando y entendiendo a otras personas, **de ahí/o sea/luego** que puedes sentirte útil al mismo tiempo que viajas.
9. ☐ Eres tú el que toma todas las decisiones, **de manera que/de modo/de ahí que** no tienes que discutir con nadie.
10. ☐ Las personas que ofrecen alojamiento no se marchan de su hogar, **luego/así que/de ahí que** se comparte la vivienda con ellos.

>| 3 | Algunas personas nos cuentan en un foro sus experiencias en estos viajes. Lee y completa con el verbo adecuado en indicativo o subjuntivo. Después, escribe el tipo de viaje del que habla cada uno.

tocar * poder (2) * volverse * descartar * terminar * ser * comprar * dejar * tener * pensar * decidir

Álex: ....

Una experiencia muy recomendable. La familia era un matrimonio sin hijos, de modo que me **(1)**............ una habitación para mí solo. Me dieron muchos consejos sobre qué ver en la ciudad. Además, la señora era una cocinera fantástica y me ofreció incluir la comida en los gastos, o sea que **(2)**.............. degustar la verdadera comida autóctona a un precio de ganga. Obviamente, viajar así tiene sus limitaciones, porque dependes de otros y tienes que adaptarte, pero no tantas como para que lo **(3)**............. sin probarlo.

Irene: ....

Acababa de dejarlo con mi novio y las cosas en el trabajo tampoco marchaban bien; estaba bloqueada y lo que menos necesitaba en ese momento eran consejos para sentirme más presionada. Lo que quería era desconectar y recuperar la calma, así que **(4)**............ un billete a Lanzarote y, sin decírselo a nadie, allí me fui. Fue lo mejor que pude hacer. A veces, en los viajes, la gente te sobra, de manera que **(5)**............ mejor estar en soledad para aclararse las ideas.

Víctor: ....

Desastroso. Cuatro metidos en una caravana, ¡me faltó espacio vital! Mira que mi casa es pequeña, pero aquello... Al principio, con la novedad, lo llevamos mejor pero pasados unos días todo nos molestaba. De modo que una noche **(6)**................ una bronca monumental, y lo curioso es que ya no recuerdo ni por qué. Ninguno queríamos arruinarnos las vacaciones, así que al día siguiente **(7)**.............. poner de nuestra parte para llevarnos mejor el resto del viaje. Es verdad que viajar así te da mucha libertad, pero yo necesito más intimidad. De ahí que no **(8)**................ repetir la experiencia. Al menos, no con tanta gente.

Javier: ....

Yo ya lo he probado varias veces y me parece una opción fantástica. Al principio te da un poco de vergüenza: no conoces a nadie y se trata de relacionarse, entonces te **(9)**............ poner un poco de tu parte. Superado el miedo inicial, te das cuenta de que todo el mundo está como tú, con ganas de hacer cosas y sin nadie para hacerlas. Además, la gente suele ser muy maja, por eso, al final, **(10)**............. hasta haciendo amigos.

Laura: ....

Yo desconecté totalmente y conocí a personas muy interesantes. El tiempo que pasé allí ayudando en las tareas diarias me sirvió para conocer la agricultura orgánica y sostenible, de forma que ahora **(11)**............... más respetuosa con el medioambiente. Si quieres escapar del turismo tradicional y como experiencia, está muy bien. Eso sí, sabes adónde vas y a lo que vas, luego no **(12)**............. pretender encontrar los lujos y las comodidades de un hotel.

>| **4** | A veces, cuando viajamos, algunas experiencias no cubren nuestras expectativas. Lee los comentarios y reescribe las frases usando las estructuras propuestas. Fíjate en el ejemplo.

tanto/a/os/as + nombre
tan + adjetivo + } *que/como para*
verbo + tanto

Ver la Mona Lisa en el Louvre.

Por la cantidad de gente que la rodea a cada minuto, es imposible apreciar esta obra de tan pequeñas dimensiones.

Hay tanta gente que es imposible apreciar la obra.

1. Pasear en góndola por los canales de Venecia.

a. Hay demasiados turistas, lo que hace imposible crear el ambiente romántico que todos tenemos en mente.

Hay...

b. El paseo en góndola ¡costaba 80 euros por solo 40 minutos! Al final no montamos.

El paseo era...

CONTINÚA »

2. Visita a la Alhambra.

a. Había una cola kilométrica para entrar, así que cuando llegó nuestro turno solo quedaban entradas para visitar los jardines.

Había.....

b. Pleno mes de agosto y cuarenta grados a la sombra. El calor era insoportable, así que tuve que bañarme en una fuente para refrescarme.

Hacía.....

3. Visita a Stonehenge.

a. La imagen que nosotros vimos no se parecía en nada a las coloridas fotos retocadas por el Photoshop que todos conocemos, así que nos mereció más la pena comprar una postal que hacer fotos.

La imagen no era......

b. Para nada recomendable la visita regular que contratamos. Consistía, ni más ni menos, en ver de lejos el monumento. Y digo "ver" porque el guía que nos acompañó no nos contó nada que no supiéramos.

La visita regular no es......

4. Subir al Jungfraujoch, en Suiza.

a. Dicen que las vistas desde la cumbre de Europa son impresionantes, pero hizo muy mal tiempo, así que no pudimos ver nada.

Hacía.....

b. El tren que te lleva al mirador, carísimo. Me gasté la mitad del presupuesto del viaje.

El tren costaba......

5. Subir la Torre Eiffel.

a. Demasiadas escaleras. Cuando íbamos por la mitad de la subida, ¡me dio hasta asma!

Había.....

b. Tardamos muchísimo tiempo en subir, de modo que perdimos toda la mañana.

Tardamos......

> 5 Otras personas han respondido a los comentarios anteriores dando recomendaciones para evitar esas decepciones. Completa las frases con el verbo en su forma correcta.

1. Programa tu viaje fuera del fin de semana o en temporada baja, de manera que no .... **(haber)** tantísimos turistas.
2. Nosotros compramos las entradas con antelación, así que no .... **(tener)** problemas después para entrar.
3. Contrata una visita que incluya un recorrido de acceso privado antes o después del horario regular, de forma que .... **(poder, tú)** acercarte más a ellas.
4. A nosotros ya nos avisaron de que el éxito de la visita dependía del clima, por eso .... **(consultar)** el pronóstico del tiempo antes de subir.
5. La Torre Eiffel es espectacular para verla, pero puedes encontrar iguales vistas desde otros puntos de la ciudad. Si vas pocos días, te recomiendo verla pero sin subir, de modo que te .... **(dar)** tiempo a ver otros lugares imprescindibles.

> 6 Fíjate en las frases consecutivas de la actividad anterior y contesta a las preguntas.

1. ¿Qué frases indican solo consecuencia? [ ] ¿Qué modo verbal se usa? [ ]
2. ¿Cuáles indican consecuencia + finalidad? [ ] ¿Qué modo verbal se usa? [ ]

> 7 Piensa en algún lugar turístico que te haya decepcionado y escribe tu experiencia usando oraciones consecutivas.

– Expectativas no cubiertas y consecuencias: ....

....

– Recomendación con oración consecutiva con matiz final: ....

....

8 | Las siguientes frases están relacionadas con viajar. Léelas y clasifica el pronombre *se* que aparece según su uso. A veces puede haber más de una opción.

1. "Nadie **se** da cuenta de lo bonito que es viajar hasta que vuelve a casa y descansa sobre su almohada vieja y conocida". (Lin Yutang)
2. "Un viaje, como un libro, **se** comienza con inquietud y **se** termina con melancolía". (José Vasconcelos)
3. "Es bueno tener una meta hacia donde dirigir**se**; pero al final, lo que importa es el camino". (Ernest Hemingway)
4. "Compre bienes materiales y le darán una satisfacción inmediata. Regále**se** un viaje y **se** la dará para toda la vida". (Anónimo)
5. "Si uno rechaza la comida, ignora la forma de vestir, teme la religión y evita a las personas, quizás sea mejor que **se** quede en casa". (James Michener)
6. "Los mejores viajes son los que no necesitas contár**se**los a nadie". (Anónimo)
7. "No hay forma más segura que un viaje para comprobar si dos personas pueden agradar**se** u odiar**se**". (Mark Twain).
8. "Una vez que has viajado, la travesía nunca termina, sino que **se** evoca una y otra vez a partir de recuerdos. La mente nunca puede desprender**se** del viaje". (Pat Conroy)
9. "No hay viajes que nos lleven lejos a menos que **se** recorra la misma distancia en nuestro mundo interno que en el exterior". (Lillian Smith)
10. "Cuando **se** trata de la pareja, no hay mejor forma de aprender a conocer**se** y respetar**se** que hacer un viaje juntos". (Anónimo)
11. "Cuando viaje, recuerde que los países extranjeros no están diseñados para que usted **se** sienta cómodo. Están diseñados para que su propia gente **se** sienta cómoda". (Clifton Fadiman)
12. "Viajar, dormir, enamorar**se**... Son tres invitaciones a lo mismo. Tres modos de ir**se** a lugares que no siempre entendemos". (Ángeles Mastretta)
13. "Un barco **se** encuentra más seguro en un puerto, pero no fue para eso que fueron construidos los barcos". (John A. Shedd)

Se reflexivo. ____________ *Se* recíproco. ____________

Se pasivo. ____________ *Se* objeto indirecto. ____________

9 | Algunos verbos de la actividad anterior pueden cambiar o matizar su significado según se usen con o sin *se*. Relaciona cada uno con su significado. Usa el diccionario si lo necesitas. Luego, escribe en tu cuaderno una frase con cada uno de ellos en las que quede claro su significado.

1. quedar .... *
2. quedarse .... *
3. dar cuenta .... *
4. darse cuenta .... *
5. desprender .... *
6. desprenderse de .... *
7. encontrar .... *
8. encontrarse .... *
9. dirigir .... *
10. dirigirse .... *

* a. Sentirse, hallarse en cierto estado.
* b. Desunir o desatar lo que estaba fijo o unido.
* c. Permanecer en un lugar.
* d. Gobernar, regir.
* e. Concertar una cita.
* f. Dar explicaciones sobre algo.
* g. Ir en dirección a un lugar.
* h. Dar con lo que se busca.
* i. Advertir, percatarse de algo.
* j. Apartarse o desapropiarse de algo.

>|10| |46| Escucha y escribe los siguientes signos ortográficos: ¿ ? / ¡ ! / . / ... Después, escucha de nuevo y escribe en la columna de la derecha el tipo de oración que es cada frase.

	Tipo de oración	
a.	Enunciativa	Descendente
b.	Interrogativa parcial	Descendente
c.	Expresión de disgusto o reproche	Descendente
d.	Interjección con tono descendente	Descendente
e.	Interrogativa total	Ascendente
f.	Interrogativa de cortesía	Ascendente
g.	Interjección con tono ascendente	Ascendente
h.	Grupos fónicos intermedios	Ascendente
i.	Expresión de duda	Suspensión
j.	Expresión de deseo	Suspensión
k.	Expresión de intensificación	Suspensión

Oraciones

1. Hala ☐
2. Si hace buen tiempo, podemos bañarnos en la playa ☐
3. Seguro que has cogido el pasaporte ☐
4. Si nos dejaran acercarnos más a las ruinas ☐
5. Pues no sé, puede ser ☐
6. Me permite pasar ☐
7. Guau ☐
8. Es impresionante ☐
9. Ayer compré esta guía de viajes ☐
10. Qué números tienen nuestros asientos ☐
11. Siempre llegas tarde ☐

ACTIVIDADES POR DESTREZAS

PRUEBA DE COMPRENSIÓN DE LECTURA

>|11| Lea el texto y rellene los huecos (1-6) con la opción correcta (a/b/c).

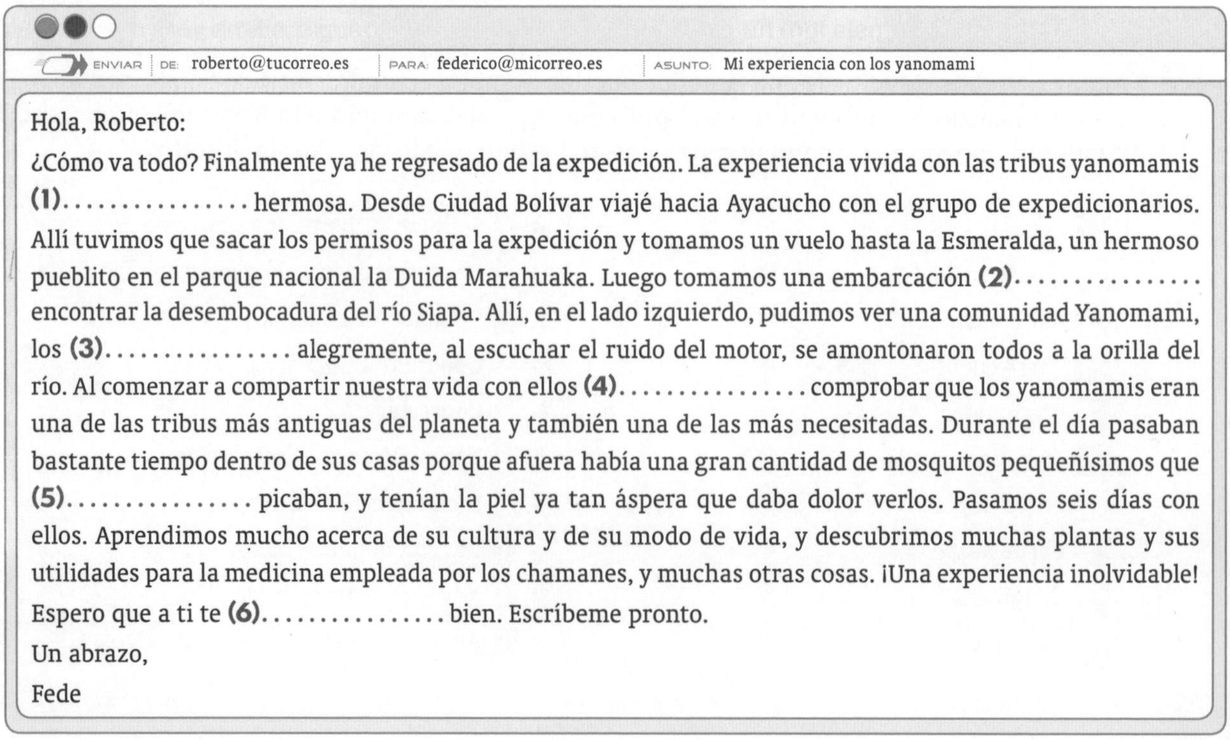

ENVIAR | DE: roberto@tucorreo.es | PARA: federico@micorreo.es | ASUNTO: Mi experiencia con los yanomami

Hola, Roberto:

¿Cómo va todo? Finalmente ya he regresado de la expedición. La experiencia vivida con las tribus yanomamis **(1)**................ hermosa. Desde Ciudad Bolívar viajé hacia Ayacucho con el grupo de expedicionarios. Allí tuvimos que sacar los permisos para la expedición y tomamos un vuelo hasta la Esmeralda, un hermoso pueblito en el parque nacional la Duida Marahuaka. Luego tomamos una embarcación **(2)**................ encontrar la desembocadura del río Siapa. Allí, en el lado izquierdo, pudimos ver una comunidad Yanomami, los **(3)**................ alegremente, al escuchar el ruido del motor, se amontonaron todos a la orilla del río. Al comenzar a compartir nuestra vida con ellos **(4)**................ comprobar que los yanomamis eran una de las tribus más antiguas del planeta y también una de las más necesitadas. Durante el día pasaban bastante tiempo dentro de sus casas porque afuera había una gran cantidad de mosquitos pequeñísimos que **(5)**................ picaban, y tenían la piel ya tan áspera que daba dolor verlos. Pasamos seis días con ellos. Aprendimos mucho acerca de su cultura y de su modo de vida, y descubrimos muchas plantas y sus utilidades para la medicina empleada por los chamanes, y muchas otras cosas. ¡Una experiencia inolvidable! Espero que a ti te **(6)**................ bien. Escríbeme pronto.

Un abrazo,

Fede

1. a. fue	b. estuvo	c. era
2. a. por	b. tras	c. hasta
3. a. cuales	b. quienes	c. que
4. a. había podido	b. pude	c. podía
5. a. se	b. las	c. les
6. a. va	b. vaya	c. irá

PRUEBA DE COMPRENSIÓN AUDITIVA

>|12| |47| Usted va a escuchar seis mensajes de contestador automático. Escuchará cada mensaje dos veces. Después debe contestar a las preguntas (1-6). Seleccione la opción correcta (a / b / c).

MENSAJES

1 ¿Cómo puede conseguir información?
- ○ a. Pagando 50 céntimos de euro.
- ○ b. Yendo a Atocha.
- ○ c. Esperando.

2 ¿Qué pasa este mes en la agencia de viajes AviaTour?
- ○ a. Los viajes tendrán a un 50% de descuento.
- ○ b. Tienen una nueva página web.
- ○ c. Habrá una nueva oferta de viaje.

3 ¿Qué problema hay con el vuelo?
- ○ a. Vuela a las seis de la mañana.
- ○ b. Tienen que cambiar el día.
- ○ c. Ya no se puede realizar.

4 ¿Qué pasa hoy en el vuelo 543?
- ○ a. Que no pueden embarcar por problemas técnicos.
- ○ b. Que facturan pasajeros de otra compañía.
- ○ c. Que van a tener retrasos.

5 ¿Cómo me confirman que tengo una reserva de hotel?
- ○ a. Me envían un email.
- ○ b. Tengo que llamar al departamento de reservas.
- ○ c. Me llaman por teléfono.

6 ¿Qué número tengo que pulsar para conocer los precios?
- ○ a. El 1.
- ○ b. El 900 220 220.
- ○ c. El 2.

PRUEBA DE EXPRESIÓN E INTERACCIÓN ESCRITAS

>|13| Lea el siguiente mensaje que aparece en un foro de viajeros.

DIARIO DE UN MOTERO

¡Cuéntanos tu experiencia! Queremos conocer lo mejor y lo peor de tus viajes en moto. ¿Qué lugares nos recomiendas? ¿A quién conociste? ¿Qué fotos hiciste? Tu aventura será útil para otros que deciden emprender nuevas rutas. ¡Anímate!

Redacte un texto de entre 130 y 150 palabras para enviar al foro en el que deberá:

- saludar y presentarse;
- explicar desde cuándo viaja en moto y por qué;
- dar su opinión sobre esta forma de viajar;
- contar alguna anécdota;
- despedirse.

PRUEBA DE EXPRESIÓN E INTERACCIÓN ORALES

>|14| Describa con detalle lo que ve en la foto y lo que imagina que está ocurriendo.

Estos son algunos aspectos que puede comentar:

- ¿Dónde está esta persona? ¿Cómo es y qué hace?
- ¿Cómo cree que se siente?
- ¿Cómo es el lugar donde se encuentra?
- ¿Qué objetos hay y dónde están?
- ¿Qué cree que está haciendo en ese lugar?

APÉNDICE GRAMATICAL

UNIDAD 1: EXPERIENCIAS EN ESPAÑOL

1. Pretérito perfecto

- El **pretérito perfecto** nos informa de acciones acabadas en un tiempo no terminado (*hoy*, *esta mañana*, *en mi vida*, etc.).
  –Esta semana he tenido un problema con mi coche.
- Es, además, el tiempo que empleamos cuando queremos transmitir una información atemporal.
  –He estado en Londres.
- Las **formas regulares** se construyen con el presente del verbo **haber** más el participio del verbo principal.

	Presente del verbo *haber*	Participio		
		Trabajar	Beber	Vivir
Yo	he	trabajado	bebido	vivido
Tú	has			
Él/ella/usted	ha			
Nosotros/as	hemos			
Vosotros/as	habéis			
Ellos/ellas/ustedes	han			

- Algunos **participios irregulares** son:

poner → **puesto** hacer → **hecho** escribir → **escrito** descubrir → **descubierto**
volver → **vuelto** decir → **dicho** abrir → **abierto** componer → **compuesto**
morir → **muerto** romper → **roto** ver → **visto** deshacer → **deshecho**

- Recuerda que el participio de los verbos compuestos es invariable en género y en número.
  *–**Pedro** ha **venido** ya. **Luisa y Susana** han **venido** ya.*

2. Pretérito indefinido

- El pretérito **indefinido** es un tiempo que nos informa de acciones acabadas en un tiempo también terminado (*ayer, el año pasado, en 2007*, etc.). Con este tiempo nos referimos además a acciones no habituales en el pasado.
  –La semana pasada fui a ver una obra de teatro.
- Se usa también para hablar del número de veces que ha ocurrido una acción en un pasado terminado.
  –El año pasado fui varias veces al teatro.

2.1. Verbos regulares

	Trabajar	Beber	Vivir
Yo	trabajé	bebí	viví
Tú	trabajaste	bebiste	viviste
Él/ella/usted	trabajó	bebió	vivió
Nosotros/as	trabajamos	bebimos	vivimos
Vosotros/as	trabajasteis	bebisteis	vivisteis
Ellos/ellas/ustedes	trabajaron	bebieron	vivieron

2.2. Verbos irregulares

Verbos irregulares en la raíz verbal				
Estar	**Tener**	**Poder**	**Saber**	**Haber**
estuve	tuve	pude	supe	hube
estuviste	tuviste	pudiste	supiste	hubiste
estuvo	tuvo	pudo	supo	hubo
estuvimos	tuvimos	pudimos	supimos	hubimos
estuvisteis	tuvisteis	pudisteis	supisteis	hubisteis
estuvieron	tuvieron	pudieron	supieron	hubieron

Poner	Andar	Hacer	Venir	Querer
puse	anduve	hice	vine	quise
pusiste	anduviste	hiciste	viniste	quisiste
puso	anduvo	hizo	vino	quiso
pusimos	anduvimos	hicimos	vinimos	quisimos
pusisteis	anduvisteis	hicisteis	vinisteis	quisisteis
pusieron	anduvieron	hicieron	vinieron	quisieron

- Solo es irregular la raíz verbal. Las terminaciones son iguales para todos los verbos, independientemente de si son verbos acabados en **-ar**, **-er** o **-ir**.
- Estos verbos irregulares no llevan tilde (´): **Él vinó* → *Él vino.*
- Recuerda los cambios ortográficos **c** → **z** (*za*, *zo*, *zu*, *ce*, *ci*).
- Los compuestos de los verbos irregulares son también irregulares: *propuse, propusiste, propuso...*

Verbos totalmente irregulares	
Ser/ir	**Dar**
fui	di
fuiste	diste
fue	dio
fuimos	dimos
fuisteis	disteis
fueron	dieron

- El contexto nos ayudará a saber si se trata del pretérito indefinido del verbo **ser** o del verbo **ir**.
- Estos verbos irregulares no llevan tilde (´): **Él fué* → *Él fue.*

Verbos irregulares en la raíz verbal y en la 3.ª persona del plural	
Decir	**Traer**
dije	traje
dijiste	trajiste
dijo	trajo
dijimos	trajimos
dijisteis	trajisteis
dijeron	trajeron

- En este grupo de verbos irregulares la terminación no es **-ieron**, sino **-eron**. La razón está en la **-j-** de la raíz verbal.
- Estos verbos irregulares no llevan tilde (´): **Él dijó* → *Él dijo.*
- Otros verbos: *producir, reducir, conducir...*

2.3. Otros irregulares

- Cambio de vocal **e → i**, **o → u** en la raíz verbal de la 3.ª persona de singular y plural, **i → y** en la terminación de la 3.ª persona del singular y plural.

Pedir	Dormir	Leer
pedí	dormí	leí
pediste	dormiste	leíste
pidió	durmió	leyó
pedimos	dormimos	leímos
pedisteis	dormisteis	leísteis
pidieron	durmieron	leyeron

- Otros verbos que funcionan igual que **pedir** y **dormir**:
  –*sentir, servir, divertirse, medir, preferir, corregir, mentir…*
  –*morir(se).*
- Otros verbos que funcionan igual que *leer*: *construir, caer, oír, creer, destruir.*

3. Pretérito imperfecto

- El **pretérito imperfecto** es el tiempo que empleamos para hacer una descripción en el pasado y para referirnos a acciones habituales también en pasado. Este tiempo no tiene unos "límites" temporales, es decir, es posible hacer una descripción dentro de un tiempo no terminado y también referida a un tiempo terminado.
  –*Hacía un día estupendo, así que decidí pasar el día en la ciudad.*
  –*De joven practicaba algunos deportes acuáticos.*

El pretérito imperfecto se utiliza para:

- Describir personas, animales, objetos o lugares.
  –*Su padre era moreno y tenía los ojos negros.*
- Describir un periodo amplio de tiempo ya pasado. En este caso, el imperfecto representa sucesos que se repiten.
  –*Estudiaba en un colegio a las afueras de mi ciudad.*
- Pedir algo a alguien con cortesía. En este caso, el pretérito imperfecto tiene valor temporal de presente.
  –*Hola, buenos días, quería una barra de pan.*

3.1. Verbos regulares

	Trabajar	Beber	Vivir
Yo	trabajaba	bebía	vivía
Tú	trabajabas	bebías	vivías
Él/ella/usted	trabajaba	bebía	vivía
Nosotros/as	trabajábamos	bebíamos	vivíamos
Vosotros/as	trabajabais	bebíais	vivíais
Ellos/ellas/ustedes	trabajaban	bebían	vivían

3.2. Verbos irregulares

	Ser	Ir	Ver
Yo	era	iba	veía
Tú	eras	ibas	veías
Él/ella/usted	era	iba	veía
Nosotros/as	éramos	íbamos	veíamos
Vosotros/as	erais	ibais	veíais
Ellos/ellas/ustedes	eran	iban	veían

4. Pretérito pluscuamperfecto

- El **pretérito pluscuamperfecto** se forma con el pretérito imperfecto del verbo **haber** más el participio del verbo principal.

	Pretérito imperfecto del verbo *haber*	Participio			Participios irregulares más comunes
		Trabajar	Beber	Vivir	
Yo	había	trabajado	bebido	vivido	poner → puesto volver → vuelto morir → muerto hacer → hecho decir → dicho romper → roto escribir → escrito abrir → abierto ver → visto descubrir → descubierto componer → compuesto deshacer → deshecho
Tú	habías				
Él/ella/usted	había				
Nosotros/as	habíamos				
Vosotros/as	habíais				
Ellos/ellas/ustedes	habían				

- Recuerda que el participio de los verbos compuestos es invariable en género y en número.
  *–Cuando comenzó la clase, **Pedro** ya había **llegado**.*
  *–Cuando comenzó la clase, **Luisa y Susana** ya habían **llegado**.*

El pretérito pluscuamperfecto se usa para:

- Expresar una acción pasada anterior a otra también pasada. Puede aparecer combinado con cualquiera de los otros tiempos del pasado.
  –Cuando llegué a la escuela, el profesor ya había llegado.
  –Cuando tenía cinco años, ya había aprendido a leer.

- Puede usarse también en combinación con otros tiempos que se refieren al presente.
  –Estoy viendo una película que ya había visto.
  –Ahora vivo en Madrid, pero ya había vivido aquí hace diez años.

- Expresar una acción posterior a la del verbo principal, pero con la idea de inmediatez o rapidez en la realización de la acción.
  –Nada más decirle que sí podía ir con los amigos, ya se había marchado.

- Contar algo que sucede por primera vez.
  –¡Nunca antes lo había pasado tan bien!
  –Nunca en mi vida había pasado tanto miedo.

- En ocasiones, especialmente cuando hablamos, es posible sustituir el pretérito pluscuamperfecto por el pretérito indefinido. Esto solo puede hacerse cuando la referencia a un pasado anterior está muy clara gracias a los marcadores temporales o al contexto.
  –Estoy viendo una película que ya había visto hace años.
  –Estoy viendo una película que ya vi hace años.

5. Condicional simple

- Las formas **regulares** del condicional simple se construyen tomando el infinitivo del verbo más las siguientes terminaciones, que son iguales para los verbos terminados en **-ar**, **-er**, **-ir**.

	Trabajar	Beber	Vivir
Yo	trabajaría	bebería	viviría
Tú	trabajarías	beberías	vivirías
Él/ella/usted	trabajaría	bebería	viviría
Nosotros/as	trabajaríamos	beberíamos	viviríamos
Vosotros/as	trabajaríais	beberíais	viviríais
Ellos/ellas/ustedes	trabajarían	beberían	vivirían

- En los **verbos irregulares** usamos las mismas terminaciones, aunque cambia la raíz del verbo, que es la misma que la de los verbos irregulares en futuro.

poner → **pondría**	hacer → **haría**	querer → **querría**	valer → **valdría**
tener → **tendría**	caber → **cabría**	saber → **sabría**	poder → **podría**
venir → **vendría**	haber → **habría**	decir → **diría**	salir → **saldría**

El **condicional** se usa para:

- Expresar una acción futura respecto a otra pasada.
  –De niño, pensaba que de mayor sería futbolista.
- Expresar probabilidad sobre el pasado.
  –Ayer no me escribió Marta. Se le olvidaría.
- Pedir algo con cortesía:
  –¿Podrías abrir la puerta, por favor?
- Dar consejos usando las estructuras:
  Yo en tu lugar/Yo que tú/Si yo fuera tú/Yo + condicional
  Tendrías que/Deberías/Podrías + infinitivo.
  –Deberías hablar más en español.
- Expresar un deseo en el futuro.
  –Me gustaría ir al concierto de Alejandro Sanz el próximo domingo.

6. Conectores del discurso: introducción

Los conectores son palabras que sirven para unir las oraciones estableciendo relaciones diversas: consecuencia, causa, temporalidad...

✖ Los conectores de **consecuencia**

- Introducen la consecuencia haciendo énfasis en la relación causa-efecto: **por eso**, **por tanto**, **por esta razón** (formal), **por este motivo** (formal).
  –Mañana es fiesta en mi ciudad, por eso no tengo clases.

✖ Los conectores de **causa**

- **Porque** es el conector más frecuente y neutro. Siempre se coloca en medio de las frases e introduce la causa de una acción.
  –Ayer no fui a la universidad porque estaba enfermo.
- **Como** va colocado al principio y presenta la situación previa que explica la información que se da después, es decir, la causa es una información que puede ser conocida o no por los interlocutores.
  –Como estaba enfermo, no fui ayer a la universidad.
- **Es que** presenta la causa como una justificación. Es un conector propio de la lengua coloquial.
  ● *¿Por qué no me has llamado?*
  ○ *Lo siento, es que no tenía batería.*

✖ Los conectores **adversativos**

- Estos conectores establecen una relación de oposición entre las oraciones. **Pero** es el conector más frecuente, **sin embargo** se emplea en registros más formales.
  –Mañana salgo de viaje, pero no tengo muchas ganas.
  –Los trabajadores se manifestaron contra los recortes, sin embargo, no consiguieron parar los despidos.

✖ Los conectores **temporales**

- **Cuando** es el conector más frecuente y establece diferentes matices entre las oraciones según los tiempos verbales con los que se utilice: posterioridad, hábito o costumbre, contemporaneidad...
  –Cuando terminen las clases, iré a casa y haré los deberes.
  –Cuando tengo tiempo, doy un paseo por el parque.
  –Cuando vivía en mi pueblo, tenía muchos amigos.

CONTINÚA »

- **Mientras** presenta un acontecimiento como contemporáneo a otro.

  –Mientras me estaba duchando, sonó el teléfono.

- **Antes de** presenta una acción o acontecimiento como anterior a otro. **Después de** presenta una acción o acontecimiento como posterior a otro. Estos dos conectores pueden ir seguidos de un sustantivo o de un verbo en infinitivo.

  –Ayer fui a un restaurante después del trabajo.
  –Antes de la fiesta, se pasó por mi casa para saludarme.
  –Después de graduarse, se fue a vivir a Londres.
  –Antes de acostarme, siempre me lavo los dientes.

UNIDAD 2: ¡MÓJATE!

1. Presente de subjuntivo: verbos regulares

- El **subjuntivo** es un modo verbal que se utiliza en español para expresar deseos, sentimientos o finalidad, entre otros usos. Los verbos regulares tienen las siguientes terminaciones:

	Hablar	Comer	Vivir
Yo	hable	coma	viva
Tú	hables	comas	vivas
Él/ella/usted	hable	coma	viva
Nosotros/as	hablemos	comamos	vivamos
Vosotros/as	habléis	comáis	viváis
Ellos/ellas/ustedes	hablen	coman	vivan

- Fíjate en que, al igual que sucedía con el imperativo negativo, el presente de subjuntivo de los verbos regulares es prácticamente igual que el presente de indicativo pero cambiando las vocales de la terminación del infinitivo: **a** (**-ar**) → **e** (para los verbos de la primera conjugación) y **e** (**-er**), **i** (**-ir**) → **a** (para los verbos de la segunda y tercera conjugación).

  Así, los verbos terminados en **-er**, **-ir** tienen las mismas terminaciones.

- En todas las conjugaciones, la primera y tercera persona del singular son iguales.

- El presente de subjuntivo tiene valor temporal de presente y futuro.

2. Presente de subjuntivo: verbos irregulares

2.1. Verbos con irregularidad vocálica

- Cambios de vocal **e → ie, o → ue**, **u → ue** en la primera, segunda y tercera persona del singular y en la tercera del plural, y **e → i**, **i → y** en todas las personas:

	E > IE	O > UE	U > UE	E > I	I > Y
	Querer	Poder	Jugar	Pedir	Construir
Yo	quiera	pueda	juegue	pida	construya
Tú	quieras	puedas	juegues	pidas	construyas
Él/ella/usted	quiera	pueda	juegue	pida	construya
Nosotros/as	queramos	podamos	juguemos	pidamos	construyamos
Vosotros/as	queráis	podáis	juguéis	pidáis	construyáis
Ellos/ellas/ustedes	quieran	puedan	jueguen	pidan	construyan

- Algunas excepciones:

	E > IE	O > UE
	Sentir	Dormir
Yo	sienta	duerma
Tú	sientas	duermas
Él/ella/usted	sienta	duerma
Nosotros/as	sintamos	durmamos
Vosotros/as	sintáis	durmáis
Ellos/ellas/ustedes	sientan	duerman

Funcionan como:

- **Sentir:** *consentir, disentir, mentir, divertirse, advertir...*
- **Dormir:** *morir.*

- Presta atención a los cambios ortográficos:

ga/go/gu/gue/gui: jugar → *juegue, juegues...*

za/zo/zu/ce/ci: gozar → *goce, goces...*

ge/gi/ja/jo/ju: coger → *coja, cojas...*

ca/co/cu/que/qui: sacar → *saque, saques...*

2.2. Cambios en la raíz verbal

Estos cambios afectan a todas las personas del verbo:

	1.ª persona presente de indicativo	Raíz verbal del presente de subjuntivo	Terminaciones del presente de subjuntivo
Tener	tengo	teng-	-a -as -a -amos -áis -an
Venir	vengo	veng-	
Poner	pongo	pong-	
Hacer	hago	hag-	
Salir	salgo	salg-	
Decir	digo	dig-	
Oír	oigo	oig-	
Traer	traigo	traig-	
Conocer	conozco	conozc-	
Valer	valgo	valg-	

2.3. Verbos totalmente irregulares

Ser	Estar	Ir	Haber	Saber	Ver	Dar
sea	esté	vaya	haya	sepa	vea	dé
seas	estés	vayas	hayas	sepas	veas	des
sea	esté	vaya	haya	sepa	vea	dé
seamos	estemos	vayamos	hayamos	sepamos	veamos	demos
seáis	estéis	vayáis	hayáis	sepáis	veáis	déis
sean	estén	vayan	hayan	sepan	vean	den

3. Expresar acuerdo o desacuerdo

Expresar acuerdo o desacuerdo total, acuerdo parcial y escepticismo

× Expresar **acuerdo** o **desacuerdo total**:

- (*Yo*) ***estoy*** (*totalmente/absolutamente*) ***de acuerdo con*** *X* ***en*** (*lo de*) ***que*** + opinión (indicativo) (+ ***porque***...)
  –Estoy de acuerdo con Carmen en lo de que Pepe siempre llega tarde al trabajo.
- (*Yo*) ***no estoy*** (*en absoluto/para nada*) ***de acuerdo con*** *X* ***en*** (*lo de*) ***que*** + opinión (subjuntivo) (+ ***porque***...)
  –Yo no estoy para nada de acuerdo con Carlos en que esta película sea aburrida porque a mí se me ha hecho muy corta.

CONTINÚA »

- *(Yo) estoy (totalmente/absolutamente) de acuerdo con/en* + *eso/esa idea*
- *(Yo) no estoy (en absoluto/para nada) de acuerdo con/en* + nombre/infinitivo + *porque...* / *que* + subjuntivo

● *Estoy de acuerdo con que construyan un carril bici en la ciudad.*
○ *Pues yo no estoy de acuerdo en absoluto con eso porque supondrá muchas obras.*

- *(Yo)* ***estoy*** *(totalmente /absolutamente)* ***a favor/en contra de*** + nombre/infinitivo / *que* + subjuntivo

–Estoy totalmente a favor de que se limite el tráfico por el centro de la ciudad.

También existen estas otras expresiones:

- Tienes razón en (que)...
- Tienes razón en lo de (que)...
- Yo pienso lo mismo.
- Sí, a mí también me lo parece.
- No tienes razón en (que)...
- No tienes razón en lo de (que)...
- ¿Pero qué dices?
- En absoluto.

✕ Expresar **acuerdo parcial:**

- *(Yo) estoy de acuerdo con... (solo)* ***en parte*** *porque* + opinión

  –Estoy de acuerdo contigo solo en parte porque, aunque es verdad que la creación del carril bici supondría mucha obra, lo cierto es que sería una maravilla para la ciudad.

- *(Yo) estoy de acuerdo con/en* + infinitivo/sustantivo/*que* + subjuntivo, *pero/sin embargo no en (que)...*

  –Estoy de acuerdo en que uséis internet en clase, pero no en que lo hagáis a todas horas.

- ***Por una parte sí, pero por otra*** *(parte)* ***no****, porque* + opinión

  –Por una parte sí, pero por otra no, porque entonces el pequeño comercio acabaría cerrando.

- ***Sí, claro/por supuesto/desde luego/tienes razón, pero/sin embargo*** + opinión

  ● *Estoy de acuerdo con que los centros comerciales abran los domingos.*
  ○ *Sí, claro, pero hay que pensar también en los pequeños comercios.*

✕ Expresar **escepticismo:**

- Bueno, depende...
- ¿Tú crees? Yo no pienso lo mismo...
- Sí, sí... pero... (irónico)
- *Dudo que* + subjuntivo
- Si tú lo dices..., pero bueno...

4. Conectores aditivos o sumativos

Los conectores aditivos o sumativos añaden información nueva relacionada con otra anterior para seguir sumando u organizando aspectos positivos o negativos con la finalidad de argumentar el discurso.

Entre ellos destacan:

- **Además** y **también** añaden una información del mismo tipo que la aparecida anteriormente.

  –Pepe estaba resfriado y, además, le dolía la cabeza.

- **Encima** también añade una información pero de carácter negativo.

  –Se me rompió el coche y, encima, perdí el autobús. ¡Qué mala suerte!

- **Incluso**, **inclusive**, **es más**, **más aún**, **todavía más** aparecen al final del discurso para destacar el último elemento del enunciado.

  –Se levantó temprano, fue a trabajar, luego a la universidad, estuvo estudiando en la biblioteca e, incluso, tuvo tiempo de ir al gimnasio.

1. Dar consejos y hacer recomendaciones

- Para dar consejos y hacer recomendaciones de manera general se usa ***aconsejar/recomendar*** + infinitivo.

  –Te aconsejo ir en transporte público si quieres llegar antes al centro.

- Para dar consejos y hacer recomendaciones a una persona o grupo de personas se usa:

  Me/Te/Le/Nos/Os/Les + aconsejar/recomendar + | *que* + subjuntivo
infinitivo
nombre

  –El médico me ha recomendado que haga ejercicio.

  –Yo os aconsejo seguir por este camino y no saliros de la ruta.

  –Un compañero de trabajo me ha recomendado este restaurante. ¿Quieres que entremos?

- Otras formas de dar consejos o recomendaciones son:
  - **Imperativo**

    –Póngase esta pomada tres veces al día.
  - ***Tienes que/Debes/Puedes*** + infinitivo

    –Si no quieres quedarte sin ellas, tienes que comprar las entradas con antelación.
  - ***Tendrías que/Deberías/Podrías*** + infinitivo

    –Deberías leer más si quieres ampliar tu vocabulario.
  - ***Hay que*** + infinitivo

    –Hay que ir pensando qué le vamos a regalar a mamá para su cumpleaños.

2. Diminutivos

- En español se usan mucho los diminutivos para expresar poca cantidad, tamaño pequeño o brevedad: *ahorrillos, terracita, trocito, pisito, ratito…*

  –Vale, probaré la tarta, pero ponme solo un trocito.

  –Me paso por tu casa y hablamos, pero solo un ratito que tengo que estudiar.

- Algunas veces se usan también para expresar afecto, cercanía o complicidad con nuestro interlocutor: *Luisito, cafetito, chiquitita, amorcito…*

  –Hace mucho que no nos vemos, a ver si esta semana nos tomamos un cafetito juntas.

  –Luisito, dale un besito a los abuelos.

- Otros sirven para suavizar el sentido negativo de una palabra: *gordita, bajito, feíto…*

  –Carmen está un poco gordita, pero es muy guapa y muy simpática.

  –Pobre Pepe, está loco por Luisa, pero es que él es tan feíto…

- Los sufijos más comunes son: **-ito/a/os/as**, **-illo/a/os/as**, pero también existen otros como **-ico/a/os/as** (*librico, pajarico…*), **-ín/a** (*parlanchín, chiquitina…*), **-uelo/a** (*polluelo, riachuelo…*).

3. Expresar deseos

- Para expresar deseos se pueden usar las siguientes estructuras:
  - ***Querer / Desear / Esperar / Preferir*** + | infinitivo (si el sujeto es el mismo)
que + subjuntivo (si el sujeto es diferente)
nombre

CONTINÚA

–Quiero visitar a mis abuelos este fin de semana.

–Yo prefiero el pescado a la carne.

–Deseo que todo os vaya muy bien.

- ***Ojalá** (que)* + subjuntivo

  –Ojalá todo salga bien, hemos trabajado mucho en este proyecto.

  –Ojalá que pueda ir a verte este verano, sería fantástico.

- ***Que*** + subjuntivo expresa deseos dirigidos a otras personas.

  –Que te vaya muy bien el examen de esta tarde.

  –Que te diviertas esta noche.

x Esta última estructura se usa mucho en situaciones sociales muy comunes: cuando alguien está enfermo o se va de viaje, cuando se casa o es su cumpleaños, cuando está comiendo o se va a dormir, etc.: **que te mejores, que tengas buen viaje, que os vaya bien, que seáis muy felices, que cumplas muchos más, que aproveche, que descanses...**

4. Expresar peticiones o mandatos

x Para pedir o mandar algo a alguien se introduce la frase con un verbo principal: **pedir, rogar, exigir, mandar, ordenar**, etc., seguido de:

- Nombre.

  –¡Exijo una explicación inmediatamente!

- Infinitivo, si los sujetos de las oraciones son los mismos.

  –No te exijas hacerlo todo a la perfección. Acepta tus limitaciones y relájate, hombre.

- Subjuntivo, si los sujetos de las oraciones son diferentes.

  –Te pido que hables con ella antes de sacar tus propias conclusiones.

- También es frecuente usar el imperativo.

  –Ten más cuidado, por favor.

x Para expresar peticiones o mandatos que pueden molestar al interlocutor, es frecuente usar alguna expresiones atenuantes como **por favor, tengo que decirte una cosa/cosita; no te enfades, pero...**, y justificar la petición o mandato con **es que..., es que si no...**

x Para pedir disculpas por un comportamiento no adecuado, se usan expresiones como **es verdad, tienes razón, perdón/ perdona/perdóname, lo siento (mucho), no volverá a pasar, no lo volveré a hacer...**

5. Conectores del discurso (repaso)

Estos son algunos conectores del discurso que aparecen en la unidad:

- **Luego** tiene valor temporal y equivale a *después*.

  –Ahora no puedo hablar, entro a clase. Luego te llamo y me cuentas qué tal te ha ido.

- **Incluso** sirve para añadir información.

  –Esta mañana he recogido toda la casa, he hecho la compra, he preparado la comida, he puesto dos lavadoras e, incluso, he tenido tiempo para sentarme a desayunar y leer el periódico.

- **Es que** tiene valor causal, expresa una excusa o justificación.

  –Siento llegar tarde, es que ha habido una avería en el metro.

- **Mientras**, con valor temporal, sirve para introducir dos acciones simultáneas.

  –Mientras yo termino este trabajo tú puedes ir a ensayar con tu grupo de música.

- **En definitiva** sirve para expresar una conclusión o finalizar un discurso.

  –Primero porque tenías que consultarlo en el trabajo, después porque no tenías claro qué preferías hacer, en definitiva, estamos a dos semanas de las vacaciones y aún no sabemos dónde vamos.

- **O sea** sirve para reformular una idea o para explicar o aclarar una información anterior. Es propio de la lengua hablada.

  ● *Hoy voy a salir tardísimo de trabajar y, además, estoy muy cansado y me está empezando a doler la cabeza...*

  ○ *O sea, que mejor dejamos lo del cine para otro día, ¿no?*

1. Expresar gustos y aversiones

- Para expresar gustos puedes usar los verbos **encantar** y **gustar**. El verbo **encantar** expresa un grado máximo de satisfacción y, por este motivo, no lleva nunca marcadores de intensidad. Los verbos como **gustar** (**encantar**, **molestar**, **fastidiar**...) se construyen normalmente en tercera persona con estas estructuras:
  - *(A mí/ti/él/ella...)* + *Me/Te/Le/Nos/Os/Les* + *gusta* + nombre singular / infinitivo / *que* + subjuntivo

    –Me gusta el deporte.

    –A ellos les molesta mucho despertarse con ruido.

    –Me fastidia que la gente no recicle.
  - *(A mí/ti/él/ella...)* + *Me/Te/Le/Nos/Os/Les* + *gusta* + nombre plural

    –A ellos les encantan los animales.
- El verbo **gustar** suele ir acompañado de adverbios de cantidad que matizan el grado de intensidad de la experiencia, tanto en positivo como en negativo.
  - Me gusta mucho/muchísimo
  - Me gusta bastante
  - No me gusta mucho/demasiado
  - No me gusta nada
- Para expresar aversiones, además de las **formas negativas** del verbo **gustar**, puedes usar **me molesta**, **me fastidia**, que pueden ir acompañados de marcadores de intensidad (**mucho**, **muchísimo**, **bastante**) o el verbo **odiar**, que expresa el grado máximo de aversión y que no suele llevar marcadores de intensidad.

  –Me molesta mucho el ruido cuando estudio.

  –Odio que me molesten mientras estoy estudiando.
- Cuando se expresan gustos o aversiones sobre acciones, las oraciones se construyen con indicativo si la persona que experimenta las acciones de los dos verbos es la misma y con subjuntivo si se trata de personas diferentes.

  –Me encanta ir [a mí, yo] *a la playa para correr.*

  –Me encanta que vayas [a mí, tú] *a la playa para correr.*

2. Las oraciones de relativo

- Las oraciones de relativo tienen la misma función que un adjetivo, es decir, sirven para identificar o describir cosas o personas. La cosa o persona a la que se refiere la oración de relativo se llama **antecedente**. El pronombre que lo sustituye puede ser **que** (personas o cosas) o **donde** (lugar).

  –La camiseta que tiene más colores es mía. = La camiseta colorida es la mía.

  –La mujer que tiene el pelo negro es mi madre. = La mujer morena es mi madre.
- Como no siempre es posible definir con un adjetivo, en estos casos es necesario el uso de las oraciones de relativo.

  –La camiseta que tiene el dibujo de Micky Mouse es la mía.

  –La mujer que lleva un moño es mi madre.

2.1. Pronombres relativos

- **Que** es el pronombre relativo más usado. Va precedido del artículo:
  - Si no hay un antecedente expreso: *Los que se cuidan viven más.*
  - En construcciones enfáticas con el verbo **ser**: *Él es el que me insultó.*
  - Tras preposición: *Ese es el joven con el que te vi.*
- **Donde** se utiliza cuando el antecedente se refiere a un lugar.

  –Esa es la escuela donde estudio.
- **Lo que** se utiliza cuando el antecedente se refiere a un concepto sin noción de género.

  –No entiendo lo que dices.

CONTINÚA

- **Quien/quienes** se refiere solo a personas. Equivale a **el/la/los/las que**.

  –Quienes se cuidan viven más.

  –Ese es el joven con quien te vi.

  - Se usa tras **haber** y **tener**.

    –No hay quien te entienda.

- **Cual** debe ir siempre con artículo. Siempre lleva antecedente expreso. Se usa obligatoriamente cuando no hay un verbo en forma conjugada.

  –Estuvimos estudiando, hecho lo cual, nos fuimos a tomar algo.

  - Se puede usar también tras preposición.

    –En mi habitación hay un mueble en el cual guardo mi patinete.

- **Cuyo**, **cuya**, **cuyos**, **cuyas** es un determinante posesivo. Va entre dos nombres y concuerda con el segundo en género y número. Expresa relación o posesión con el nombre expresado anteriormente.

  –Esa es la casa cuyo propietario es famoso. = el propietario de la casa es famoso.

2.2. Estructura de las oraciones de relativo

- Las oraciones de relativo siguen la siguiente estructura: antecedente + pronombre relativo + indicativo/subjuntivo

  –Los chicos que hablan español pueden participar en el club de conversación.

  –Busco una persona que hable español.

- Se usa indicativo cuando lo que decimos del antecedente es algo seguro porque es conocido.

  –La ciudad donde nací está cerca de Madrid.

  –El libro que se ha comprado Fernando es muy entretenido.

- Se usa subjuntivo:

  - Cuando el antecedente es desconocido y no podemos definirlo o identificarlo con exactitud.

    –Fernando está buscando un libro que sea muy entretenido.

  - Cuando preguntamos por la existencia o no de una cosa o persona con la siguiente estructura:

    ¿Hay/Conoces (a)/Sabes si hay + pronombre/adjetivo indefinido + pronombre relativo + subjuntivo?

    –¿Hay alguna persona que sepa explicarme por qué aquí se usa el subjuntivo?

    –¿Conoces a alguien que sea políglota?

    –¿Hay algo en la tienda que te quieras comprar?

  - Cuando negamos la existencia de una cosa o persona con la siguiente estructura:

    No hay + pronombre/adjetivo indefinido + pronombre relativo + subjuntivo

    –En esta clase no hay nadie que sea capaz de hacer esta actividad.

    –No hay ninguna zapatería cerca que venda botas de piel.

  - Cuando expresamos escasez de algo con la siguiente estructura:

    Hay poco, -a, -os, -as + nombre + pronombre relativo + subjuntivo

    –En esta ciudad hay poca gente que conozca a este político.

  - Cuando pedimos algo, especificando lo que queremos con estas estructuras:

    ¿Me dejas/*Tienes/Me das* + cosa + pronombre relativo + subjuntivo?

    –¿Me dejas un libro de español que tenga ejercicios de gramática?

    –¿Tienes algo que sirva para pegar la cerámica?

    –¿Me das una cosa que corte el cuero?

    Necesito/Quiero + cosa/persona + pronombre relativo + subjuntivo

    –Necesito a alguien que sea capaz de traducir chino.

    –Quiero algo que me pegue con estos zapatos.

3. Pronombres y adjetivos indefinidos

3.1. Pronombres indefinidos invariables

	Personas	Cosas
Existencia	**alguien**	**algo**
No existencia	**nadie**	**nada**

● *¿Alguien te ha enviado un mensaje al móvil?*

○ *No, no me ha escrito nadie.*

–Tengo hambre, necesito comer algo.

–No gracias, no quiero nada ahora, acabo de tomar un refresco.

3.2. Pronombres indefinidos variables

Se usan para referirse tanto a personas como a cosas.

	Singular	Plural
Existencia	**alguno/a**	**algunos/as**
No existencia	**ninguno/a**	-

3.3. Adjetivos indefinidos

Con ellos nos referimos tanto a personas como a cosas.

	Singular	Plural
Existencia	**algún/alguna**	**algunos/as**
No existencia	**ningún/ninguna**	-

- *Perdone, ¿tiene alguna camiseta verde?*
- *Sí, tenemos algunas en la estantería del fondo.*

- Las formas *ningunos/ningunas* existen como tales pero se usan muy poco, solamente con sustantivos que van siempre en plural: *ningunas tijeras, ningunos pantalones...*

  - *¿Has comprado los pantalones que necesitabas?*
  - *No he comprado ningunos porque eran muy feos.*

UNIDAD 5: LOS SENTIMIENTOS

1. Expresar sentimientos negativos

Para expresar sentimientos negativos pueden usarse distintas estructuras:

- Cuando el sujeto de la oración principal y la subordinada es el mismo:
  - ***Me irrita/molesta/indigna/fastidia/da rabia***
  - ***No soporto/odio***
  - ***Es una vergüenza/una pena/inadmisible/intolerable***
  - ***Estar + harto-a/cansado-a/aburrido-a... + de***

  \+ infinitivo

  —Me molesta ser yo el que siempre tira la basura en mi casa.
  —No soporto madrugar por las mañanas.
  —Estoy aburrida de repetirle a mi hijo que limpie su habitación.

- Cuando el sujeto de las dos oraciones es diferente, la subordinada se introduce con *que* + subjuntivo.
  —A mí me indigna que algunos gamberros rompan el mobiliario urbano.
  —Me irrita que algunos conductores no respeten a ciclistas ni peatones.
  —Es intolerable que en las ciudades no se tomen medidas más drásticas contra la polución.

- Recuerda que para los verbos que funcionan como *gustar* (*me irrita/me molesta...*) el sujeto de la oración puede ser un nombre, por lo que si se trata de un nombre plural, el verbo que expresa sentimiento también irá en plural.
  - *Me irrita/me molesta/me fastidia...* + nombre singular
    —A mí me indigna la gente que rompe el mobiliario urbano.
  - *Me fastidian/dan rabia/indignan...* + nombre plural
    —Me irritan los conductores que no respetan a ciclistas ni peatones.

- Muchos de estos verbos también existen en forma pronominal, siendo en estos casos la persona que experimenta el sentimiento el propio sujeto. La estructura es la siguiente:
  - ***Me irrito/molesto/me indigno... cuando/si*** + indicativo
    —(Yo) me indigno cuando veo a algunos gamberros romper el mobiliario urbano.
    —Me irrito cuando algunos conductores no respetan a ciclistas ni peatones.
    —Me molesto si tengo que ser yo siempre el que tira la basura en casa.

CONTINÚA

- Las expresiones de sentimiento negativo se pueden clasificar según el grado de intensidad emocional que indican y según su grado de formalidad.

	Grado alto	Grado neutro/Estándar
Formales	es intolerable; es inadmisible	me indigna
Informales	es una vergüenza; odio; me irrita; estoy harto/a de; me da rabia; no soporto	es una pena; estoy cansado/a de; me fastidia; estoy aburrido/a de; me molesta

2. Expresar otros sentimientos (alegría, tristeza, envidia, miedo...)

- El resto de verbos de sentimiento tienen la misma estructura gramatical que los verbos que expresan sentimientos negativos del apartado anterior:

  - ***Me alegra/hace feliz***
  - ***Me entristece/da pena***
  - ***Me da envidia/miedo/vergüenza***
  - ***Me decepciona/preocupa/enorgullece***

  \+ infinitivo (si el sujeto de los dos verbos es el mismo)

  \+ *que* + subjuntivo (si el sujeto de los dos verbos es diferente)

  –Me da vergüenza hablar delante de muchas personas.

  –Me da pena que no puedas venir al viaje con nosotros.

- Al igual que sucedía con algunos verbos de sentimiento negativo, el sujeto de estos verbos puede ser un nombre.
  - *Me hace feliz/da pena/da rabia/decepciona...* + nombre singular

    –Me hace feliz un buen paseo por el campo un día soleado.
  - *Me alegran/entristecen/dan envidia/preocupan...* + nombre plural

    –Me dan envidia las personas que están todo el día viajando.

- Estos verbos también existen en su forma pronominal, siendo la persona que experimenta la acción el propio sujeto.
  - ***Me alegro/entristezco/me avergüenzo/preocupo... cuando/si*** + indicativo

    –(Yo) me alegro cuando viene alguien a verme a casa.

    –Me entristezco cuando veo algunas noticias por televisión.

    –Me preocupo si mis hijos llegan tarde a casa y no me avisan.

3. Adjetivos que cambian de significado con *ser* o con *estar*

- Muchos adjetivos se pueden construir con el verbo **ser** o con el verbo **estar**. Con el verbo **ser** adquieren un matiz de carácter **permanente** y con el verbo **estar** de carácter **temporal**.
- Son adjetivos que normalmente hacen referencia al carácter de la persona: **simpático/a**, **amable**, **sincero/a**, **trabajador/a**, **abierto/a**, **extrovertido/a**, **introvertido/a**, **callado/a...**

  –María es muy amable, siempre ayuda a todos sus compañeros.

  –Mario hoy está muy amable, seguro que quiere pedirnos algún favor...

	Ser	Estar
abierto	**Sociable, extrovertido/a** *–Seguro que hace amigos pronto en el nuevo colegio, es un niño muy abierto, se relaciona con todo el mundo.*	**No cerrado/a** *–La escuela todavía está cerrada, no abren hasta las 9:00h.*
negro	**Color negro** *–El vestido que me he comprado es negro.*	**Estar enfadado/a** *–Carmen está negra porque su vecino pone siempre la radio muy alta.*

CONTINÚA

	Ser	Estar
malo	**Persona con maldad o producto de mala calidad** *–El hijo de mis vecinos es muy malo, siempre está pegando a otros niños.* *–Estas tijeras son malísimas, no cortan nada.*	**Enfermo/a o alimento con mal sabor o en mal estado** *–Carlos no podrá venir con nosotros, todavía está malo y se marea.* *–Esta leche está mala, tírala y coge otra botella.*
bueno	**Persona bondadosa o producto de buena calidad** *–Martita es una niña muy buena, siempre hace los deberes y ayuda a sus hermanos.* *–Este jamón es muy bueno, voy a comprar un poco para mis padres.*	**Bien de salud, persona atractiva o producto con buen sabor** *–Llevo dos días en cama pero espero estar buena para la fiesta del sábado.* *–¿Has visto al nuevo novio de Lola? ¡Está buenísimo! Con lo feíta que es ella…* *–¡Qué bueno está el chocolate con plátano! ¿Lo has probado?*
rico	**Tener mucho dinero** *–Pepe es rico porque heredó una gran fortuna de sus abuelos.*	**Tener muy buen sabor** *–¡Qué rico está este guiso! ¿Qué le has echado?*
orgulloso	**Arrogante, soberbio/a** *–Sabe que se ha equivocado pero es tan orgulloso que no lo va a reconocer nunca.*	**Contento/a, satisfecho/a** *–Estoy muy orgullosa de mis alumnos, han trabajado y aprendido mucho este curso.*
atento	**Amable** *–Roberto es muy atento, siempre nos felicita y nos hace un regalo por nuestro cumpleaños.*	**Prestar atención** *–Si no estás más atento, no vas a entender nada, y no pienso explicártelo más veces.*
interesado	**Hacer las cosas solo si te producen beneficios** *–Julia es una interesada, solo me llama cuando no tiene un plan mejor.*	**Tener deseos de hacer cosas** *–Estoy muy interesada en este curso, ¿Qué tengo que hacer para inscribirme?*
católico	**Religión** *–Francisco es católico, va a misa todos los domingos.*	**No estar bien** *–Hoy no estoy muy católico, me he despertado con el estómago revuelto.*
verde	**Ser ecologista o de color verde** *–Mi compañera de piso es verde y siempre está revisando que reciclamos bien la basura.* *–Casi toda mi ropa es verde.*	**No estar preparado/a o tener poca experiencia** *–Me gustaría presentarme al examen, pero creo que todavía estoy un poco verde.*
listo	**Inteligente** *–Pedrito es el más listo de la clase, siempre saca las mejores notas.*	**Estar preparado/a** *–¿Todavía no estás lista? ¡Pero si llevas más de una hora arreglándote!*
despierto	**Persona rápida en aprender** *–Carlos es un niño muy despierto, entiende todas las explicaciones del profesor a la primera.*	**No dormido/a** *–Yo a las 7 de la mañana siempre estoy despierto, soy bastante madrugador.*

UNIDAD 6: UN POCO DE EDUCACIÓN

1. Oraciones temporales con *cuando*

- Las oraciones con **cuando** se construyen con **indicativo** si expresan una acción presente o pasada.
  - *Cuando* + presente + presente (presente habitual)
    –Cuando llego al trabajo, me preparo un café.
  - *Cuando* + pretérito indefinido o perfecto + pretérito indefinido o perfecto
    –Cuando llegué al trabajo, me preparé un café.

CONTINÚA

- *Cuando* + pretérito imperfecto + pretérito imperfecto (pasado habitual)
  —*Cuando llegaba de trabajar, siempre me preparaba un café.*
- *Cuando* + pretérito indefinido + pretérito imperfecto/*Cuando* + pretérito imperfecto/pretérito indefinido (acción en pasado interrumpida por otra acción en pasado)
  —*Cuando llegué al trabajo, Ana estaba preparándose un café.*
  —*Cuando estaba durmiendo, sonó el teléfono y me asusté.*

✗ Las oraciones con **cuando** se construyen con **subjuntivo** si expresan una acción futura.

- *Cuando* + presente de subjuntivo + futuro imperfecto/perífrasis de futuro (*ir a/querer/ pensar* + infinitivo)/presente de indicativo/imperativo
  —*Cuando seas mayor, podrás salir hasta tarde.*
  —*Cuando te mudes, vas a necesitar muebles nuevos.*
  —*Cuando me gradúe, quiero ir a Inglaterra para mejorar el inglés.*
  —*Cuando salga del trabajo, pienso ir al centro.*
  —*Cuando termine de limpiar la casa, me arreglo y salgo a dar un paseo.*
  —*Cuando llegues a casa, pon la lavadora, por favor.*

2. Otros marcadores temporales

✗ Para expresar dos acciones simultáneas:

- ***Mientras*** + acontecimiento + acontecimiento
  —*Mientras yo me ducho, tú puedes ir preparando la cena.*
- acontecimiento + ***mientras tanto*** + acontecimiento
  —*Tú prepara la cena. Mientras tanto, yo me ducho.*
- La diferencia entre **mientras** y **mientras tanto** es que en el segundo caso las informaciones que se presentan como contemporáneas son nuevas para el interlocutor. En cambio, la información introducida directamente por **mientras** ya es conocida por el interlocutor.

✗ Para expresar que la acción se repite cada vez que se realiza la otra acción:

- **Siempre/cada vez/todas las veces que**
  —*Siempre que paso por esta calle, me acuerdo de ti.*
  —*Cada vez que se ducha, deja el suelo mojado.*
  —*Todas las veces que voy al supermercado, se me olvidan varias cosas.*

✗ Para expresar que una acción es inmediatamente posterior a otra:

- **Tan pronto como/en cuanto/nada más**
  —*Tan pronto como vengan, ponemos la mesa.*
  —*En cuanto termines de estudiar, llamamos a los abuelos.*
  —*Nada más levantarme, sonó el teléfono.*

✗ Para expresar el límite de la acción:

- **Hasta que (no)**
  —*Hasta que no termine los exámenes, no puedo salir de fiesta.*

✗ Para expresar que una acción es anterior/posterior a otra:

- **Antes/después de (que)**
  —*Antes de usarlo, hay que leer bien las instrucciones.*
  —*Después de que terminen de pintar, saldremos de compras.*
- En los casos en los que aparece *antes/después de* + sustantivo, este último suele hacer referencia a fechas, cantidades de tiempo o a sucesos como *el examen, la boda, el entierro, la conferencia*, etc.
  —*Antes del examen, tengo que repasar un poco.*

CONTINÚA »

La mayoría de estos marcadores temporales pueden ir seguidos de infinitivo, indicativo o subjuntivo.

- **Marcador temporal + infinitivo**. El sujeto de las dos oraciones es el mismo.
  —Antes de terminar la carrera, empecé a trabajar.
  —Después de viajar a Sevilla, le cambió la vida.
  —Nada más entrar en la fiesta, vio a su exnovia.
  - El marcador **nada más** solo se construye con infinitivo.
- **Marcador temporal + indicativo**. Expresa una acción en tiempo presente o pasado.
  —En cuanto llegan a casa, escriben wasaps a sus amigos.
  —Después de que llegamos a Barcelona, nos fuimos a ver la Sagrada Familia.
  - Los marcadores **antes de que** y **después de que** no admiten el presente de indicativo, en su lugar se usa el infinitivo.
- **Marcador temporal + subjuntivo**. Se usa el subjuntivo para expresar futuro.
  —Cada vez que voy a su casa, como demasiado./Cada vez que vaya a su casa, intentaré comer menos.
  —Siempre que salgas de viaje, llámame, por favor.
  - Con **antes de que** y **después de que** se usa el subjuntivo para expresar futuro si los sujetos de las dos oraciones son diferentes. En caso contrario se usa el infinitivo.
    —Después de trabajar [nosotros], *saldremos* [nosotros] *a tomar algo.*
    —Después de que termines de trabajar [tú], *saldremos* [nosotros] *a tomar algo.*
- Para expresar el periodo de tiempo que separa dos sucesos:
  - ***Al cabo de*, *A los/las*** + cantidad de tiempo
    —Nos conocimos en enero y, al cabo de tres meses, nos casamos.
  - Cantidad de tiempo + ***después/más tarde***
    —Me gradué en mayo y, un mes después, ya estaba trabajando.

UNIDAD 7: ¿SABES POR QUÉ...?

1. Las oraciones y los conectores causales

Las oraciones causales son oraciones subordinadas que expresan la causa por la que se produce la acción principal. La oración principal y la subordinada aparecen unidas mediante los conectores causales.

Conectores causales

- ***Porque*** + indicativo: es el conector más neutro y también el más usado.
  —Llegamos al estadio varias horas antes del concierto porque queríamos estar en primera fila.
- ***Como*** + indicativo: se usa cuando se antepone la causa a la oración principal. También es neutro y de uso común, igual que **porque**.
  —Como me imaginé que no tendrías tiempo de preparar la cena, he traído unas pizzas.
- ***Debido a*, *a causa de*** + nombre/*que* + indicativo: son equivalentes a **porque**, pero se usan en un contexto más formal, muchas veces en lengua escrita.
  —Lo expulsaron del colegio debido a su mal comportamiento.
  —Interrumpido el servicio en línea 5 a causa de una avería en la red eléctrica, disculpen las molestias.
  —Ha sido suspendido el partido debido a que se ha producido un altercado entre los seguidores de los dos equipos.
- ***Por*** + adjetivo/nombre/infinitivo
  —Sus padres le han castigado sin salir por desobediente.
  —Viajo mucho por trabajo, no por placer.
  —Has suspendido por no haber estudiado durante todo el curso.
- ***Puesto que/dado que/ya que*** + indicativo: son conectores causales que pueden ir delante o detrás de la oración principal e indican que la **causa** es **conocida** por los interlocutores.
  —Puesto que has vivido varios años allí, podrías recomendarnos algunos sitios que visitar.
  —Dado que no vas a poder asistir al evento, deberías avisar para que otro pueda aprovechar tu invitación.
  —Podrías comprar algo más de pan para la comida, ya que vas a bajar a la calle.

2. Negar la causa de un hecho o situación

- Para negar la causa de un hecho o situación e indicar que la verdadera causa es otra, se usa la siguiente estructura: **Hecho o situación,** + ***no es que/no porque*** + subjuntivo, ***sino que/es que/es porque*** + indicativo.
  –No es que no quiera asistir a la reunión, es que ya tengo otro compromiso al que no puedo faltar.
  –Me he molestado con Roberto, no porque me haya dicho que el trabajo no estaba bien hecho, sino porque me lo ha dicho de malas maneras.
  –La llave no abre la cerradura, no porque no funcione, sino que parece que alguien la ha forzado.

3. Expresar agradecimiento y disculpa

- **Para expresar agradecimiento** podemos usar las siguientes estructuras:
  - ***Muchas gracias por*** + infinitivo/nombre
    –Muchas gracias por ayudarme con el trabajo, estaba bastante perdido.
    –Muchas gracias por los bombones, no tenías que haberte molestado.
  - ***Estar muy agradecido/a por*** + infinitivo/nombre
    –Estoy muy agradecida por todos los consejos que me han dado mis compañeros.
    –Estoy muy agradecido por haber recibido tantas muestras de cariño de mi público.
  - ***Te/Le agradezco*** (***mucho***) ***que*** + subjuntivo
    –Te agradezco mucho que me hayas ayudado con la mudanza.
  - Muchas/muchísimas gracias.
  - Mil gracias.
  - ¡No sabes cuánto/cómo te/se lo agradezco!
- **Para expresar disculpas** podemos usar las estructuras:
  - ***Siento mucho*** (***no***) + infinitivo (mismo sujeto)
    –Siento mucho no poder ayudarle, pero para devoluciones tiene que dirigirse al centro donde compró el artículo.
  - ***Siento mucho*** + ***que*** + (***no***) subjuntivo (sujeto diferente)
    –Siento mucho que te haya molestado mi comentario. Creo que ha sido un malentendido.
  - ***Disculparse por*** + infinitivo/nombre (formal)
    –Nos disculpamos por no haberle enviado el paquete en la fecha prevista.
    –Me disculpo por el retraso. Intentaré ser breve para que no tengan que salir más tarde de lo previsto.
  - Le/te pido/ruego que me disculpe/s.
  - Mis (más sinceras) disculpas.
  - Lo siento mucho.
  - ¡No sabe/s cuánto/cómo lo siento!

UNIDAD 8: FENÓMENOS INEXPLICABLES

1. Expresar hipótesis o probabilidad con indicativo y subjuntivo

En español, existen varios recursos para expresar hipótesis o probabilidad. Uno de ellos es el uso de marcadores (adverbios y locuciones) que se construyen con indicativo y/o subjuntivo.

- Marcadores que pueden construirse con **los dos modos verbales**:
  - **Quizá(s)/Tal vez/Posiblemente/Probablemente**

    Con estos marcadores, el modo **indicativo** indica un **mayor grado de seguridad** por parte del hablante en la hipótesis expresada que el modo subjuntivo:

    –Quizás tienes razón, voy a pensar en tu propuesta.

    –Quizás tengas razón, pero a mí no me convence la idea.

    –Está enfadadísimo pero tal vez podamos hablar con él y explicarle lo sucedido.

    –Es un profesor comprensivo. Si hablamos con él, tal vez nos deja cambiar el tema del trabajo.

    –Probablemente tengamos que posponer el viaje si se retrasan con las obras de casa.

    –Probablemente tenemos que posponer el viaje, ya me han confirmado que va a retrasarse la obra.

- Marcadores que se construyen siempre con **indicativo**:
  - **Igual/Lo mismo/A lo mejor**

    –Igual este verano nos vamos de viaje a Egipto, estamos mirando ofertas.

    –Lo mismo este fin de semana me escapo a ver a mis padres. Hace semanas que no los veo.

    –A lo mejor todavía quedan entradas para el concierto, voy a mirar por Internet...

- Marcadores que se construyen siempre con **subjuntivo**:
  - **(No) + es (im)posible/Es (im)probable/Puede (ser) + que**

    –No es posible que aún no hayas hecho los deberes, llevas cuatro horas encerrado en la habitación.

    –Es probable que quede con Juan este fin de semana, si al final quedamos te aviso, ¿sí?

    –Puede que hoy llegue más tarde al trabajo, tengo que pasarme antes por el banco.

- Recuerda que también podemos expresar hipótesis o probabilidad con verbos de opinión o percepción, o con otras estructuras:
  - ***Creo que/Me imagino que/Seguro que/Me parece que/Supongo que/Seguramente...*** + indicativo

    –Creo que hoy podremos salir antes, ya hemos terminado casi todo el trabajo.

    –Seguro que todo sale bien, no te preocupes tanto.

    –Me parece que las nuevas medidas del gobierno lograrán reducir el paro.

- Cuando estos verbos aparecen introducidos por una negación se construyen con subjuntivo. Para que esto ocurra, la negación debe ir delante del verbo de opinión o percepción:
  - ***No creo que/No me parece que...*** + subjuntivo

    –No creo que hoy podamos salir antes, todavía tenemos muchísimo trabajo.
    (pero: *Creo que hoy no podremos salir antes, tenemos muchísimo trabajo*).

    –No me parece que las nuevas medidas del gobierno vayan a reducir el paro.
    (pero: *Me parece que las nuevas medidas del gobierno no lograrán reducir el paro*).

2. Expresar acuerdo o desacuerdo con una hipótesis planteada

Cuando una persona hace una hipótesis, se suele responder expresando acuerdo o desacuerdo con la misma. Para ello, pueden usarse los mismos marcadores del apartado anterior.

–Qué raro que Marta esté tardando tanto en llegar, ella es muy puntual. Quizás se ha confundido de día.

- Para expresar **acuerdo** con la hipótesis expresada se usa la estructura:

  Sí, quizá/es posible/es probable/a lo mejor/tal vez

  –Sí, es probable. Voy a llamarla por teléfono.

- Para expresar **acuerdo parcial** con la hipótesis expresada se usa la estructura:

  Sí, quizá/es posible/es probable/a lo mejor/tal vez, pero + hipótesis

  –Sí, tal vez, pero solo se retrasa diez minutos. Igual ha calculado mal el tiempo, el metro a esta hora pasa con menos frecuencia.

- Para expresar **desacuerdo** con la hipótesis expresada se usa la estructura:

  No, yo no lo creo/no es posible/es imposible... + hipótesis

  –No, no lo creo. Sabía perfectamente que era hoy. A lo mejor le ha surgido algún imprevisto. Vamos a esperar un poco.

3. Confirmar una realidad o desmentirla

- Para decir que algo es cierto y está demostrado, es decir, para confirmar una realidad, se usan las siguientes expresiones seguidas de *que* + indicativo:
  - **Ser + evidente/obvio/cierto/verdad...**
    –Es evidente que cada vez dependemos más de la tecnología.
    –Es obvio que hoy en día comemos peor de lo que comían nuestros padres.
  - **Está + claro/demostrado...**
    –Está claro que no podemos explicar algunos fenómenos paranormales.
- Estas expresiones, usadas en forma negativa, desmienten la información dada; por este motivo, se construyen con subjuntivo. Para que esto ocurra, la negación debe ir delante de la expresión en la oración principal.
  *–**No** está claro que haya sido él el culpable./Está claro que **no** ha sido él el culpable.*
  *–**No** es verdad que no haya estudiado para el examen./Es verdad que **no** he estudiado para el examen.*

4. Pretérito perfecto de subjuntivo

- El pretérito perfecto de subjuntivo es un tiempo compuesto que se forma con el verbo **haber** en presente de subjuntivo y el participio del verbo principal.

	Presente de subjuntivo del verbo *haber*	Participio			Participios irregulares más comunes
		Trabajar	Beber	Vivir	
Yo	haya	trabajado	bebido	vivido	poner → puesto volver → vuelto morir → muerto hacer → hecho decir → dicho romper → roto escribir → escrito abrir → abierto ver → visto descubrir → descubierto componer → compuesto deshacer → deshecho
Tú	hayas				
Él/ella/usted	haya				
Nosotros/as	hayamos				
Vosotros/as	hayáis				
Ellos/ellas/ustedes	hayáis				

- Recuerda que el participio de los verbos compuestos es invariable en género y en número.
  *–Es probable que **Pedro** haya **venido**. Es probable que **Luisa y Susana** hayan **venido**.*
- El pretérito perfecto de subjuntivo es un tiempo del pasado que expresa acciones pasadas o terminadas dentro de un periodo de tiempo presente. Cuando el hablante usa este tiempo verbal, sitúa las acciones pasadas dentro o cerca del presente. Este tiempo tiene los mismos valores temporales que el pretérito perfecto de indicativo. Así, cuando el verbo de la oración principal exija la presencia de subjuntivo en la oración subordinada, el verbo irá en pretérito perfecto de subjuntivo:
  - *¿Sabes si **han salido** ya las notas del examen?*
  - *No sé, <u>no creo que</u> **hayan salido** todavía, lo hicimos hace menos de una semana...*
  - *Mira, me acaba de enviar un correo Pilar, dice que ya **han salido**. Vamos a mirarlas.*
  - ¡Qué nervios! <u>Espero que</u> ***hayamos aprobado***.

5. Uso del verbo *ser* para expresar el lugar de un acontecimiento

Cuando expresamos el lugar de un evento o acontecimiento, usamos el verbo **ser**. En este caso, **ser** es sinónimo de **suceder**, **tener lugar** o **celebrarse**.

–La boda de mis padres fue en Barcelona y la de mis tíos fue en Madrid.
–El próximo concierto de la estrella del pop será en la Sala Galileo.

1. El futuro perfecto

- El futuro perfecto se construye con el futuro imperfecto del verbo **haber** más el participio del verbo principal.

	Futuro imperfecto del verbo *haber*	Participio		
		Trabajar	Beber	Vivir
Yo	habré	trabajado	bebido	vivido
Tú	habrás			
Él/ella/usted	habrá			
Nosotros/as	habremos			
Vosotros/as	habréis			
Ellos/ellas/ustedes	habrán			

Participios irregulares más comunes

poner → puesto
volver → vuelto
morir → muerto
hacer → hecho
decir → dicho
romper → roto
escribir → escrito
abrir → abierto
ver → visto
descubrir → descubierto
componer → compuesto
deshacer → deshecho

Recuerda que el participio de los verbos compuestos es invariable en género y en número.

—*Cuando empiece la clase, **Pedro** ya habrá **llegado**.*

—*Cuando empiece la clase, **Luisa y Susana** ya habrán **llegado**.*

El futuro perfecto se usa para:

- Hablar de acciones futuras que estarán terminadas en el momento futuro del que hablamos.
  —*Mañana a las dos ya habré terminado de pintar la casa.*
  —*A final de mes habré ahorrado cien euros.*
- También lo usamos para formular hipótesis sobre un tiempo pasado, pero reciente. En este caso tiene el mismo valor temporal que el pretérito perfecto de indicativo.
  —*Esta mañana no ha llamado mi hermana. Habrá salido con mis sobrinos.*

2. Expresar hipótesis con futuro y condicional

- Para hacer hipótesis en un tiempo presente podemos utilizar el **futuro imperfecto**:
  - *¿Sabes dónde está la profesora?*
  - *Estará haciendo fotocopias.*
- Para formular hipótesis sobre un tiempo pasado, pero reciente, utilizamos el **futuro perfecto**:
  - *¿Sabes dónde ha ido la profesora?*
  - *Habrá ido a hacer fotocopias.*
- Para formular hipótesis sobre un tiempo pasado, usamos el **condicional simple**:
  - *¿Sabes dónde estuvo ayer la profesora?*
  - *Pues no sé, iría a hacer fotocopias, como siempre.*

3. Para reforzar o negar una hipótesis

- Para **responder con seguridad** puedes usar:
  (Estoy) seguro/a. Segurísimo. Sin ninguna duda.
- Para **negar con decisión** puedes usar:
  ¡Jamás! ¡Qué dices! ¡Ni hablar!
- Para **afirmar con decisión** puedes usar:
  ¡Por supuesto! ¡Hombre, claro! ¡Sí, sí!

1. Expresar causa y finalidad. *Por, para* y otros conectores

- Para expresar **la finalidad** o **el propósito** de una acción, usamos las oraciones subordinadas finales introducidas por un conector final.
  - **Para** es el conector más usual.
    - *—Estoy ahorrando para hacer un viaje por Asia.*
    - *—He comprado estos aguacates para hacer guacamole.*
  - En contextos formales se usan también las locuciones **a fin de, con el fin de, con el objeto de**.
    - *—Los enfermos crónicos deben vacunarse a fin de evitar complicaciones posteriores.*
    - *—El ayuntamiento ha aumentado la frecuencia de trenes en el metro durante las fiestas con el fin de evitar aglomeraciones.*
    - *—La empresa ha realizado un exhaustivo estudio de mercado con el objeto de conocer los intereses de los potenciales clientes.*
  - Con verbos de movimiento (*ir, venir, entrar, salir, subir*...) se expresa finalidad con la preposición **a**.
    - *—He ido a la consulta del médico a recoger los resultados de los análisis.*
    - *—He venido a que me expliques por qué estás enfadado con nosotros.*
    - *—Al escuchar el ruido, todos hemos salido a la calle a ver qué había pasado.*
- Todos estos conectores se construyen con infinitivo cuando el sujeto de las dos oraciones es el mismo y con *que* + subjuntivo cuando los sujetos son diferentes.
  - *—He venido para preguntar por los cursos de español.*
  - *—He venido para que me informen sobre los cursos de español.*
  - *—Han ampliado el plazo de matrícula a fin de facilitar la inscripción de todos los interesados.*
  - *—Han ampliado el plazo de matrícula a fin de que todos los interesados puedan inscribirse.*
- Para preguntar directa o indirectamente por la finalidad de una acción se utiliza ***¿Para qué...?/Para qué*** + indicativo. Las oraciones interrogativas, directas o indirectas, siempre se construyen con indicativo.
  - *– ¿Para qué me has llamado esta tarde?*
  - *– No sé para qué habrá traído todos estos libros. Igual tiene que preparar un trabajo.*
- Para expresar la **causa** o el **motivo** de una acción, usamos las oraciones subordinadas causales introducidas por un conector causal. El conector más usual es **porque**.
  - *—No pudo entrar a la fiesta porque iba en zapatillas de deporte.*
  - Otros conectores causales son **como, por, debido a que**... (Ver unidad 7).

2. Contraste causa/finalidad

- Es importante poder diferenciar causa y finalidad porque son conceptos muy cercanos.
  Para distinguir entre la causa y la finalidad se debe tener en cuenta la relación temporal entre las acciones.
  - La causa es **anterior** a la consecuencia.
    - *—A Isabel no la dejaron hacer el examen por llegar tarde.* (Primero llega tarde y después no la dejan entrar).
  - La finalidad es **posterior**.
    - *—Mónica se ha marchado de casa muy pronto para llegar puntual al examen.* (Primero sale de casa y después llega al examen).
- Las frases finales con **para** expresan también intencionalidad por parte del hablante. Estas frases pueden transformarse en causales añadiendo el matiz de la intencionalidad.
  - *—Mónica se ha marchado de casa muy pronto* ***porque quería*** *llegar puntual al examen.*

3. Otros usos de *por* y *para*

- Otros usos de **por**, además de la causa, son:
  - Precio.
    —Ya no quedan entradas por menos de 80 euros. ¡Es que las teníamos que haber comprado antes!
  - Cambio.
    —Creo que voy a cambiar esta falda por el vestido, me lo voy a poner más.
    —Yo no puedo ir a la conferencia, le he dicho a Pedro que vaya por mí.
  - Medio.
    —He estado toda la tarde hablando con mi madre por Skype.
    —Disculpe, pero todas las reclamaciones deben hacerse por escrito.
  - Tiempo aproximado.
    —Yo creo que fue por junio o julio cuando vinieron a visitarnos, ¿no?
  - Localización espacial indeterminada. Puede referirse también a un lugar por el que se pasa de largo para ir a otro sitio.
    —Esta mañana pasé por tu barrio, pero, como sabía que estabas trabajando, no te llamé.
    —Si pasas por una ferretería, ¿te importa comprar una bombilla? Esta se acaba de fundir.

- Otros usos de **para**, además de la finalidad, son:
  - Destino.
    —Yo me voy ya para casa. La verdad es que estoy un poco cansado.
    —Yo voy para el centro. ¿Quieres que te acerque a tu casa?
  - Plazo de tiempo.
    —Estos deberes son para la semana que viene, no para mañana. Así que luego no digáis que no habéis tenido tiempo de hacerlos.
    —¿Para cuándo has dicho que necesitas el informe? Ando bastante liado...
  - Opinión.
    —Para mí, esta no es la solución al problema. Algo arregla, sí, pero el problema sigue existiendo.
    —Para mí que Pedro y Juan se han enfadado, ya nunca los veo bromear juntos.
  - Capacidad.
    —Esta sala es demasiado pequeña, solo tiene capacidad para 60 personas. Hay que buscar otra.
  - Destinatario.
    —La escuela celebra una fiesta de despedida para todos los alumnos que finalizan sus clases.
  - Comparación.
    —Para ciudad bonita, Granada. No te puedes ir de España sin visitarla.
    —A mí me sale muy bueno el gazpacho, pero para gazpacho bueno, el de mi abuela.

4. Otros conectores del discurso

Recuerda que los conectores del discurso sirven para ordenar la información que se ofrece en un texto oral o escrito, como puede ser una carta de motivación o de presentación.

- Para **ordenar** la información:
  - **En primer lugar, para empezar, por una parte**
    —En primer lugar, me gustaría presentarles a nuestro nuevo colaborador en la empresa.
    —Por una parte, pienso que no es suficiente con estudiar tan solo una carrera...
- Para **introducir un nuevo argumento** o idea:
  - **Referente a, respecto a, en relación con, en cuanto a, por otra parte**
    —Respecto al tema del horario, tengo entera disposición tanto para el turno de mañana como para el de tarde.
    —En relación con mis estudios, estoy cursando el último curso en la Facultad de Derecho de Granada.
    —En cuanto a la experiencia previa, estuve realizando unas prácticas durante los meses de verano en una escuela de idiomas.

CONTINÚA

- Para **continuar** con la siguiente idea o **añadir** información:
  - **En segundo/tercer lugar, además, asimismo**

    —En segundo lugar, querría preguntarles si hay alguna posibilidad de asistir a clases en horario de tarde.

    —Además, con respecto a mis estudios, estoy cursando un máster en la Universidad Complutense.

- Para introducir una **idea que se opone** o **contrasta** con lo que hemos dicho antes:
  - **Pero, sin embargo**

    —Siempre he querido realizar este curso, pero hasta ahora mis horarios no me lo han permitido.

    —He aprendido mucho en la carrera, sin embargo, creo que necesito especializarme cursando algún máster.

- Para expresar **causa**:
  - **Porque, ya que, puesto que, por eso, por esa razón**

    —Otros compañeros me han hablado muy bien de esta escuela, por eso me gustaría recibir información sobre sus cursos.

    —Ya que voy a estar en España todo un año, pienso que el curso más adecuado para mí sería un extensivo.

- Para expresar un **inconveniente** u **obstáculo** que no impide que la acción principal se cumpla:
  - **Aunque, a pesar de que**

    —Aunque en un principio me interesó el Derecho Mercantil, pronto me di cuenta de que prefería el Derecho Laboral.

    —A pesar de que todavía no cuento con demasiada experiencia, creo que doy con el perfil que están buscando.

- Para **concluir**:
  - **Por último, finalmente, en definitiva, para terminar, en conclusión**

    —Por último, quisiera agradecerles el interés mostrado en mi solicitud...

    —Para terminar, me gustaría solicitarles el envío de su último catálogo a mi dirección de correo.

5. Contraste *qué/cuál*

- Usamos **qué** para preguntar por el significado o la definición de algo, para elegir un elemento de un grupo heterogéneo, o para preguntar por un objeto o persona.

  —¿Qué es el salmorejo?

  —¿Qué significa añoranza?

  —¿Qué tipo de libros te gusta leer?

  —¿Qué teléfono te vas a comprar al final?

- Usamos ***cuál*** para preguntar por el nombre de algo y para elegir un elemento de un grupo homogéneo.

  —¿Cuál es la capital de España?

  —¿Cuál es tu canción favorita?

- **Qué** es invariable, mientras que para **cuál** existe la forma correspondiente en plural **cuáles**.

  —¿Cuáles son las ciudades españolas que has visitado?

  —¿Cuáles son tus canciones favoritas?

- Una forma de distinguir entre **qué** o **cuál** cuando preguntamos por algo específico, es recordar estas estructuras:
  - ***Qué*** + nombre

    —¿Qué libro te estás leyendo ahora?

  - ***Cuál*** + verbo/preposición

    —¿Cuál es el libro que te estás leyendo ahora?

    —¿Cuál de estos libros te estás leyendo ahora?

1. Las perífrasis verbales

Las perífrasis verbales son expresiones compuestas por un verbo seguido del infinitivo, del gerundio o del participio de otro verbo, introducido o no por una preposición. La unión de estos elementos da una intención comunicativa diferente a la acción expresada por ese infinitivo, gerundio o participio.

- Perífrasis de **infinitivo**:
  - ***Llevar sin*** + infinitivo: indica la cantidad de tiempo que hace que alguien no realiza una acción.
    –Llevo sin hablar con él más de dos meses.
  - ***Dejar de*** + infinitivo: indica la interrupción de una acción.
    –He dejado de trabajar en esa empresa.
  - ***Tener que*** + infinitivo: expresa la necesidad u obligación de realizar una acción.
    –Tenemos que preparar las maletas del viaje.
  - ***Deber de*** + infinitivo: expresa la probabilidad de la realización de una acción.
    –Ángel debe de estar enfermo, por eso no ha venido.
  - ***Deber*** + infinitivo: indica la obligación de la realización de una acción.
    –Marta debe acudir al médico, tose mucho.
  - ***Poder*** + infinitivo: expresa la posibilidad de la realización de una acción.
    –¿Puedo abrir la ventana para airear la sala?
  - ***Ir a*** + infinitivo: expresa la intención de la realización de una acción.
    –Va a coger un vuelo a París.
  - ***Volver a*** + infinitivo: indica la repetición o reanudación de una acción.
    –Ellos volvieron a encontrarse después de cinco años sin contacto alguno.
  - ***Acabar de*** + infinitivo: expresa la realización de una acción inmediatamente anterior al momento en que se produce el discurso.
    –Acabo de ver a los niños. Están estupendos.
  - ***Seguir sin*** + infinitivo: indica la constatación de la no realización de una acción ya intentada anteriormente.
    –Sigo sin entender cómo se hace este ejercicio.
- Perífrasis de **gerundio**:
  - ***Llevar*** + gerundio + expresión de tiempo: indica la cantidad de tiempo que alguien o algo ha ocupado en realizar una acción.
    –Llevan estudiando español tres años.
  - ***Seguir, andar*** + gerundio: expresa la continuidad e insistencia de una acción.
    –Sigo estudiando español desde los trece años.
  - ***Acabar*** + gerundio: expresa la realización final de una acción después de un proceso largo o difícil.
    –Tuvo tanto éxito que acabó ganando un Óscar.
- Perífrasis de **participio**:
  - ***Dejar*** + participio: expresa la realización de una acción en su totalidad.
    –Dejó rodada la película antes de retirarse.
  - ***Dar por*** + participio: indica la finalización de una acción que podría continuar.
    –Ha dado por finalizada la explicación del subjuntivo.
  - ***Llevar*** + participio: expresa la realización parcial de una acción.
    –Lleva leídas 200 páginas del libro, pero todavía le quedan 200 más, es larguísimo.

UNIDAD 12: VIAJA CON NOSOTROS

1. Oraciones consecutivas con indicativo/subjuntivo

Para expresar la consecuencia de una acción utilizamos las oraciones subordinadas consecutivas. Normalmente aparecen en el modo indicativo y van introducidas por un conector consecutivo.

Conectores consecutivos

- Algunos de los conectores más usados son: **entonces, por lo tanto, de manera/forma/modo que, así que, por eso, o sea que, luego, por lo que, por consiguiente...**
  - *—Hoy no he podido ir al supermercado, entonces tendré que ir mañana sin falta porque no tengo nada en la nevera.*
  - *—Ha llegado tarde, por lo tanto deberá esperar a que atiendan al resto de pacientes.*
  - *—Empezó a llover a mares y no llevaba paraguas, de manera que he llegado al trabajo empapada.*
  - *—Cuando llegamos al restaurante que me recomendaste, estaba cerrado por vacaciones, así que tuvimos que ir a otro.*
  - *—Para variar no ponían nada interesante por la tele, o sea que al final pusimos una película, como siempre.*
  - *—Tengo que salir de viaje, por consiguiente, tendremos que aplazar la reunión hasta mi regreso.*

- En ocasiones, en las oraciones consecutivas, se utiliza el **imperativo**. En estos casos, la consecuencia se entiende como una petición, una orden o una sugerencia.
  - *—Lo siento, este grupo ya se ha cerrado, así que esperen aquí, si son tan amables, hasta que se forme el siguiente grupo.*
  - *—Sabes que no te has portado bien, de modo que ve pensando cómo lo vas a solucionar.*

- Algunos de estos conectores se construyen con subjuntivo cuando se quiere añadir un matiz de finalidad.
  - *—Déjalo todo listo de manera que solo tengamos que coger las maletas cuando lleguemos. = Déjalo todo listo para que solo tengamos que coger las maletas cuando lleguemos.*

- El conector **de ahí que** se usa solo con el modo subjuntivo.
  - *—Tiene muy mal genio, de ahí que ningún vecino quiera tratos con él.*

- También se usa el subjuntivo en las oraciones consecutivas cuya oración principal está en forma negativa. En estos casos el uso del subjuntivo le da también un matiz de finalidad.
  - *—Lucía, no hagas el trabajo tan rápido, de forma que luego tengas que repetirlo.*

2. Las estructuras consecutivas con valor intensificativo

- También llevan indicativo las estructuras consecutivas con matiz intensificativo:
  - ***Tanto/a/os/as*** + nombre + ***que***
    - *– Hace tanto frío que creo que voy a encender un rato la calefacción.*
    - *—¡Mira! Hay tantas olas que no nos vamos a poder bañar.*
  - ***Tan*** + adjetivo + ***que***
    - *—Estoy tan cansada que creo que voy a pasarme todo el fin de semana durmiendo.*
    - *—Estos collares son tan bonitos que no sé por cuál decidirme.*
  - Verbo + ***tanto*** + *que*
    - *—Este chico habla tanto que al final no sabe ni lo que ha dicho.*

- Al igual que otros conectores y estructuras consecutivas, estas oraciones se construyen con subjuntivo si la oración principal es negativa. En estos casos, también se suele añadir **como para**.
  - *– No hace tanto frío como para que enciendas la calefacción, lo que pasa es que no vas abrigado.*

- Muchas veces, en la lengua hablada, para reforzar la idea de intensificación, repetimos las partículas comparativas. Es algo muy frecuente en los chistes, por ejemplo:
  - *—Era un hombre tan bajito, tan bajito, tan bajito, que en lugar de viajar en metro viajaba en centímetro.*
  - *—Hacía tanto calor, tanto calor, que nos metimos debajo de una fuente para refrescarnos.*

3. Usos del pronombre *se*

- Se usa el pronombre **se** para conjugar los verbos **reflexivos** en las terceras personas del singular y del plural. Estos verbos comunican que la acción desempeñada por el sujeto recae sobre sí mismo (*lavarse, vestirse, parecerse...*).

  —Yo me ducho por las mañanas, pero mi hermano se ducha por las noches.

  —Mi hijo se viste tan despacio que después tenemos que correr para no llegar tarde al colegio.

  —Este bolso se parece a uno que tienes tú, ¿no?

  - Algunos de estos verbos cambian o matizan su significado según se usen como reflexivos o no.

    —Carlos y Ana han quedado para ir al cine. (Se han citado).

    —Carlos se ha quedado en casa todo el fin de semana estudiando. (No ha salido de casa).

    Otros verbos: **fijar/fijarse; centrar/centrarse, fiar/fiarse, parecer/parecerse, volver/volverse, entender/entenderse...**

    —Han fijado la reunión para el día 26 de junio. (Determinar/precisar una fecha).

    —Todos se han fijado en él cuando ha entrado. (Mirar con atención).

    —Centra un poco más el cuadro, queda muy a la esquina. (Colocar en el centro).

    —El tema de la reunión se centrará en la aprobación de los presupuestos para el próximo año. (Tratará principalmente).

- ***Se*** + verbo en tercera persona del singular o del plural equivale a una oración pasiva cuando consideramos que referirse al sujeto activo no es importante: *se alquila, se vende, se explica, se sabe...* en lugar de *es alquilado, es vendido, es explicado, es sabido...*

  —Esta semana se inaugura una nueva sala de conciertos en la capital.

  —Los primeros resultados de las votaciones se conocerán una vez cerrados los colegios electorales.

  —Se produjeron algunos destrozos en el mobiliario urbano después de la manifestación.

- Se usa el pronombre **recíproco se** para expresar una acción de intercambio mutuo (*escribirse, verse, comunicarse, hablarse...*).

  —Laura y Nacho se conocieron cuando tenían veinte años, pero nunca se han casado.

  —Mis hijos, con el móvil, solo se comunican por WhatsApp. Creo que solo hablan por teléfono cuando yo los llamo.

- Usamos **se** en lugar de **le** o **les** para referirnos al objeto indirecto cuando en la oración hay también otro pronombre de objeto directo (**lo, la, los, las**).

  ● *¿Tienes mis entradas?*

  ○ *Sí, se las di a Marta, las tiene ella.*

  —Me alegro mucho de que te hayan ascendido, ¿se lo has dicho ya a los demás?

GLOSARIO

UNIDAD 1

En tu idioma

Académico/a: **adj.** Perteneciente o relativo a centros oficiales de enseñanza.

Adaptarse: **v. prnl.** Acomodar, ajustar algo a otra cosa.

Agredir: **v. tr.** Cometer agresión.

Allegado/a: **adj.** Persona próxima a otra en parentesco, amistad, trato o confianza.

Amordazar: **v. tr.** Tapar la boca con algo.

Anécdota: **f.** Relato breve de un hecho curioso que se hace como ilustración, ejemplo o entretenimiento.

Audiencia: **f.** Público que atiende los programas de radio y televisión, o que asiste a un acto o espectáculo.

Averiguar: **v. tr.** Buscar la verdad hasta descubrirla.

Bronca: **f.** Discusión violenta.

Cartel: **m.** Papel u otra materia donde hay inscripciones o figuras y que se exhibe con fines informativos o publicitarios.

Cerradura: **f.** Parte de la puerta que sirve para cerrar con una llave.

Coartada: **f.** Argumento de inculpabilidad de un acusado por hallarse en el momento del crimen en otro lugar.

Compaginar: **v. tr.** Hacer dos cosas al mismo tiempo.

Declarar: **v. tr.** Decir lo que se sabe ante la policía sobre un suceso.

Denunciar: **v. tr.** Notificar oficialmente el estado irregular o ilegal de algo.

Divergencia: **f.** Diversidad de opiniones.

Engaño: **m.** Falta de verdad en lo que se dice o hace.

Experiencia: **f.** Circunstancia o acontecimiento vivido por una persona.

Familia de acogida: **f.** Familia que se compromete a cuidar de un niño o adolescente hasta que pueda regresar con su familia biológica.

Gesticular: **v. intr.** Hacer gestos.

Incremento: **m.** Aumento.

Inscribirse: **v. prnl.** Apuntarse a algo para participar.

Inspector/a: **m. y f.** Persona que reconoce o examina algo.

Institución: **f.** Organismo público.

Interrogar: **v. tr.** Hacer una serie de preguntas para aclarar un hecho o sus circunstancias.

Lengua oficial: **f.** Idioma que usa un país en la administración.

Lenguaje coloquial: **m.** Lengua que se utiliza en una conversación natural.

Madrugada: **f.** Tiempo posterior a la medianoche y anterior al amanecer.

Matrícula de honor: **f.** Nota mayor a la de sobresaliente, que se concede en los exámenes y da derecho a una matrícula gratuita en el curso siguiente.

Mudarse: **v. expr.** Cambiarse de domicilio.

Nativo/a: **adj.** Nacido en ese lugar.

Paraje: **m.** Lugar, sitio.

Patas arriba: **expr.** Desordenado/a.

Perfeccionar: **v. tr.** Mejorar algo o hacerlo más perfecto.

Ponerse rojo/a: **expr.** Ruborizarse.

Rastro: **m.** Señal o indicio.

Robo: **m.** Cosa sustraída a alguien.

Sospechar: **v. tr.** Desconfiar, dudar.

Sospechoso/a: **adj.** Persona cuya conducta inspira desconfianza.

Viandante: **m.** Persona que va a pie por la calle.

Víctima: **f.** Persona que muere o sufre algún daño por culpa de otro o por accidente.

En tu idioma

Acción humanitaria: **f.** Labor de ayuda a los demás y preocupación por ellos.
Acción preventiva: **f.** Labor para prevenir un mal o peligro.
Acoger: **v. tr.** Admitir a alguien en su casa o compañía.
Altruista: **adj.** Que actúa solo por el interés de conseguir el bien de los demás.
Beneficioso/a: **adj.** Provechoso, útil.
Brindar: **v. tr.** Ofrecer voluntariamente alguna cosa a alguien.
Brújula: **f.** Instrumento para determinar cualquier dirección de la superficie terrestre por medio de una aguja imantada que siempre marca los polos magnéticos norte-sur.
Cerrarse: **v. prnl.** No querer relacionarse con los demás.
Cirujano/a: **m.** Médico/a que realiza operaciones.
Compromiso: **m.** Promesa de casarse.
Conflicto bélico: **expr.** Guerra.
Convertir: **v. tr.** Hacer que alguien o algo se transforme en algo distinto de lo que era.
Correa: **f.** Tira de cuero.
Derrumbar: **v. tr.** Destruir.
Desafío: **m.** Reto.
Desastre natural: **m.** Suceso de la naturaleza que produce daño o mucha destrucción.
Echar de menos: **expr.** Sentir pena por la falta de algo.
Efectos secundarios: **expr.** Consecuencia indirecta y generalmente adversa del uso de un medicamento o terapia.
Estar dispuesto/a: **expr.** Encontrarse con ánimo favorable para realizar algo.
Eutanasia: **f.** Acción de provocar la muerte a un enfermo incurable para evitarle mayores sufrimientos físicos y psíquicos.
Factura: **f.** Papel donde aparece escrito la cantidad de dinero que una persona ha pagado por algo.
Fragilizar: **v. tr.** Hacer frágil o fácil de romper.
Gasto: **m.** Cantidad de dinero que se emplea en comprar o pagar algo.
Homeópata: **m.** y **f.** Especialista en homeopatía (sistema curativo que trata de sanar las enfermedades aplicando las mismas sustancias que producirían síntomas iguales o parecidos a los que se trata de combatir).
Huir: **v. intr.** Escapar de un lugar.
Inclusión: **f.** Inserción.
Irreconciliable: **adj.** Que no quiere o no puede reconciliarse con otro.
Lienzo: **m.** Tela preparada para pintar sobre ella.
Meta: **f.** Deseo u objetivo final de alguien.
Mitigar: **v. tr.** Disminuir, suavizar.
Parto: **m.** Nacimiento de un bebé.
Perder los privilegios: **expr.** Dejar de disfrutar de unas ventajas que no tiene todo el mundo.
Perjudicial: **adj.** Nocivo, perjudicial para el cuerpo.
Pionero/a: **adj.** Que hace algo antes que los demás.
Política de transparencia: **expr.** Obligación de los gobiernos de dar cuenta a los ciudadanos de todos sus actos, especialmente del uso del dinero público para prevenir los casos de corrupción.
Ponerse de acuerdo: **expr.** Llegar dos partes a la misma opinión.
Precario/a: **adj.** Que no posee los medios o recursos suficientes.
Prever: **v. tr.** Suponer algo que va a pasar.
Privilegio: **m.** Ventaja exclusiva o especial que goza alguien.
Quemado/a: **adj.** Persona que ha sufrido heridas por la acción del fuego o por calor excesivo.
Remedio: **m.** Lo que sirve como solución contra un mal.
Respetuoso/a: **adj.** Que muestra atención, cuidado o buena educación.
Sacrificio: **m.** Renuncia o privación que se hace en favor de algo o de alguien.
Siniestralidad: **f.** Daños y accidentes.
Sobrellevar: **v. tr.** Ayudar a sufrir los trabajos o molestias de la vida.
Toxicómano/a: **adj.** Persona que consume habitualmente drogas y depende de ellas.
Trabajo precario: **expr.** Trabajo que no es seguro o que dura poco.

Trámite: **m.** Acción que se realiza para conseguir algo.
Vara: **f.** Palo largo y delgado.
Víctima: **f.** Persona que padece daño por culpa ajena o por causa fortuita.
Vulnerable: **adj.** Que puede ser herido o afectado por algo.

UNIDAD 3

En tu idioma

Acumulación: **f.** Reunión de gran cantidad de cosas o de personas.
Alquilar: **v. tr.** Dar o tomar algo para su uso durante un tiempo determinado a cambio del pago de una cantidad.
Anfitrión/ona: **adj.** Persona que tiene invitados en su casa.
Ansiedad: **f.** Sentimiento de preocupación, inquietud o excitación provocado por algo.
Atenuante: **adj.** Que disminuye la gravedad de algo, que le quita importancia.
Barrer: **v. tr.** Quitar del suelo el polvo, la basura, etc. con la escoba.
Bolsillo: **m.** Dinero del que dispone una persona.
Calmar: **v. tr.** Sosegar, tranquilizar. Reducir la fuerza de algo para que se sienta menos.
Carencia: **f.** Falta o privación de algo.
Confusión: **f.** Situación de una persona que no sabe cómo actuar.
Convivencia: **f.** Acción de vivir en compañía de otras personas.
Cuero: **m.** Piel de los animales que se utiliza para fabricar prendas de vestir, bolsos u otros objetos.
Decepción: **f.** Pérdida de la ilusión o de la esperanza a causa de un desengaño.
Depender: **v. intr.** 1. Estar bajo el poder o bajo la autoridad de algo. 2. Ocurrir algo si se da determinada condición.
Descalzarse: **v. intr.** Quitarse los zapatos.
Descortés: **adj.** Que no es amable ni muestra educación o respeto hacia otras personas.
Desorden: **m.** Falta de orden o de organización.
Emanciparse: **v. prnl.** Hacerse independiente o liberarse de aquello de lo que se depende.
Enfado: **m.** Disgusto o irritación que se siente por algo.
Estar en el paro: **expr.** Estar desempleado, sin trabajo.
Estar harto (de): **expr.** Estar cansado o aburrido de una situación que nos molesta.
Estar (muy) liado/a: **expr.** Tener muchos asuntos o cosas que hacer al mismo tiempo.
Exigencia: **f.** Acción y efecto de exigir. Petición imperiosa de algo a lo que se tiene derecho.
Fregar los platos: **expr.** Tarea doméstica que consiste en limpiar los utensilios para comer o cocinar con estropajo, agua y jabón.
Frenazo: **m.** Acción de frenar súbita y violentamente.
Hacer la cama: **expr.** Tarea doméstica que consiste en colocar bien las sábanas o la ropa de cama después de haber dormido.
Impotencia: **f.** Falta de fuerza o poder para hacer algo.
Incertidumbre: **f.** Inseguridad. No tener conocimiento claro y seguro de algo.
Incorporarse al mercado laboral: **expr.** Empezar a trabajar.
Independizarse: **v. prnl.** Irse a vivir fuera del núcleo familiar dejando de depender de los padres.
Indiferencia: **f.** Lo que sentimos cuando algo no nos importa o no le damos importancia.
Inestabilidad: **f.** Falta de seguridad o estabilidad.
Ir camino de (voy camino de los treinta): **expr.** Acercarse.
Llevarse bien (con): **expr.** Congeniar, tener buena relación dos o más personas.
Mejilla: **f.** Cada una de las dos partes de la cara situadas debajo de los ojos y a los lados de la nariz.
Mensual: **adj.** Que sucede o se repite cada mes.
Meterse en la vida de alguien: **expr.** Introducirse inoportunamente en la vida de otras personas, juzgándola o dando la opinión sin que se le pida.
Mudanza: **f.** Cambio que se hace de una casa a otra transportando muebles y pertenencias.
Pareja: **f.** Conjunto de dos personas que tienen una relación sentimental estable.
Pasar la aspiradora: **expr.** Tarea doméstica que consiste en limpiar la moqueta, el suelo u otra superficie con una aspiradora (aparato eléctrico que absorbe la suciedad).

Pasar vergüenza: **expr.** Sentirse mal por algo que no nos parece digno o que nos hace sentir incómodos.
Paternidad: **f.** Estado del hombre que es padre.
Peatonal: **adj.** Dicho de una zona o calle reservada para las personas que van a pie (peatones).
Planchar: **v. tr.** Tarea doméstica que consiste en quitar las arrugas a la ropa con una plancha caliente.
Regar las plantas: **expr.** Echar agua a las plantas para que vivan y crezcan.
Regresar: **v. intr.** Volver al lugar de donde uno se marchó.
Retribuir un trabajo: **expr.** Pagar un servicio o trabajo.
Reversibilidad residencial: **expr.** Volver al hogar de los padres.
Rogar: **v. tr.** Pedir algo de forma educada o como un favor. Suplicar.
Rotundo/a: **adj.** Claro, firme, que no ofrece dudas.
Sartén: **f.** Recipiente de cocina, generalmente de metal, de forma circular, poco hondo y con mango largo que sirve para freír o guisar.
Sirvienta/e: **adj.** Persona que sirve a otra, generalmente en las tareas del hogar.
Sobremesa: **f.** Tiempo que se está en la mesa charlando después de haber comido.
Tender la ropa: **expr.** Tarea doméstica que consiste en extender al aire o al sol la ropa mojada para que se seque.
Terraza: **f.** Parte abierta de una casa que da al exterior.
Traslado: **m.** Mudanza, acción de llevar a alguien o algo de un lugar a otro.
Trayectoria: **f.** Curso que sigue el comportamiento de una persona a lo largo del tiempo.
Vivir por su cuenta: **expr.** Vivir de forma independiente, sin la ayuda de nadie.
Volver al nido: **expr.** Regresar al hogar paterno.

UNIDAD 4

En tu idioma

Adivinanza: **f.** Juego que consiste en descubrir la solución de un enigma o acertijo.
Adepto/a: **adj.** Afiliado o seguidor de alguna persona, idea o movimiento.
Adrenalina: **f.** Sustancia que produce el organismo en momentos de mucha tensión y que hace que los latidos del corazón se aceleren.
Adscribirse: **v. prnl.** Inscribirse, entrar a formar parte de un grupo o movimiento con determinadas ideas.
Agobio: **m.** Sensación de angustia que nos produce un problema o situación cuando creemos que no la podemos resolver o evitar.
Ahorrar: **v. tr.** Evitar un gasto o consumo mayor.
Aire acondicionado: **m.** Aparato que permite regular la temperatura de un espacio cerrado.
Aldea: **f.** Pueblo pequeño.
Alojamiento: **m.** Lugar donde una persona o grupo de personas vive provisionalmente, normalmente cuando viaja (hotel, hostal...).
Aparcar: **v. tr.** Estacionar, dejar un vehículo en un lugar habilitado para ello.
Aversión: **f.** Fuerte sensación de rechazo que se siente hacia algo o alguien.
Calefacción: **f.** Conjunto de aparatos destinados a calentar un edificio o parte de él.
Canoa: **f.** Barco de remos, pequeño, estrecho, alargado y de poco peso.
Chimenea: **f.** Espacio preparado para encender fuego y calentar el interior de una vivienda o habitación, con un tubo para que salga el humo al exterior.
Coches de choque: **m. pl.** Atracción de feria que consiste en una plataforma metálica sobre la que ruedan y chocan pequeños coches con bandas protectoras de goma.
Cocina americana: **f.** Zona para cocinar que no está separada del salón o comedor por ningún muro.
Confianza: **f.** Seguridad que se tiene en alguien o algo.
Cordialidad: **f.** Trato amable.
Dar (a): **v. intr.** Dicho de una cosa: estar situada, mirar hacia una parte concreta.
Darse bien/mal (algo a alguien): **expr.** Tener facilidad o aptitud o no para hacer algo.
Desconectar: **v. intr.** Pensar en otra cosa distinta a las preocupaciones o pensamientos cotidianos. Evadirse.
Dibujos animados: **m. pl.** Película en la que los personajes y las imágenes están pintados.
Disponer (de): **v. intr.** Tener. Poder ofrecer.
Entorno: **m.** Ambiente o conjunto de cosas que nos rodean.
Esquiador/a: **m.** y **f.** Persona que practica el esquí. Deporte que consiste en deslizarse sobre la nieve, agua u otra superficie con una tabla o unos esquís.

Estar en pleno corazón: **expr.** Estar en la zona más céntrica de un lugar.

Garaje: **m.** Local destinado a guardar o a dejar aparcados los automóviles.

Globo: **m.** Vehículo que vuela formado por una especie de bolsa llena de gas, y por un cesto en el que van los viajeros y la carga.

Hacer senderismo: **expr.** Actividad deportiva que consiste en recorrer caminos por el campo.

Huésped: **m. y f.** Persona que se aloja en una casa o en otro tipo de alojamiento que no es el propio.

Jardín: **m.** Terreno donde se cultivan plantas y flores como adorno.

Jornada: **f.** Periodo de tiempo que equivale a 24 horas. Día.

Incidencia: **f.** Repercusión, efecto causado.

Lavadora: **f.** Electrodoméstico que sirve para lavar la ropa.

Lavavajillas: **m.** Electrodoméstico que sirve para lavar los platos.

Mareo: **m.** Sensación de perder el equilibrio y tener ganas de vomitar, a veces provocado por el movimiento de un vehículo o de una atracción de feria.

Mascota: **f.** Animal de compañía que normalmente se tiene en casa.

Mate: **m.** Infusión de yerba mate que se toma normalmente sola y, a veces, acompañada con yerbas medicinales o aromáticas.

Medalla: **f.** Premio que se concede en competiciones deportivas, certámenes, etc., metálica y de forma circular.

Montaña rusa: **f.** Atracción de feria que consiste en una vía estrecha con grandes subidas y bajadas por las que se deslizan carritos a gran velocidad.

Montañismo: **m.** Alpinismo. Deporte que consiste en subir a las montañas.

Mural: **m.** Obra que se coloca en una pared y que sirve de exposición e información sobre un tema.

Noria: **f.** Atracción de feria consistente en una gran rueda con asientos que gira verticalmente.

Paracaídas: **m.** Especie de saco que se extiende en el aire y modera la velocidad de la caída de una persona que salta de un avión.

Parque de atracciones: **m.** Lugar o recinto en el que hay atracciones de feria y otras instalaciones destinadas a la diversión y el entretenimiento.

Parque temático: **m.** Lugar o recinto recreativo o didáctico organizado en torno a un asunto o tema.

Patinar: **v. intr.** Deporte en el que uno se desliza con patines sobre el hielo o sobre un pavimento duro, llano y muy liso.

Pesca: **f.** Práctica de pescar, sacar o tratar de sacar del agua peces y otros animales.

Pintalabios: **m. pl.** Cosmético usado para colorear los labios.

Pintoresco/a: **adj.** Se dice de los paisajes, escenas, costumbres, etc., muy característicos y propios de un lugar.

Pleno/a: **adj.** Se dice de la parte central de algo (*En plena naturaleza:* en medio de la naturaleza).

Poner en remojo: **expr.** Mantener en agua, durante un cierto espacio de tiempo, algunos alimentos, como las legumbres, antes de consumirlos o cocinarlos.

Refrescarse: **v. prnl.** Quitarse el calor, normalmente con agua fría.

Registrarse: **v. prnl.** Darse de alta, apuntarse o matricularse en alguna página, curso, aplicación, web, etc.

Rural: **adj.** Perteneciente o relativo a la vida del campo y a sus labores.

Rústico/a: **adj.** Perteneciente o relativo al campo. Referido a los muebles, poco delicados o finos pero muy resistentes.

Ruta: **f.** Camino o itinerario fijado.

Sillas voladoras: **f. pl.** Atracción de feria que consiste en una estructura giratoria de la que cuelgan sillas que se levantan del suelo al ponerse en movimiento.

Techo: **m.** 1. Parte superior de un edificio, que lo cubre y cierra, o de cualquiera de las estancias que lo componen. 2. Casa, habitación o domicilio.

Tiovivo: **m.** Atracción de feria que consiste en varios asientos colocados en un círculo giratorio.

Torre de caída: **f.** Atracción de feria en la que se cae a gran velocidad desde una torre vertical de gran altura.

Visitante: **adj.** Persona que visita un lugar.

UNIDAD 5

En tu idioma

Activismo: **m.** Dedicación intensa a una determinada línea de acción en la vida pública.

Alcanzar: **v. tr.** Llegar hasta una cierta distancia.

Ampliar: **v. tr.** Aumentar el tiempo que dura o el tamaño de algo.

Anciano/a: **adj.** Persona muy vieja, de mucha edad.

Apreciar: **v. tr.** Sentir afecto o estima hacia alguien o hacia algo.

Asiento: **m.** Objeto o mueble que sirve para sentarse.

Azafrán: **m.** Planta de la que se extrae una sustancia anaranjada que se usa para dar color a las comidas.

Bastar *(con)*: **v. intr.** Ser suficiente.

Ciudadanía: **f.** Sociedad, conjunto de ciudadanos de un pueblo o nación.

Cola: **f.** Conjunto de personas colocadas en línea que esperan para algo.

Condimentar: **v. tr.** Dar gusto y sabor a las comidas con distintos alimentos como las especias.

Copa: **f.** Conjunto de ramas y hojas que forma la parte superior de un árbol.

Curdo-a/kurdo-a: **adj.** Natural del Curdistán, pueblo o nación repartido entre los Estados de Turquía, Irán, Iraq y Siria.

Dar rabia: **expr.** Sentir ira, enojo, enfado grande.

Decepcionar: **v. tr.** Sentir decepción o pérdida de ilusión por algo.

Democracia: **f.** Sistema de gobierno en el que el pueblo elige a sus gobernantes.

Desigualdad: **f.** Acción de no reconocer los mismos derechos para todos los ciudadanos.

Detalle: **m.** Regalo o gesto que se hace por cortesía, amabilidad, gratitud o afecto.

Detractor/a: **adj.** Adversario, persona que se manifiesta en contra de otra persona, idea u opinión descalificándola.

Dulce: **m.** Alimento compuesto con azúcar.

Echar una bronca: **expr.** Regañar a alguien, recriminarle por un comportamiento indebido.

Eje: **m.** Idea fundamental, tema predominante o central en torno al cual giran otros.

Embutido: **m.** Tipo de alimento que consiste en una tripa rellena de carne picada y especias.

Enorgullecer: **v. intr.** Llenarse de orgullo, de satisfacción, por algo propio que se considera muy bueno.

En torno a: **loc. prep.** Sobre, acerca de, alrededor de.

Entristecer: **v. intr.** Sentir tristeza.

Envidia: **f.** Deseo de tener lo que es de otros, enfado que se siente por la suerte de otros.

Escenario: **m.** Lugar en el que ocurre o se desarrolla un suceso.

Especia: **f.** Sustancia vegetal aromática que sirve de condimento en las comidas.

Evitar: **v. tr.** Apartar algún daño, peligro o molestia, impidiendo que suceda.

Fomentar: **v. tr.** Promover, excitar, impulsar o proteger algo.

Fórmula: **f.** Medio práctico propuesto para resolver o ejecutar un asunto difícil.

Garantizar: **v. tr.** Asegurar que se va a cumplir algo.

Globalización: **f.** Tendencia a extender a un plano internacional instituciones, economía y mercados, o modos y valores sociales.

Goloso/a: **adj.** Persona a la que le gusta mucho el dulce.

Gozar de: **v. tr.** Tener y poseer algo útil y agradable (buena salud, privilegios, etc.).

Guasca: **f.** Hierba que se utiliza para aromatizar algunas salsas y comidas.

Hallar: **v. tr.** Encontrar.

Heredar: **v. tr.** Recibir lo que nos deja una persona al morir.

Hervir: **v. tr./intr.** Calentar un líquido a más de cien grados.

Ilusión: **f.** Idea sin verdadera realidad, o que se hace creer sin que sea cierta.

Impactante: **adj.** Que impacta, que causa asombro o impresión.

Inadmisible: **adj.** Que no puede aceptarse por no ser justo o correcto.

Indignar: **v. tr.** Enfadar mucho algo que no se considera justo.

Ingrediente: **m.** Cada una de las sustancias con las que se prepara una comida.

Injusticia: **f.** Falta de justicia. Situación en la que no se le da a uno lo que le corresponde o pertenece.

Inquietud: **f.** 1. Sensación de intranquilidad, preocupación; 2. Interés que tiene una persona por conocer cosas nuevas.

Lanzar: **v. tr.** Promover la rápida difusión de algo nuevo.

Legumbre: **f.** Tipo de verdura cuyo fruto crece dentro de una especie de bolsa alargada.

Mansión: **f.** Casa muy grande y lujosa.

Medir: **v. tr.** Calcular.

Meme: **m.** Cualquier imagen o texto, a menudo de contenido humorístico, que se comparte viralmente en las redes sociales durante un periodo breve.

Miel: **f.** Sustancia viscosa, amarillenta y muy dulce, que producen las abejas con el néctar de las flores.

Originar: **v. tr.** Provocar, ser motivo de algo.

Ovni: **m.** Acrónimo de "objeto volador no identificado". Objeto que a veces se considera como una nave espacial de procedencia extraterrestre.

No ser para menos: **expr.** Expresión que sirve para justificar la intensidad de una acción o una creencia.

Palomitas: **f. pl.** Granos de maíz tostados y reventados.

Piratería: **f.** Reproducción, distribución o difusión de obras protegidas por el derecho de autor sin la autorización de este.

Plataforma: **f.** Conjunto de personas, normalmente representativas, que dirigen un movimiento reivindicativo.

Presumir *(de)*: **v. intr.** Sentirse orgulloso o superior por algo y hacerlo ver a los demás.

Promover: **v. tr.** Fomentar, excitar, impulsar algo.

Propiciar: **v. tr.** Facilitar, favorecer la ejecución de algo.

Proximidad: **f.** Cualidad de próximo, cercanía.

Recabar apoyos: **expr.** Conseguir, reunir ayudas o protección.

Reportero/a: **m. y f.** Periodista que se dedica a cubrir reportajes y noticias.

Riqueza: **f.** Gran cantidad de bienes y dinero que tiene una persona.

Sabiduría: **f.** Conocimiento profundo, grado más alto del saber.

Sabroso/a: **adj.** Delicioso, que tiene mucho y muy buen sabor.

Santuario: **m.** Templo en que se venera la imagen o reliquia de un santo con especial devoción.

Selva: **f.** Terreno extenso y sin cultivar muy poblado de plantas y árboles.

Sello: **m.** Trozo pequeño de papel que se pega a ciertos documentos para darles valor y eficacia.

Sensibilizado/a: **adj.** Que ha sido dotado de sensibilidad o que le han despertado sentimientos morales, estéticos, etc.

Soberbia: **f.** Sensación de creerse mejor que los demás.

Surgir: **v. tr.** Aparecer.

Talar: **v. tr.** Cortar por el pie un árbol.

Tarta: **f.** Pastel grande, generalmente redondo, relleno de crema, frutas, etc.

Tener fama de: **expr.** Ser conocido por algo. Opinión que la gente tiene de uno.

Tristeza: **f.** Sensación que se tiene cuando se está triste.

Tuiteo: **m.** Acción de *tuitear*. Mensaje enviado a través de la red social Twitter.

Turrón: **m.** Dulce, por lo general en forma de tableta, hecho de almendras, piñones, avellanas o nueces, tostado y mezclado con miel y azúcar.

Vanidad: **f.** Arrogancia, orgullo. Sensación de creerse mejor de lo que uno es.

Vergonzoso/a: **adj.** Tímido, que siente vergüenza o timidez con facilidad.

UNIDAD 6

En tu idioma

Abandonar: **v. tr.** Dejar una ocupación, un intento, un derecho, etc., emprendido ya.

Ahorros: **m. pl.** Dinero que se guarda como previsión para necesidades futuras.

Ajardinar: **v. tr.** Convertir un terreno en jardín.

Cajón: **m.** Parte de un mueble que se puede meter y sacar de un hueco, y donde se guardan cosas.

Caligrafía: **f.** Arte de escribir con letra bella y correctamente formada, según diferentes estilos.

Caminante: **adj.** Persona que va de un lugar a otro a pie.

Caminata: **f.** 1. Viaje corto que se hace por diversión. 2. (coloq.) Paseo o recorrido largo y fatigoso.

Caricia: **f.** Demostración de afecto que consiste en rozar suavemente con la mano el cuerpo de una persona, de un animal, etc.

Carmín: **adj.** De color rojo vivo.

Carrera: **f.** 1. Estudios universitarios. 2. Ejercicio de una profesión o actividad.

Charlar: **v. intr.** Hablar, conversar.

Colegial/a: **adj.** Alumno que asiste a un colegio.

Conejo: **m.** Animal mamífero de orejas muy largas y patas traseras mayores que las delanteras que corre dando saltos.

Coro: **m.** Conjunto de personas reunidas para cantar.

Cotizado/a: **adj.** Demandado laboralmente, estimado favorablemente.

Cuerpo: **m.** (de una noticia): parte de la noticia en la que se explica y desarrolla la información de la misma.

Curiosidad: **f.** Deseo de saber o averiguar cosas.

Dejarse caer (por un lugar): **expr.** Presentarse inesperadamente en un lugar.

Destello: **m.** Resplandor, ráfaga de luz, que se enciende y apaga casi instantáneamente.

Dignarse: **v. prnl.** Hacer lo que alguien desea que hagamos.

Dignidad: **f.** Forma de comportarse de las personas serias y merecedoras de respeto.

Digno/a: **adj.** 1.Que tiene dignidad o se comporta con ella. 2. Merecedor de algo.

Empapelar: **v. tr.** 1. Envolver en papel. 2. Cubrir de papel las paredes.

Enjuto/a: **adj.** Dicho de una persona muy delgada, seca, con poca carne.

Esencia: **f.** Lo más importante y característico de una cosa.

Espaciado: **m.** Distancia que separa las palabras, letras o renglones en un escrito.

Estimulante: **adj.** Motivador/a, que anima a hacer algo.

Etiqueta: **f.** Marca o papel que coloca o cuelga de un objeto para identificarlo, valorarlo o clasificarlo.

Expedición: **f.** Excursión colectiva a alguna ciudad o lugar con un fin científico, artístico o deportivo.

Firmamento: **m.** Cielo, espacio en el que están las estrellas.

Florido/a: **adj.** Que tiene muchas flores.

Floristería: **f.** Tienda donde se venden flores y plantas de adorno.

Fugitivo/a: **adj.** Que huye o se esconde de algo.

Garganta: **f.** 1. Parte anterior del cuello o parte interna del cuello que se corresponde con esta zona. 2. Voz o palabras de una persona.

Gastar bromas: **expr.** Hacer o decir algo a otra persona para provocar la risa de los demás sin tener malas intenciones. Burlarse.

Globo: **m.** Objeto de goma que se hincha con aire o gas, y que sirve de juguete para los niños, como decoración en fiestas, etc.

Grato/a: **adj.** Agradable, bueno/a.

Herida: **f.** 1. Corte o rotura en la piel que suele sangrar. 2. Aquello que ha causado dolor en el ánimo.

Hiedra: **f.** Planta de hojas verdes cuyas ramas se pegan a las paredes o superficies donde se apoyan.

Hiel: **f.** Líquido amarillento y amargo que produce el hígado e interviene en la digestión.

Hiena: **f.** Animal salvaje de color gris amarillento que se alimenta de otros animales muertos.

Hierbabuena: **f.** Planta de olor muy agradable que se utiliza para condimentar comidas.

Hierbajo: **m.** Hierba, planta verde que crece en el suelo, generalmente mala.

Hierro: **m.** Metal muy empleado en la industria, de color oscuro y muy duro.

Himno: **m.** Composición musical que se usa para alabar, exaltar o celebrar algo.

Hueco/a: **adj.** Vacío por dentro.

Intuición: **f.** Facultad de comprender las cosas instantáneamente, sin necesidad de razonamiento.

Mancha: **f.** Señal de suciedad.

Megafonía: **f.** Conjunto de micrófonos, altavoces y otros aparatos que, debidamente coordinados, aumentan el volumen del sonido en un lugar de gran concurrencia.

Mercado de abastos: **m.** Mercado tradicional en el que se compran alimentos y productos de primera necesidad.

Monotonía: **f.** Falta de variedad o de cambios.

Nostalgia: **f.** Tristeza que se siente al recordar momentos felices del pasado.

Novatada: **f.** Broma pesada, burla que los más antiguos de un grupo gastan a los recién llegados.

Panecillo: **m.** Pan pequeño.

Panera: **f.** Recipiente que se utiliza para guardar el pan o colocarlo en la mesa.

Pardo/a: **adj.** Del color de la tierra, entre el marrón y el gris.

Pasillo: **m.** Lugar de paso, largo y estrecho, de cualquier casa o edificio.

Pista: **f.** Indicio o señal que puede conducir a la averiguación de algo.

Ponerse manos a la obra: **expr.** Empezar a trabajar de forma inmediata o con resolución.

Póster: **m.** Cartel que se pone en la pared principalmente para decorarla.

Programador/a: **m.** y **f.** Persona que elabora programas de ordenador.

Rana: **f.** Animal de color verdoso, ojos grandes y patas traseras muy largas que vive en zonas acuáticas, y se alimenta de moscas y otros insectos.

Recogido/a: **adj.** Ordenado, puesto en su lugar correspondiente. ......

Resolver: **v. tr.** Encontrar una solución a un problema. ......

Subtítulo: **m.** (de una noticia). Título secundario que se pone a veces después del título principal. ......

Tablas de multiplicar: **f.** Cuadro o catálogo de números dispuestos en forma adecuada para facilitar los cálculos. ......

Tablón: **m.** Tabla o tablero en la pared en donde se fijan anuncios, avisos, noticias, etc. ......

Ternura: **f.** Cualidad de tierno. Afecto, cariño. ......

Timbre: **m.** Característica propia del sonido de un instrumento o de una voz. ......

Titular: **m.** Título de una noticia escrito en letras de mayor tamaño. ......

Toparse *(con)*: **v. prnl.** Tropezarse, encontrarse con algo o alguien. ......

Trabalenguas: **m. pl.** Palabra o locución difícil de pronunciar que sirve de juego para hacer que alguien se equivoque. ......

Tronar: **v. intr.** Emitir un sonido fuerte, brusco, violento. ......

Tubo: **m.** Pieza hueca, normalmente de forma cilíndrica y abierta por ambos extremos. ......

UNIDAD 7

En tu idioma

Aceitunado/a: **adj.** Del color de la aceituna. ......

Agujetas: **f. pl.** Dolor que se siente después de hacer un ejercicio físico no habitual. ......

Albatros: **m. pl.** Ave marina de gran tamaño. ......

Alfiler: **m.** Especie de aguja que tiene una bolita en uno de sus extremos. ......

Amarillear: **v. intr.** Ir tomando una cosa color amarillo. ......

Amenazar: **v. tr.** Dar a entender con actos o palabras que se quiere hacer algún mal a otro. ......

Aparentar: **v. tr.** 1. Dar a entender algo que no es cierto. 2. Parecer algo que no es verdad. ......

Atareado/a: **adj.** Con mucho trabajo que hacer. ......

Atropellado/a: **adj.** De forma confusa, rápida y sin orden. ......

Atropello: **m.** Acción y resultado de pasar un vehículo por encima de alguna persona o animal. ......

Avecinarse: **v. prnl.** Estar algo muy cerca de ocurrir. ......

Bofetada: **m.** Golpe muy fuerte que se da en la cara con la mano abierta. ......

Bolsazo: **m.** Golpe dado con el bolso. ......

Bostezo: **m.** Hecho de abrir la boca sin querer cuando tenemos sueño, hambre o aburrimiento. ......

Cacho: **m.** (coloq.) Pedazo pequeño de algo. ......

Canela: **f.** Parte externa de las ramas de un árbol, de color entre marrón y rojo, que se usa para dar sabor y olor a las comidas. ......

Caoba: **f.** 1. De color marrón rojizo. 2. Árbol americano cuya madera es muy buena para hacer muebles y es de color rojizo. ......

Cayo: **m.** Islote raso y arenoso muy común en el mar de las Antillas y en el golfo mexicano. ......

Ceibo: **m.** Árbol americano, famoso por sus flores de cinco pétalos, rojas y brillantes. ......

Célula: **f.** Unidad microscópica esencial de los seres vivos. ......

Chicharro: **m.** Pez comestible, también llamado *jurel*. ......

Chuleta: **f.** (coloq.) En el contexto escolar, papel escrito que se lleva a un examen para copiar sin que el profesor lo vea. ......

Chulo/a: **adj.** (coloq.) Que es bonito o que llama la atención. ......

Dilatación: **f.** Hecho de que algo se haga más grande o de que ocupe más espacio. ......

Ejemplar: **m.** Cada uno de los individuos de una especie o de un género. ......

Espejismo: **m.** Imagen de algo que se ve, pero que no existe en realidad. ......

Estimulación: **f.** Empuje a hacer algo. ......

Felino/a: **adj.** Del grupo de animales al que pertenecen el gato, el león y otros. ......

Fibra: **f.** Cada uno de los filamentos de los tejidos orgánicos vegetales o animales. ......

Forzar: **v. tr.** 1. Romper un objeto empleando la fuerza. 2. Obligar a alguien a hacer algo que no quiere hacer. ......

Glucosa: **f.** Azúcar que se halla en la miel, en la fruta y en la sangre de las personas y de los animales. ......

Hacer cosquillas: **expr.** Producir sensación cuando nos tocan y que nos hace reír sin querer. ......

Lesión: f. Problema físico que es producido por un golpe o por una enfermedad.
Llaga: f. Úlcera. Lesión que destruye tejidos de la piel o de la mucosa de un órgano.
Llama: f. Animal de la región de los Andes, en América del Sur.
Mechón: m. Grupo de pelos.
Mucosa: f. Membrana que reviste cavidades y conductos de los organismos.
Mutuo/a: adj. Recíproco.
Neurología: f. Ciencia que estudia el sistema nervioso.
Orangután: m. Mamífero primate.
Orquídea: f. Planta con unas flores de forma y colores llamativos.
Pelea: f. Discusión o lucha.
Pocho/a: adj. Que está podrido o empieza a pudrirse.
Predecir: v. tr. Decir lo que va a suceder antes de que ocurra.
Presa: f. Animal capturado o que se intenta capturar.
Presagiar: v. tr. Anunciar algo que va a suceder.
Resaca: f. Sensación que tiene una persona cuando se despierta después de haber bebido mucho alcohol.
Rotura: f. Proceso por el que algo se rompe o se hace pedazos.
Vaso sanguíneo: m. Conducto por el que circula la sangre.
Yuca: f. Planta americana de hojas largas y rígidas, flores blancas y raíz gruesa.

UNIDAD 8

En tu idioma

Acontecer: v. intr. Suceder, ocurrir, pasar.
Adoración: f. Acción de adorar. Demostración de respeto y admiración a un dios.
Añicos: m. pl. Pedazos o piezas pequeñas en que se divide algo al romperse.
Aparición: f. Visión de un ser sobrenatural o fantástico.
Archivo municipal: m. La documentación que, organizada, conserva un ayuntamiento.
Asustado/a: adj. Que siente una impresión repentina causada por miedo o espanto.
Banal: adj. Trivial, común, sin importancia.
Borde: m. Extremo, límite o zona donde termina algo.
Burlón/ona: adj. Que se burla o ríe de algo.
Caer al vacío: expr. Caer al abismo, de un precipicio o a una altura considerable.
Caída: f. Acción de caerse.
Caprichoso/a: adj. Arbitrario, que no obedece a motivos razonables.
Carro: m. Vehículo con ruedas que se emplea para transportar objetos diversos.
Cazador/a: adj. Persona que busca y sigue animales para atraparlos.
Cementerio: m. Lugar cercado destinado a enterrar a los muertos.
Cemento: m. Material en polvo formado por arcilla y otros materiales que, mezclada con agua, se endurece y que se utiliza en la construcción.
Cesto: m. Recipiente grande, más alto que ancho, normalmente de mimbre y con dos asas.
Cisne: m. Ave palmípeda de plumas blancas, cuello muy largo y flexible, patas cortas y alas grandes.
Conjetura: f. Idea que se forma una persona de algo a partir de indicios o datos poco seguros.
Denotar: v. tr. Indicar, anunciar, significar.
Despejado/a: adj. (cabeza despejada) claro, libre de preocupaciones o pensamientos que molestan.
Dibujar: v. tr. Hacer figuras trazando líneas con un lápiz.
Docudrama: m. Género de cine, radio y televisión que trata, con técnicas dramáticas, hechos reales propios del género documental.
Durmiente: adj. Persona que duerme.
Emanar: v. intr. Proceder.
Emoticono: m. Símbolo gráfico que se utiliza en los correos electrónicos para expresar el estado de ánimo.
Empírico/a: adj. Que se basa en la experiencia.
En honor a: exp. Dedicado a alguien o algo con motivo de obsequio, aplauso o alabanza.
Enigma: m. Algo que no se alcanza a comprender, o que difícilmente puede entenderse o interpretarse.

Enmascarado/a: **adj.** Disfrazado, con la cara cubierta para no ser reconocido. ....

Enterrado/a: **adj.** Puesto debajo de tierra, normalmente los cadáveres o algo que se quiere esconder. ....

Entrenar: **v. intr.** Preparar, ejercitar o adiestrar en la práctica de algo para hacerlo cada vez mejor. ....

Episodio: **m.** Incidente, suceso enlazado con otros que forman un todo o conjunto. ....

Escalofriante: **adj.** Que causa mucho miedo, por terrible y asombroso. ....

Estimación: **f.** Hipótesis, algo que se calcula o considera pero que no se sabe con certeza. ....

Expectación: **f.** Espera, generalmente curiosa o tensa, de un acontecimiento que interesa o importa. ....

Extrapolable: **adj.** Que se puede aplicar a un campo aunque pertenezca a otro. ....

Extraterrestre: **adj.** Dicho de un objeto o de un ser que pertenece o procede del espacio exterior a la tierra. ....

Falsedad: **f.** Falta de verdad o autenticidad. ....

Fantasma: **m.** Imagen de una persona muerta que, según algunos, se aparece a los vivos. ....

Ficticio/a: **adj.** Fingido, imaginario o falso. ....

Gigantesco/a: **adj.** Gigante, de dimensiones muy grandes o excesivas. ....

Grabar: **v. tr.** Captar, registrar el sonido. ....

Grito: **m.** Acción de gritar, de levantar la voz más de lo acostumbrado. ....

Humedad: **f.** Cantidad de agua que hay en un lugar. ....

Indicio: **m.** Lo que permite suponer algo. ....

Infortunio: **m.** Mala suerte o fortuna adversa. ....

Inocuo/a: **adj.** Que no hace daño. ....

Insólito/a: **adj.** Que no es común ni normal. ....

Instruir: **v. tr.** Enseñar, comunicar conocimientos. ....

Llamada perdida: **f.** Llamada telefónica que se termina antes de que la persona a la que se llama conteste. ....

Llanura: **f.** Terreno igual muy extenso sin altos ni bajos. ....

Lote: **m.** Conjunto de objetos similares que se agrupan con un fin determinado. ....

Mal cuerpo: **expr.** Malestar físico. ....

Manipulación: **f.** Intervención con las manos que se hace en algo para distorsionar la verdad o la justicia, y con intereses o intenciones ocultas. ....

Maremoto: **m.** Agitación violenta del agua del mar a consecuencia de una sacudida del fondo, que a veces se propaga hasta las costas causando destrozos. ....

Módem: **m.** Aparato que convierte las señales digitales en analógicas para su transmisión, o a la inversa. ....

Morador/a: **adj.** Persona que habita una casa. ....

Muñeco/a: **m. y f.** Objeto en forma de figura humana hecho de pasta, madera, trapos, etc. ....

Nave espacial: **f.** Vehículo que navega por el espacio exterior a la atmósfera terrestre. ....

Notario/a: **m. y f.** Persona facultada para asegurar que son válidos, conforme a las leyes, ciertos documentos. ....

Nublar: **v. tr.** (la memoria) Ofuscar o confundir la razón o los sentimientos. ....

Ofimática: **f.** Automatización, mediante sistemas electrónicos, de las comunicaciones y procesos administrativos en las oficinas. ....

Onírico/a: **adj.** Perteneciente o relativo a los sueños. ....

Paisaje: **m.** Extensión de tierra que puede ser observada desde un determinado lugar. ....

Parapsicólogo/a: **m. y f.** Persona que estudia los fenómenos y comportamientos psicológicos, como la telepatía, las premoniciones, la levitación, etc., de cuya naturaleza y efectos la psicología científica no ha dado, hasta ahora, explicaciones. ....

Patio: **m.** Espacio de algunos edificios rodeado de paredes o galerías y sin techo. ....

Peligrosidad: **f.** Que tiene riesgo o puede ocasionar daño. ....

Perfilarse: **v. prnl.** Afinarse, perfeccionarse, señalarse mejor los bordes de una imagen. ....

Pesadilla: **f.** Sueño angustioso que produce miedo. ....

Picar: **v. tr.** Golpear con pico, piqueta u otro instrumento adecuado, una superficie para hacer agujeros. ....

Pincharse: **v. prnl.** Herirse con algo agudo, como una espina, un alfiler, etc. ....

Pista de aterrizaje: **f.** Terreno especialmente acondicionado para la salida o despegue, y la llegada o aterrizaje de aviones. ....

Planeador: **m.** Aeronave sin motor, más pesada que el aire y con estructura de avión, que se mantiene en el aire y avanza aprovechando solamente las corrientes atmosféricas. ....

Precaución: **f.** Cuidado que se pone en algo para evitar o prevenir inconvenientes, problemas o daños. ....

Precintar: **v. tr.** Cerrar un espacio para que nadie pueda acceder a él hasta que lo indiquen las autoridades legales. ....

Pronosticar: **v. tr.** Conocer por algunos indicios lo que sucederá en el futuro.
Propicio/a: **adj.** Favorable para que algo se logre.
Psicofonía: **f.** En parapsicología, grabación de sonidos atribuidos a espíritus del más allá.
Quedarse encerrado: **expr.** Quedarse dentro de un lugar del que no se puede salir.
Quejido: **m.** Llanto, lamento, voz que expresa un dolor o pena.
Recurrente: **adj.** Que se repite, que vuelve a ocurrir o a aparecer.
Remordimiento: **m.** Inquietud, malestar interno que queda después de realizar una mala acción.
Riesgo: **m.** Probabilidad de que se produzca un daño. Cercanía a un peligro.
Rito: **m.** Conjunto de reglas establecidas para el culto y ceremonias religiosas.
Rostro: **m.** Cara de una persona.
Sigiloso/a: **adj.** Que guarda silencio o no hace ruido.
Subasta: **f.** Venta pública en la que se da lo que se vende a quien ofrece más dinero.
Sucesión: **f.** Serie, continuación ordenada de personas, cosas, sucesos, etc.
Teleñeco: **m.** Famosos muñecos que aparecen en el cine o la televisión.
Vela: **f.** Objeto de cera con una cuerda en el interior que se prende para dar luz.
Veracidad: **f.** Cualidad de veraz. Que coincide siempre la verdad.
Vigilancia: **f.** Cuidado y atención exacta en las cosas que están a cargo de uno.
Vigilia: **f.** Acción de estar despierto, sin dormir.

UNIDAD 9

En tu idioma

Alelado/a: **adj.** Que está atontado.
Aspiración: **f.** Pretensión o intento de conseguir algo que se desea.
Banquete: **m.** Comida que se organiza para celebrar algo y a la que acuden muchas personas.
Capturar: **v. tr.** Obtener, extraer.
Caucho: **m.** Látex producido por plantas que se aplica para la fabricación de neumáticos.
Chapa: **f.** Metal que recubre al coche.
Chirrido: **m.** Sonido agudo, continuado y desagradable.
Codorniz: **f.** Ave con alas puntiagudas y el lomo y las alas de color pardo con rayas más oscuras.
Conmemorar: **v. tr.** Recordar públicamente un personaje o acontecimiento.
Contribuir: **v. tr.** Ayudar con otras personas o cosas al logro de algún fin.
Cornisa: **f.** Conjunto de molduras que forman el remate superior de un edificio, habitación, pedestal, mueble, etc.
Cucurucho: **m.** Papel, cartón o barquillo enrollado en forma de cono.
Derretirse: **v. prnl.** (coloq.) Enamorarse con prontitud y facilidad.
Desmemoria: **f.** Falta de memoria.
Destilar: **v. tr.** Gotear, derramar.
Dicho: **m.** Palabra o conjunto de palabras con que se expresa oralmente un consejo popular.
Distinción: **f.** Honor concedido a una persona, premio.
Distorsionar: **v. tr.** Dar una interpretación equivocada a algo.
En bandolera: **expr.** Cruzando desde uno de los hombros hasta la cadera contraria.
En metálico: **expr.** Dinero en efectivo.
Enriquecer: **v. tr.** Mejorar, prosperar.
Envolver: **v. tr.** Cubrir, rodear un objeto por todas sus partes.
Escudo: **m.** Emblema de una nación, de una ciudad, de una familia, de una corporación o asociación.
Estío: **m.** Verano.
Estrangular: **v. tr.** Ahogar a una persona o a un animal oprimiéndole el cuello hasta impedirle la respiración.
Evanescente: **adj.** Que se desvanece o evapora.
Familia acomodada: **expr.** Familia con recursos económicos.
Filántropo/a: **m. y f.** Persona que ama a los demás y los ayuda de forma desinteresada.

Frustrado/a: **adj.** Sin éxito, fracasado.
Furgón: **m.** Vehículo cerrado que se utiliza para transportes.
Galardón: **m.** Premio o recompensa.
Incompetencia: **f.** Incapacidad para resolver con eficacia algo.
Insignia: **f.** Señal, distintivo, emblema.
Invitado/a: **m.** y **f.** Persona que ha recibido invitación para asistir a algún acto o celebración.
Laberinto: **m.** 1. Lugar formado por calles, caminos, encrucijadas, etc., del que es muy difícil encontrar la salida. 2. Cosa confusa y enredada.
Lamer: **v. tr.** Pasar repetidas veces la lengua por una cosa.
Morro: **m.** vulg. Labios.
Peletería: **f.** Tienda donde venden prendas de pieles.
Peseta: **f.** Antigua moneda de España antes del euro.
Pétalo: **m.** Parte de la flor, generalmente de colores vistosos.
Puchero: **m.** Nombre dado a diferentes guisos parecidos al cocido.
Quitarse el gusanillo: **expr.** (coloq.) Quedarse tranquilo después de haber hecho o conseguido algo que se deseaba.
Rancho: **m.** Granja donde se crían caballos y otros cuadrúpedos.
Rasgar: **v. tr.** Romper o hacer pedazos cosas de poca consistencia.
Recoveco: **m.** Rincón escondido.
Serrucho: **m.** Sierra de hoja ancha y de un solo mango.
Telón: **m.** Cortina de gran tamaño que se pone en el escenario de un teatro.

UNIDAD 10

En tu idioma

Acogida: **f.** 1. Recibimiento. 2. Aceptación o aprobación.
Animarse (a): **v. prnl.** Decidirse a hacer algo.
Aperitivo: **m.** Comida ligera que se sirve acompañando a una bebida.
Araña: **f.** Animal arácnido con cuatro pares de patas y que fabrica una especie de tela para cazar insectos.
Atuendo: **m.** Ropa, forma en la que va uno vestido.
Añoranza: **f.** Nostalgia, tristeza que se siente al recordar momentos felices del pasado.
Auditoría: **f.** Revisión sistemática de una actividad o de una situación para evaluar que cumplen con una serie de reglas o criterios fijados.
Borgoña: **m.** Vino de la región francesa de Borgoña.
Capacidad: **f.** 1. Aforo. Número máximo autorizado de personas que pueden entrar un recinto destinado a espectáculos u otros actos públicos. 2. Aptitud para hacer algo.
Capacitar: **v. tr.** Dar la capacidad para hacer una cosa.
Chollo: **m.** Algo que se adquiere a bajo precio o a un precio muy inferior al que le corresponde.
Clausura: **f.** Acto solemne con que se termina una actividad.
Comunidad virtual: **f.** En informática, sitio creado por una o más personas que establecen relaciones a partir de temas comunes.
Contiguo/a: **adj.** Que está junto a otra cosa.
Corto: **m.** En cine, película de poca duración.
Cuna: **f.** Cama pequeña para bebés o para niños muy pequeños, con bordes altos o barandillas laterales.
Cuña: **f.** Pieza de madera o de metal terminada en ángulo por un extremo y que se coloca entre dos superficies para ajustarlas, apretarlas o rellenar un hueco.
Darse cuenta: **expr.** Advertir, percatarse de algo que antes se desconocía o en lo que no se había pensado.
De antemano: **expr.** Con anticipación, por adelantado.
Destacar: **v. tr.** Poner de relieve, resaltar o dar más importancia.
Dietético/a: **adj.** Relativo a la dietética o disciplina que trata de la alimentación que es conveniente.
Disponibilidad: **f.** Cualidad o condición de estar libre de impedimento para realizar algún trabajo o prestar algún servicio a alguien.
Enfoque: **m.** Punto de vista, forma de estudiar o abordar un asunto.
Entrañable: **adj.** Íntimo, muy afectuoso o querido.

Estándar: **m.** Que sirve como tipo, modelo, norma, patrón o referencia.

Expulsar: **v. tr.** Echar a una persona de un lugar.

Financiar: **v. tr.** Aportar el dinero necesario para llevar a cabo una empresa o proyecto.

Forero/a: **adj.** Persona que participa en un foro o reunión para debatir sobre determinados temas.

Formato: **m.** Modo de presentación de algo. Forma en la que aparece.

Gazmoño/a: **adj.** Que aparenta ser demasiado fino y delicado.

Gestión: **f.** Acción y efecto de ocuparse de la administración, organización y funcionamiento de una empresa, actividad económica u organismo.

Horchata: **f.** Bebida hecha con chufas u otros frutos, machacados, exprimidos y mezclados con agua y azúcar.

Íntegramente: **adv.** Totalmente, en su totalidad.

Lengua romance: **f.** Lengua moderna derivada del latín.

Llevar a cabo: **expr.** Realizar o ejecutar algo, concluirlo.

Logro: **m.** Mérito. Algo que se consigue o alcanza después de un trabajo o esfuerzo.

Maña: **f.** Destreza, habilidad para hacer algo.

Maño/a: **adj.** (coloq.) Aragonés, natural de la región española de Aragón.

Migraña: **f.** Jaqueca, dolor de cabeza intenso.

Moño: **m.** Rollo que se hace con el cabello para tenerlo recogido o por adorno.

Ñoño/a: **adj.** Persona muy tímida o apocada, sosa o poco segura.

Orientado/a: **adj.** Dirigido, encaminado.

Orientar: **v. tr.** Dar a alguien información o consejo en relación con un determinado fin.

Otoñar: **v. intr.** Dicho de una persona, pasar el otoño.

Panal: **m.** Conjunto de celdas hexagonales de cera que las abejas forman dentro de la colmena para depositar la miel.

Pañal: **m.** Prenda absorbente que se pone a los niños pequeños a modo de braga.

Papeleta: **f.** Papel en el que se reconoce una deuda u otra obligación.

Parcela: **f.** Parte pequeña de algunas cosas.

Peña: **f.** Cerro o monte con muchas piedras.

Pequeñez: **f.** 1. Cualidad de pequeño. 2. Cosa de poca importancia.

Ponente: **adj.** Quien expone o explica un tema delante de un grupo de personas.

Recaudación: **f.** Cantidad de dinero que se reúne entre mucha gente para un fin concreto.

Receptor/a: **adj.** Persona que recibe algo, destinatario.

Requisito: **m.** Circunstancia o condición necesaria para algo.

Rodaje: **m.** Proceso de grabación de una acción televisiva o cinematográfica.

Talla: **f.** Medida de una prenda de ropa.

Teclado: **m.** Conjunto de las teclas de un ordenador que contienen letras, números, signos, etc.

Tejer: **v. tr.** Dicho de ciertos animales, formar sus telas superponiendo unos hilos a otros.

Teñir: **v. tr.** Dar cierto color a una cosa, encima del que tenía.

Tino: **m.** 1. Habilidad para hacer bien una cosa o para acertar en algo.

Vocación: **f.** (coloq.) Inclinación a una profesión o carrera.

Zampoña: **f.** Instrumento rústico compuesto de muchas flautas.

UNIDAD 11

En tu idioma

A carcajadas: **expr.** Con risa ruidosa.

A duras penas: **expr.** Con gran dificultad.

A gatas: **expr.** Andar con pies y manos en el suelo.

Alicates: **m. pl.** Herramienta de metal parecida a unas tenazas, con las puntas planas o redondas, que sirve para sujetar objetos pequeños, doblar alambres o apretar tuercas. También se usa en singular: *el alicate*.

Bote: **m.** Dinero que no se ha repartido en un sorteo por no haber aparecido acertantes y que se acumula para el siguiente sorteo.

Cadena: **f.** Conjunto de emisoras que emiten simultáneamente el mismo programa de radio o televisión.

Caja tonta: (coloq.) Nombre despectivo que se le da a la televisión.

Canal: **m.** Cada una de las bandas de frecuencia en que puede emitir una estación de televisión o de radio. ....

Candidato/a: **adj.** Persona que compite con otras para conseguir algo u obtener un puesto. ....

Cartelera: **f.** Sección de los periódicos o publicación independiente donde se anuncian espectáculos. ....

Concurso: **m.** Prueba o competición entre los aspirantes a un premio. ....

De rodillas: **expr.** Con las rodillas dobladas y apoyadas en el suelo. ....

Documental: **m.** Película tomada de la realidad con propósitos meramente informativos. ....

Editorial: **m.** Artículo de fondo que recoge el criterio de la dirección de una publicación sobre cualquier asunto. ....

Emitirse: **v. prnl.** Transmitirse por televisión. ....

En ayunas: **expr.** Sin comer. ....

Encomendar: **v. tr.** Encargar a alguien que haga alguna cosa. ....

Escenario: **m.** Sitio o parte de un teatro o de una sala en que se ejecutan espectáculos públicos y sobre el cual tiene lugar la actuación. ....

Escrúpulo: **m.** Duda, temor o recelo. ....

Espectáculo: **m.** Función o actuación de cualquier tipo que se realiza por divertimento del público. ....

Fauno: **m.** Semidiós romano de los campos y selvas, equivalente al sátiro griego. ....

Hacer cola: **expr.** Ponerse en una fila de personas para esperar un turno. ....

Hacer las paces: **expr.** Reconciliarse. ....

Inhóspito/a: **adj.** Incómodo, poco acogedor. ....

Locutor/a: **m. y f.** Persona que habla ante el micrófono en las estaciones de radio y televisión, para dar avisos, noticias, programas, etc. ....

Monstruo: **m.** Ser fantástico que causa espanto, mucho miedo. ....

Papel: **m.** Parte de la obra y personaje que le corresponde representar a un actor. ....

Perder los papeles: **expr.** Perder el dominio de uno mismo. ....

Ponerse las botas: **expr.** Comer mucho. ....

Rodar: **v. tr.** Filmar películas, series, anuncios... ....

Serie: **f.** Programa de televisión que se emite por capítulos. ....

Suplemento: **m.** Publicación independiente del número ordinario que se vende junto con un periódico o revista. ....

Telebasura: **f.** Programación de televisión de mala calidad. ....

Telenovela: **f.** Novela filmada y grabada para ser retransmitida por capítulos a través de la televisión. ....

Trampolín: **m.** Lo que se aprovecha para ascender o prosperar. ....

Ver las estrellas: **expr.** Sentir un dolor muy fuerte. ....

UNIDAD 12

En tu idioma

Adelantar: **v. tr.** Pasar por delante de otro vehículo en la carretera. ....

Adornado/a: **adj.** Que se le han puesto una serie de objetos para parecer más bonito. ....

Afortunado/a: **adj.** Que tiene buena suerte, que ha sido agraciado con algún premio. ....

Agotado/a: **adj.** Muy cansado. ....

Agrícola: **adj.** Perteneciente o relativo a la agricultura o cultivo de la tierra. ....

Ajo: **m.** Planta con la raíz blanca y redonda, dividida en dientes, de olor fuerte y que se usa para darle más sabor a las comidas. ....

Alianza: **f.** Pacto entre dos o más naciones, gobiernos o personas. ....

Ameno/a: **adj.** Entretenido, divertido. ....

Aplaudir: **v. tr.** Dar palmas con las manos en señal de aprobación o entusiasmo. ....

Arriesgar: **v. tr.** Poner en peligro algo. ....

Arroyo: **m.** Río pequeño, que lleva poca agua. ....

Atravesar: **v. tr.** Ir de una parte a otra de un lugar cruzando por su interior. ....

Autóctono/a: **adj.** Propio, originario de un lugar. ....

Autoría: **f.** Cualidad de autor al que pertenece una obra. ....

Bajorrelieve: **m.** Figura que sobresale un poco de una superficie. ....

Balanza: **f.** Comparación que se hace entre dos cosas para ver cuál conviene más o es más importante. ....

Calizo/a: **adj.** Dicho de un terreno o piedra que contiene una sustancia de color blanco llamada cal (óxido de calcio).

Cámara funeraria: **f.** Sala, a menudo escondida o bajo el nivel del suelo, que se utiliza para enterrar a los muertos.

Cascada: **f.** Corriente de agua que cae desde cierta altura.

Catástrofe: **f.** Suceso que produce gran destrucción o daño.

Cautivador/a: **adj.** Que enamora o resulta muy atractivo.

Citar: **v. tr.** Avisar a alguien señalándole día, hora y lugar para verla.

Comisión: **f.** Conjunto de personas encargadas por la ley, o por una corporación o autoridad, de realizar determinadas funciones.

Conducción: **f.** Acción de conducir o manejar un vehículo.

Corriente: **f.** Movimiento continuado del agua en una dirección determinada.

Dimensiones: **f. pl.** Tamaño, medidas de algo.

Dinastía: **f.** Conjunto de personas de la misma familia que destacan por su poder o influencia política, económica, cultural, etc.

Discapacidad: **f.** Estado de una persona que tiene impedimentos en algunas actividades cotidianas por alteración de sus funciones intelectuales o físicas.

Echar una cabezadita: **expr.** Dormir una breve siesta.

Edificación: **f.** Construcción, edificio o conjunto de edificios.

Embarcarse (en): **v. prnl.** Iniciar una empresa difícil o arriesgada.

Equipaje de mano: **m.** Conjunto de pertenencias que se pueden llevar en la cabina de pasajeros de un avión.

Escondido/a: **adj.** Oculto, sin que nadie pueda verlo.

Esfera: **f.** Ámbito, nivel.

Estuco: **m.** Masa de yeso y otros materiales con la que se hacen objetos para pintar o adornos en muros y techos.

Expedicionario/a: **m.** y **f.** Persona que emprende una expedición o participa en ella.

Facturar: **v. tr.** Registrar, entregar en las estaciones o aeropuertos el equipaje para ser remitidos a su destino.

Fuente: **f.** Manantial de agua que brota de la tierra. Nacimiento de un río.

Glifo: **m.** En arquitectura, canal vertical que sirve como elemento decorativo.

Gloria: **f.** Majestad, esplendor, magnificencia.

Gobernante: **m.** y **f.** Persona que gobierna en un lugar.

Guerra: **f.** Lucha armada entre dos o más bandos enemigos.

Hacer dieta: **expr.** Privarse de algunos alimentos por recomendación médica o porque se quiere perder peso.

Hallarse: **v. prnl.** Encontrarse, estar situado.

Inframundo: **m.** Mundo de los muertos y de los espíritus.

Lápida: **f.** Piedra plana en la que se pone una inscripción.

Maíz: **m.** Planta que produce mazorcas con granos gruesos y amarillos muy nutritivos.

Manantial: **m.** Nacimiento de las aguas.

Muro: **m.** Pared, tapia.

Niebla: **f.** Nubes muy bajas, que dificultan más o menos la visión según su densidad.

Optar (*por*): **v. intr.** Elegir, escoger algo entre varias cosas.

Picante: **adj.** En comida, que es fuerte de sabor y que pica en la boca.

Piedra: **f.** Trozo de roca, sustancia mineral, más o menos dura y compacta.

Pisar el acelerador: **expr.** Al conducir un vehículo, acelerar, aumentar la velocidad.

Quincena: **f.** Periodo de quince días.

Sarcófago: **m.** Urna, caja en la que se entierra a un cadáver.

Sede: **f.** Lugar en el que está situada una entidad política, organización, empresa, etc.

Selva: **f.** Terreno extenso y húmedo, sin cultivar y muy poblado de árboles y plantas.

Sendero: **m.** Camino.

Tablero: **m.** Trozo de madera, tabla grande dibujada, coloreada o escrita que sirve como elemento de decoración o para jugar a determinados juegos.

Tallado/a: **adj.** Acción y efecto de tallar. Dar forma o trabajar un material.

Temerario/a: **adj.** Excesivamente imprudente ante un peligro.

Tómbola: **f.** Juego en el que se pueden ganar premios comprando una papeleta.

Tumba: **f.** Lugar en el que se entierra a un muerto.

Volante: **m.** Pieza redonda que sirve para conducir un automóvil.

TRANSCRIPCIONES

UNIDAD 1: EXPERIENCIAS EN ESPAÑOL

1. En mi curso de español en España, solo éramos ocho personas en total, por eso las clases eran mucho más cercanas. En Alemania solíamos ser alrededor de 29 alumnos. Además, desde el principio tuvimos muy buena relación con la profesora de español porque era increíblemente simpática y abierta. Por la tarde, después de clase, la escuela de español organizó una fiesta de bienvenida donde conocí a Max y a Jana, y a otros estudiantes de español de otros cursos. Mientras tomábamos unas tapas, empezamos a hablar entre nosotros y a conocernos mejor. Cuando la fiesta terminó y volví a mi habitación del piso que la escuela ya me había asignado previamente, me di cuenta de lo bien que me lo había pasado ese día y de que aprender español estaba siendo genial. Mi pánico a los primeros días de clase desapareció y, gracias a la escuela de español, mi estancia en España ha sido inmejorable y todavía no la he olvidado. Me gustaría regresar, pero de momento tengo que seguir estudiando en mi país.

2. Max: ¿Dígame?

Astrid: Hola, Max, soy Astrid. Te llamo porque estaba pensando... ¿Querríais venir luego Jana y tú a mi casa para hacer el trabajo de clase?

M.: Sí, claro, pero Jana me escribió que llegaría tarde...

A.: ¿Y eso?

M.: Pues es que me dijo que a mediodía tendría una reunión y que sería larga... De todos modos, iremos, pero llegaremos un poco tarde.

A.: No importa. Está bien. Yo podría hacer una tarta para la merienda, si os parece bien.

M.: ¡Me encantaría! Por cierto, ¿has pensado ya qué vas a hacer para la exposición en la clase de mañana?

A.: La verdad es que no. Pensaba que hablar del cine en Alemania sería un tema muy interesante, pero la profesora me ha dicho que ella, en mi lugar, lo haría sobre política. No me gusta nada este tema. ¿Qué hago?

M.: Pues, sinceramente, yo que tú no hablaría de política. Es un tema muy difícil.

A.: Tienes razón. No sé por qué me propuso eso. Pensaría que todos los alemanes somos muy serios... Ya sabes, los estereotipos...

M.: Sí, puede ser... Bueno, nos vemos esta tarde, ¿vale?

A.: Perfecto. Hasta luego, Max.

3. **Persona 1**

Hola, soy Albin, de Noruega. En mi país, cuando la gente piensa en España, piensa en la playa, casas blancas... la típica postal de Andalucía. También se relaciona con la siesta, gente con muchas emociones y mucho temperamento, gritando en las calles... Pero yo no creo que sea verdad. Puede que la gente hable más con desconocidos, pero no veo a los españoles más apasionados, aunque sí más ruidosos. Yo, al principio, tenía la sensación de que no le caía bien a la gente. Luego me di cuenta de que simplemente se relacionan de forma diferente que en mi cultura. ¡Ah! Y a veces también tengo la sensación de que todo va despacio. Por ejemplo, en la cafetería de mi facultad ¡tardan media hora en servirte la comida!

Persona 2

Yo soy Chin-Hu, de Corea del Sur. Yo, antes de llegar, pensaba en la fiesta, el clima y la historia. Aunque a mi país no llegan muchas noticias de España, creo que los españoles conocen aún menos Corea. En general, pienso que solo tienen una idea fija de Asia. A mí muchas veces me confunden con un chino o un japonés, y ¡somos muy distintos! Al principio sentía cierta distancia: estaba solo con los extranjeros y no me adaptaba bien. Pienso que en un primer momento los españoles son un poco tímidos con los asiáticos, pero después de hablar y salir ya somos amigos.

Persona 3

Yo soy Alejandra, de México. A mí me fascina el arte español, Buñuel, Picasso... Y por eso estoy aquí. Lo que más me sorprendió de los españoles tal vez fue un poco la holgazanería entre la gente joven. En México la mayoría de la gente es muy aplicada y solo algún grupito falta mucho a clase o no traía la tarea. En España es al revés. Hay cinco o seis personas que van a clase normalmente, trae tareas... pero hay otros que casi no van en todo el semestre (aunque bueno, también es verdad que después estudian en su casa y sacan las mismas notas). Además, hay gente que llega tarde a clase y entra sin ni siquiera pedir permiso. Tópicos confirmados: los toros, el flamenco... bueno, y que son muy ruidosos y gritan mucho.

Persona 4

Soy John, neoyorkino...bueno..., la verdad es que en América también hay mucha gente que relaciona España con los toros, el fútbol... Lo que yo sí he notado es que en España parece que están en un escalón distinto del proceso de integración cultural. Porque la inmigración es un fenómeno más reciente que en Estados Unidos. ¿Racismo? No... Pero la forma de ver a los inmigrantes aquí es un poco anticuada, creo.

En cuanto a las chicas, yo creo que las españolas están acostumbradas a que el esfuerzo lo hagan los chicos. En América es muy normal que el primer paso lo dé la chica, pero aquí creo que no.

Haciendo balance, me gusta mucho que haya tanta vida en las calles. Lo que no me gusta tanto es que entrar en grupos de amigos es difícil, sobre todo si no hablas muy bien español. En realidad los españoles no están de fiesta todo el día y no son tan abiertos, tienen su grupo de amigos y salen con ellos.

Persona 5

Soy Ingrid, de Alemania. ¿Estereotipos? Bueno, en el norte de Europa se piensa que en los países del sur son un poco vagos, temperamentales y católicos, pero cuando vives aquí, parece todo lo contrario, hay gente mucho más anticatólica que en otros países. Sin embargo, sí creo que aquí los sentimientos se desbordan: la gente es más extrovertida, sí, pero a veces se les oye gritar, a los vecinos por ejemplo. Por otro lado, la gente trabaja aquí todo el día, a lo mejor no es muy productiva pero trabaja desde la mañana a la noche casi. En Alemania es más como... trabajas hasta las seis intensamente, y luego descansas. Y otro tema es la puntualidad. En mi país, si vas a trabajar el primer día y llegas cinco minutos tarde, te puedes ir a casa.

Persona 6

Yo soy Tom, británico, para mí la palabra clave en cuanto a tópicos es "siesta". Que los españoles son vagos y duermen mucho, yo no lo creo, pero es lo que se piensa en Inglaterra. Y el fútbol es muy importante, es una de las cosas que tenemos en común, je, je. Otra cosa en común con los españoles es que siempre llego tarde, algo atípico para alguien que presuma de mi misma nacionalidad, así que aquí estoy encantado... Sobre las chicas... las españolas son muy difíciles de conocer. A mí me encantan, pero a ellas no parezco gustarles... La cosa es que en Inglaterra o Estados Unidos, si te rechazan, se acabó. Aquí es un poco como..., inténtalo una vez más.

Adaptado de: http://www.elreferente.es/actualidad/extranjeros-en-espana-del-estereotipo-a-la-experiencia-20267

UNIDAD 2: ¡MÓJATE!

4.

- Padre: Hola, Raúl, te llamo a estas horas, porque no creo que pueda luego más tarde.
- Raúl: No hay ningún problema, todavía estaba despierto.
- P.: Recibí tu correo y me parece fantástico que vayas a mudarte a un apartamento cerca de Central Park. ¡Qué lujazo!
- R.: Bueno, es una pena que tenga que dejar este apartamento, porque está muy cerca del trabajo, pero es que es muy pequeño.
- P.: ¿Y el trabajo cómo te va?
- R.: Muy bien. La verdad es que estoy muy contento, aprendiendo mucho de Programación y Sistemas, que es lo que quería.
- P.: ¿Y has conocido ya a mucha gente?
- R.: Sí, todos son compañeros de trabajo. La mayoría son de México y Colombia, así que en el trabajo casi siempre estoy hablando en español.
- P.: No creo que sea una buena idea si lo que querías era aprender bien inglés.
- R.: Ja, ja, ja... No, la verdad. Por eso he decidido apuntarme a inglés en una academia.
- P.: Me parece bien que comiences con clases de inglés. ¡Ya era hora! ¿Y cuándo tienes pensado volver para hacernos una visita?
- R.: Pues no creo que vuelva a España de momento. Tengo pensado hacer algún viaje por aquí.
- P.: Es una buena idea que hagas algún viaje por el país y que conozcas otros lugares. Tu madre y yo hemos pensado ir a visitarte en Navidad, ¿qué te parece?
- R.: ¡Genial! Es estupendo que vengáis a verme.
- P.: Lo peor son tantas horas de vuelo.
- R.: No creo que tengáis ningún problema. Ya habéis estado en el Caribe y son más o menos las mismas horas.

5. **Noticia 1: "Este año las tasas de matrícula universitarias han subido un 20%".**

- Me parece que no es justo que las tasas universitarias cuesten tanto dinero. Deberían bajar.
- Estoy totalmente de acuerdo con lo que dices, porque así todos podemos acceder a la universidad.

Noticia 2: "Las empresas incentivan a sus empleados en especie".

- Me parece una buena idea que las empresas incentiven a los trabajadores con cheques comida, transporte o guardería. ¿Tú cómo lo ves?
- Estoy de acuerdo contigo en que el incentivo es una buena idea, pero no en que sea algo que hagan para no subir el salario.

Noticia 3: "Los trabajadores que ganan menos de 12 000 euros al año no pagarán impuestos".

- Yo creo que todos deberíamos pagar impuestos.
- En absoluto. Las personas que ganan más dinero deben pagar más.

Noticia 4: "En México la medicina alternativa gana terreno a la medicina tradicional".

- No me parece muy positivo que esto ocurra. Pienso que la medicina tradicional es más efectiva que la alternativa.
- Bueno, depende del tipo de tratamiento que sea.

Noticia 5: "El Gobierno rebaja la ayuda para la investigación de las enfermedades raras".

- Estoy totalmente a favor de que parte de nuestro dinero se destine a esto.
- Tienes razón. A mí no me parece bien que el gobierno no dedique dinero a este tipo de investigación.

Noticia 6: "Esta semana se desarrolla en las escuelas andaluzas el programa "Somos iguales, somos diferentes" para conocer la diversidad histórica y cultural de nuestro territorio".

- Me parecen interesantes estas iniciativas para los adolescentes. Es necesario convivir con otras culturas para enriquecerse. ¿Tú qué crees?
- Estoy de acuerdo contigo en parte; es verdad que enriquecen, pero a esa edad, yo creo que los adolescentes están muy cerrados, en su mundo. No sé si tienen alguna efectividad...

Noticia 7. "En enero se abandona un 20% más de perros en el albergue municipal. Suelen ser mascotas regaladas para Reyes. Sus dueños las cuidan tan solo diez días antes de dejarlas".

- Es horrible que se regalen animales en Reyes para luego abandonarlos.
- ¿Tú crees? Yo pienso que en verano ocurre lo mismo.

Noticia 8. "Los programas de la Cruz Roja vinculados a la lucha contra la pobreza han crecido un 30% este año".

- Es fantástica la labor que desarrolla la Cruz Roja en el mundo. Creo que es la ONG más importante que tenemos hoy día.
- Pues yo no estoy de acuerdo en absoluto con que sea la más importante. Hay cientos de organizaciones solidarias que son imprescindibles.

6. **Noticia 1: "Este año las tasas de matrícula universitarias han subido un 20%".**
- Me parece que no es justo que las tasas universitarias cuesten tanto dinero. Deberían bajar.

Noticia 2: "Las empresas incentivan a sus empleados en especie".
- Me parece una buena idea que las empresas incentiven a los trabajadores con cheques comida, transporte o guardería. ¿Tú cómo lo ves?

Noticia 3: "Los trabajadores que ganan menos de 12 000 euros al año no pagarán impuestos".
- Yo creo que todos deberíamos pagar impuestos.

Noticia 4: "En México la medicina alternativa gana terreno a la medicina tradicional".
- No me parece muy positivo que esto ocurra. Pienso que la medicina tradicional es más efectiva que la alternativa.

Noticia 5: "El Gobierno rebaja la ayuda para la investigación de las enfermedades raras".
- Estoy totalmente a favor de que parte de nuestro dinero se destine a esto.

Noticia 6: "Esta semana se desarrolla en las escuelas andaluzas el programa "Somos iguales, somos diferentes" para conocer la diversidad histórica y cultural de nuestro territorio".
- Me parecen interesantes estas iniciativas para los adolescentes. Es necesario convivir con otras culturas para enriquecerse. ¿Tú qué crees?

Noticia 7: "En enero se abandona un 20% más de perros en el albergue municipal. Suelen ser mascotas regaladas para Reyes. Sus dueños las cuidan tan solo diez días antes de dejarlas".
- Es horrible que se regalen animales en Reyes para luego abandonarlos.

Noticia 8: "Los programas de la Cruz Roja vinculados a la lucha contra la pobreza han crecido un 30% este año".
- Es fantástica la labor que desarrolla la Cruz Roja en el mundo. Creo que es la ONG más importante que tenemos hoy día.

7.
- Carlos: Oye, Ana, ¿has escuchado que el gobierno va a dar una ayuda económica a los jóvenes que quieran irse fuera a buscar trabajo?
- Ana: Sí, lo he leído esta mañana en el periódico...
- C.: ¿Y no te parece una buena iniciativa?
- A.: Si tú lo dices...
- C.: Bueno, al menos es una alternativa, porque a lo de quedarse aquí yo sí que no le veo mucha salida, la verdad. Yo, si no encuentro nada después de los exámenes, creo que voy a hacer las maletas. Seguro que allí encuentro pronto un buen trabajo relacionado con mis estudios.
- A.: ¿Tú crees? Lo pintan muy bonito pero después allí no es tan fácil como parece, además de estar lejos de los tuyos. A mí me parece una pena que la juventud mejor preparada en décadas tenga que marcharse para poder vivir dignamente.
- C.: Sí, a mí también me lo parece. Pero precisamente por eso, quedarte aquí después de haber estudiado tanto y cuando lo que te espera seguramente es ganar una miseria de prácticas o un trabajo precario, me parece todavía peor. No sé, yo tengo que pensar en mi futuro, y si no está aquí, tendré que buscarlo fuera.
- A.: Sí, claro, tenemos que buscarnos la vida... Pero no estoy de acuerdo en que esa sea la solución, los políticos deberían resolver el problema aquí y no animarnos a marcharnos dejando el país sin jóvenes preparados y profesionales...
- C.: Sí, yo pienso lo mismo, pero mientras... Además, marcharte también significa vivir una experiencia nueva, conocer otras culturas, otros idiomas...
- A.: ¿Ves? Y lo que me parece vergonzoso es que encima los políticos digan que es nuestro espíritu aventurero el que nos hace marcharnos y que lo disfracen de oportunidad, cuando precisamente es su obligación garantizarnos oportunidades aquí, en nuestro país. Que después tú te quieras marchar es otra cosa, pero por obligación...

UNIDAD 3: COMPORTAMIENTOS

8.
- Birthe: ...De verdad, ya no sé qué hacer. Lo quiero mucho pero a veces... ¡no lo aguanto!
- Hanne: Pero, ¿qué ha pasado ahora?
- B.: Pues nada, habíamos decidido ir el fin de semana al campo, lo teníamos todo listo, incluso ya me había comprado unas botas de montaña porque las mías me las dejé en Dinamarca, y resulta que me dice que es que el sábado, o sea, el mismo fin de semana, todos sus amigos juegan un partido de fútbol y que le han dicho que él no puede faltar... En definitiva, que pretende que dejemos lo del campo para otro fin de semana.
- H.: Bueno, es que parece que el fútbol para los españoles es muy importante, ¿no?
- B.: Sí, sí, todo lo que tú quieras, y a mí no me importa que quede con sus amigos y que juegue al fútbol, pero si ya tenemos hechos unos planes... Lo peor de todo es que encima luego me dice que como yo me voy a aburrir viendo el partido, algo que supone él, claro, que mientras ellos juegan, puedo irme con las novias de sus amigos a dar una vuelta o a tomar algo y que así puedo divertirme y practicar mi español al mismo tiempo. ¿Qué te parece?
- H.: Bueno, en eso tiene razón...
- B.: En fin, que al final me quedo sin ir al campo el finde que viene...
- H.: Bueno, Birthe, espero que todo se arregle entre vosotros, y recuerda que, sean españoles o daneses, al final lo que está claro es que los hombres son de Marte y las mujeres de Venus, ja, ja, ja...

9. Diálogo 1

- Nacho: Birthe, tengo que decirte una cosita. No te enfades, pero... es que ayer puse una lavadora y... mira... ¡no sé qué ha pasado, pero toda la ropa está rosa!
- Birthe: ¿Qué? ¡Nacho, de verdad! ya te expliqué que tenías que separar la ropa blanca de la de color, ¡y has metido tu jersey rojo con la ropa blanca! ¡Mira cómo has dejado mi camiseta favorita!
- N.: Perdona, Birthe, lo siento mucho. Pero mira, este fin de semana vamos al centro comercial y te compro una camiseta igual, ¿vale?

Diálogo 2

- Madre: ¡Luis! ¡Mira cómo has dejado la cocina! ¿No te he dicho mil veces que tienes que fregar los platos después de comer?
- Hijo: ¡Ay, mamá! Si los iba a fregar, pero es que ha venido Darío y nos hemos puesto a...
- M.: ¡Pero, bueno! ¿Y este comedor? ¿Qué hacen todos estos cedés tirados por el suelo?
- H.: Pues ya te he dicho que ha venido Darío y que...
- M.: Mira, Luisito, ni Darío ni nada. Si quieres salir los fines de semana, te exijo que cumplas con tu parte de las tareas.
- H.: Vale, mamá, de verdad que no volverá a pasar. Lo recojo todo ahora mismo.

Diálogo 3

- Pepe: Fernando, ¿has terminado ya los informes que necesitábamos para la reunión?
- Fernando: ¡Ay, vaya! Se me ha olvidado completamente.
- P.: Fernando, no es la primera vez que te pasa. No veo mucho interés por tu parte, la verdad.
- F.: Pepe, no te pongas así, pero entiéndeme..., tengo muchas cosas en la cabeza y...
- P.: Mira, Fernando, esto tiene que cambiar, te pido que te impliques más en el negocio, si no, me voy a plantear continuar con esto.
- F.: Es verdad, tienes razón. Pero, por favor, ten más paciencia conmigo...

10. Hola, me llamo Virginia Perales, y quisiera compartir con todos los oyentes mi experiencia sobre compartir piso y espero que me entiendan aquellos que se han encontrado en mi situación.

Yo, cuando me fui de casa, fue para irme a vivir con mi novio. Los planes que teníamos entonces se cumplieron más bien poco y mi carrera nunca fue como yo planeé. Pero he sido muy feliz viviendo en pareja. Pese a esos momentos de adaptación y negociación, ha sido una transición muy feliz y no podría estar más contenta con estos tres años de convivencia.

Pero estas últimas semanas he podido vivir en mis carnes la experiencia de compartir piso de verdad. Con gente ajena, con desconocidos con los que tienes que compartir espacio y, sinceramente, ¡menos mal que solo han sido siete semanas!

No soy maniática de la limpieza, ni muy estricta con las normas, soy más bien de estar a la mía y nunca pensé que me costara adaptarme a la convivencia con más personas. Me equivocaba. ¡Y cómo!

Tú piensas en ti mismo como el compañero de piso ideal, y seguramente las chicas con las que compartí piso así debían pensarlo de sí mismas. Pero nunca me acostumbré a que pusieran lavadoras a horas intempestivas, a sus chistes y carcajadas a las tantas de la noche, a que amigos suyos se creyeran con la libertad de aporrear nuestra puerta a las cinco de la mañana, a que dejaran la cocina siempre sucia o trastos suyos invadiendo el espacio comunitario... Sinceramente, no me ha molado nada.

Mi chico y yo decidimos no entrar en disputas por siete semanas y, excepto alguna cosa puntual, jamás les dijimos nada. Eran buenas chicas pero venían de un entorno consentido, familias acomodadas y, aunque no eran tan jóvenes, sí entendíamos que era la primera vez que vivían fuera y no tenían ni idea de cómo funcionaba el mundo. Y mucho menos el respeto a la libertad de sus vecinos.

Comparto esto con todos los radioyentes porque, seamos sinceros, así me desahogo un poco. Pero también porque sé que no estoy sola, que casi todos hemos pasado por la terrible experiencia de compartir piso y tener disputas con gente que no nos importa, y ojalá sepamos reaccionar ante algo que nos incomoda.

Adaptado de: http://www.todasmisneuras.com/2013/08/compartir-piso-y-demas-dramas.html

UNIDAD 4: SOBRE GUSTOS, COLORES

11.
- Presentador: **La cantante Edurne nunca para. Sacar disco, estar de gira, protagonizar musicales, participar en concursos de televisión o presentar. Pero, de verdad, ¿hay algo que no hagas?**
- Edurne: Ja, ja, ja... Bueno, me encanta hacer miles de cosas. No me gusta nada estar parada. Aunque cuando tengo tiempo libre es solo para descansar y estar con los míos.
- P.: **¿Y qué haces cuando no tienes que trabajar?**
- E.: Pues aprovecho para levantarme tarde. Me pueden dar las doce del mediodía durmiendo. ¡Odio levantarme temprano!, la verdad. Cuando tengo vacaciones me gusta bastante la casa, estar aquí con la familia, levantarme y ver a mi gente. Me gusta que mi familia venga a visitarme. También disfrutar de la piscina de casa, andar por la montaña, y, en definitiva, relajarme... Estos son los mayores placeres de los que puedo disfrutar cuando el trabajo me lo permite. Me fastidia no poder pasar el verano con ellos.
- P.: **¿Y te gusta viajar?**
- E.: Sí, claro. De hecho, hace unos días mi pareja y yo hicimos una escapada a Disneyland. Me encanta montarme en las atracciones, como una niña pequeña, vamos.
- P.: **¿Y cuáles son tus aficiones?**
- E.: Entre mis aficiones preferidas está la de ir al cine. Me encantan, especialmente, las películas románticas, y son la mejor opción para el fin de semana. Ir de compras... es otro de mis planes favoritos. También me gusta muchísimo salir con los amigos. Aunque debo decirte que me molesta que los periodistas traten de hacerme fotos cuando me estoy divirtiendo. Como suelo trabajar por las noches, pues me gusta disfrutar hasta tarde con mi gente. Aunque debo decir que mi mejor momento es cuando voy al gimnasio para hacer ejercicio y relajarme practicando yoga.

P.: **Bueno, Edurne, muchísimas gracias por habernos atendido tan bien y nos encanta que siempre tengas esa sonrisa en tu cara. Hasta siempre, Edurne.**

E.: El placer ha sido mío.

12. **1.** seda; **2.** bazo; **3.** boro; **4.** día; **5.** dorso; **6.** vela; **7.** sega; **8.** quiso; **9.** coto; **10.** duna; **11.** corra; **12.** muergo; **13.** trama; **14.** capo; **15.** cata; **16.** grave.

13. **Anuncio 1**

¡Ven al Parque de Atracciones Tibidabo de Barcelona! La mejor oferta de ocio para este otoño. Ahorra comprando con antelación tu entrada *online* a través de nuestra página web. Desde 19,90 euros. Además, durante todo el año, disfrutarás de las mejores ofertas y promociones en la web, así que no dejes de estar atento a todas las novedades. Precios válidos a partir del 1 de octubre. La entrada incluye el uso ilimitado de todas las atracciones mecánicas del parque.

Anuncio 2

¿Te gusta patinar sobre hielo? En el Centro Comercial Palacio de Hielo encontrarás la mejor pista de patinaje sobre hielo olímpica. 1800 m^2 para que disfrutes de una forma diferente de diversión. Con cafetería, música actual, luz espectacular... Calle Silvano, 77, metro Canillas. Consulta nuestros horarios de sesiones públicas en nuestra página web. Para visitas del 15 al 30 de octubre, el alquiler de patines gratis si pinchas en www.sporthielo.com. ¡Te esperamos!

Anuncio 3

Metro de Madrid celebra sus 95 años con una exposición que recuerda sus hitos más importantes, repasando la historia y los elementos del suburbano desde que Alfonso XIII lo inauguró en el año 1919. Además, un tren ambientado en los años 20 recorrerá durante un mes la línea 1 del metro conmemorando el aniversario. La exposición se podrá visitar en la Estación Fantasma de Chamberí, hasta el 9 de noviembre.

Anuncio 4

Apúntate a los cursos de setas de la Asociación Cultural Cantharellus. Ven a disfrutar de nuestras actividades en la sierra de Teruel y alrededores. Salidas guiadas y personalizadas para aprender a distinguir las setas tóxicas, las mejores setas comestibles, su hábitat, sus recetas y mucho más... ¡Ah!, y los que lo deseen, podrán disfrutar de un atractivo descuento en una comida casera tradicional con setas en el restaurante Los Zagales.

Anuncio 5

¿Cansado de tu rutina? Ven al *hammam* Al Ándalus Madrid. Un oasis de calma y relajación para olvidarte del estrés y renovar tu cuerpo y tu mente. Reserva tu momento y vive una experiencia única en los baños árabes. Calle Atocha, junto a la Plaza Mayor.

Consulta también nuestras ofertas *online* en días laborables. Y ahora, si eres residente en la Comunidad de Madrid, consigue un baño y masaje relajante para dos por solo 65 euros.

Anuncio 6

El próximo 21 de noviembre a las 21:00 horas, gran actuación de Montse Cortés en el Gran Café de León. Conocida fundamentalmente por su trabajo con bailarines como Antonio Canales o Sara Baras, es hoy una de las voces de acompañamiento más prestigiosas. En sus actuaciones se suele acompañar de la guitarra de su sobrino, Eduardo Cortés, y de la de "El Viejín". En esta ocasión, Montse Cortés mostrará un repertorio especial con versiones de otros artistas y acompañada de Pájaro Juárez a la guitarra, Yelsi Heredia al contrabajo y Bandolero a la percusión. Entrada: 10 euros.

Fuente: *Guía del Ocio.*

UNIDAD 5: LOS SENTIMIENTOS

14. **"El mejor lugar del mundo para vivir", según ha publicado el rotativo británico el pasado domingo, "tiene dos realidades". Una de las caras es "la Palma guapa, la del casco antiguo y las zonas que visitan o en las que residen los extranjeros". Son los lugares descritos por el dominical en el reportaje titulado *Placeres terrenales*. Sin embargo, nosotros hemos querido conocer la opinión de todos los habitantes de Palma, y esto es lo que nos han contado.**

– Hola, me llamo Joan. ¿El mejor lugar para vivir? Bueno..., en estos estudios ya se sabe, siempre tienen en cuenta los mismos criterios. Yo no pienso que ninguna ciudad sea "la mejor" del mundo, y no estoy diciendo que en Palma no se viva bien, a mí me encanta, es mi lugar. Es una ciudad llena de luz, inspiradora y con un gran componente artístico, pero es una pena que la gente se quede solo con la imagen de postal y no se interese por conocer la verdadera ciudad, incluidas sus sombras, que también las tiene.

– Soy Montse. ¿De verdad consideran que el mejor lugar para vivir está al lado de una incineradora de residuos? ¿Por qué no dicen nada de esto en el artículo? Es una vergüenza que en pleno siglo XXI tengamos que vivir con una incineradora tan cerca, con los riesgos para nuestro organismo que esto implica. Me gustaría saber si alguno de los que la ha votado la mejor ciudad, se iría a vivir cerca de la incineradora...

– Hola, soy Josep, me encanta que me hagáis esta pregunta. Bueno, si por "ideal" consideran no poder pegar ojo hasta altas horas de la madrugada... Yo vivo en el casco antiguo desde que nací y no me imagino viviendo en otro sitio, pero hay noches, sobre todo en los meses de verano, en las que es imposible conciliar el sueño. En el barrio estamos hartos de poner denuncias y de que el ayuntamiento no tome medidas eficaces para solucionar el problema de los ruidos. Por eso hemos creado una plataforma vecinal, a ver si uniendo nuestras quejas nos hacen más caso.

– Buenas tardes, me llamo Marta. Hombre, yo creo que Palma es muy mejorable en según qué barrios. Precisamente yo soy portavoz del colectivo Illa Nostra, desde el que intentamos reivindicar los derechos de todos los ciudadanos de Palma, y, personalmente, creo que no puede opinar lo mismo el que vive en el centro que un residente de Can Pastilla, por ejemplo. Si todos pagamos los mismos impuestos, es injusto que el ayuntamiento gaste más en mejorar las infraestructuras en unas zonas que en otras. No dudo que esta ciudad puede ser uno de los mejores lugares para vivir, pero todavía hay mucho que hacer.

– Yo soy Frédéric... Lo que sí está claro es que Palma es un excelente lugar para hacer negocio, ja, ja, ja... En nuestra agencia, siendo nuestro principal cliente británico, nos viene muy bien la actual devaluación del euro frente a la libra esterlina. Y es que, frente al mercado español, todavía en crisis, hay una fuerte moneda extranjera que quiere comprar y se lo puede permitir. Palma es un destino muy atractivo para los ingleses. Es una ciudad que cuenta con fantásticos edificios, aunque a mí, como arquitecto, me indignan algunos casos de corrupción urbanística que han arruinado algunas de las zonas más bellas de la isla.

– Para mí sí es el mejor lugar para vivir, sin duda. Yo vine hace muchos años, buscando playa y sol, pero me enamoré de la isla... y de un mallorquín, ja, ja, ja, y aquí me quedé. Al principio trabajaba en el negocio familiar de mi marido, pero después montamos nuestro propio restaurante y ahora ¡ya tenemos tres! No es solo el clima y las playas, porque eso lo tenemos en otras islas, esta ciudad es como cualquier capital europea, con encanto y gran variedad de comercios y restaurantes, pero tiene el añadido de la cercanía y la tranquilidad. ¿Que me tengo que quejar de algo? Bueno, sí, mira, yo, porque también lo soy, no soporto ver cómo se comportan algunos extranjeros cuando vienen, que no respetan ni la isla ni a los que vivimos en ella. ¡Ah! por cierto, me llamo Claudia y soy mexicana.

Adaptado de: http://www.diariodemallorca.es/palma/2015/03/24/realidades-mejor-lugar-mundo-vivir/1009493.html

15. ● Entrevistadora: **Y damos la bienvenida a nuestro siguiente invitado. Él es el autor de *Las gafas de la felicidad* y uno de los más prestigiosos psicólogos españoles. Rafael Santandreu, buenas tardes.**

○ Rafael Santandreu: Hola, buenas tardes.

● E.: **Un placer. La última vez que nos vimos hablamos de tu anterior libro *El arte de no amargarse la vida*, todo un récord de ventas y un referente en el mundo de la psicología. ¿Qué tiene de nuevo *Las gafas de la felicidad*?**

○ R.S.: Bueno, en realidad este libro sería una segunda parte del primero. Se trata de un método, un manual de autoterapia para descubrir nuestra fortaleza emocional y, de ese modo, conseguir ser más felices.

● E.: **Pero, ¿realmente, se puede ser feliz? ¿Y qué es exactamente la felicidad?**

○ R.S.: Claro que se puede ser feliz, no en todo momento, claro, vamos a ver... Ser feliz es tener calma y tranquilidad la mayor parte del tiempo, apreciar las pequeñas cosas: un paseo, una buena conversación... La clave de la felicidad está, básicamente, en no quejarse, valorar lo que tienes y aprovechar tus oportunidades en cada momento.

● E.: **¿Tan fácil? Dices "valorar lo que tienes", pero claro, seguramente nos están escuchando muchas personas insatisfechas, o incluso deprimidas, porque no consiguen lo que quieren.**

○ R.S.: Ahí radica el error. Mira, la primera causa de infelicidad es creer que vamos a encontrar la felicidad en lo externo: queremos tener pareja, un buen trabajo, dinero, una casa bonita, saber idiomas, haber viajado... Todos podríamos tener más cosas de las que tenemos, pero debemos darnos cuenta de que ya tenemos bastante con lo que tenemos. El ser humano enferma de lo contrario, de la "necesititis", es decir, de creer que necesitamos más de lo que tenemos para ser felices, cuando en realidad solo seré feliz cuando mentalmente esté satisfecho. Es un hecho que son más felices los que menos necesitan, y no me refiero solo a necesidades materiales, son peores las inmateriales: necesito estar delgado, estar en forma, hacerlo todo bien, que me respeten, una persona a mi lado... Y si no tenemos todo eso, nuestra vida ¡es terrible!

● E.: **La "terribilitis" de la que hablas en tu libro, ¿no?**

○ R.S.: Efectivamente, ese hábito de ver cualquier pequeña adversidad como muy mala o terrible. En realidad, nada es tan terrible, ni necesitamos tenerlo todo ni ser tan perfectos. El problema es que no lo vemos, y para que todo sea "perfecto" nos exigimos demasiado, llenándonos de ansiedad y estrés.

● E.: **Dices también que una de las claves es no quejarse. Y es que hay gente que ve siempre el lado malo de las cosas, ¿no?**

○ R.S.: Claro, mira, son infinitas las posibilidades de quejarse. Somos hipersensibles a las incomodidades, todo nos irrita. Nos molesta encontrarnos con un atasco de tráfico, tener que hacer cola en el súper... y esto sucede porque tenemos endiosado el concepto de la comodidad. El consumismo nos ha transmitido la idea de que comodidad es igual a felicidad, y esto también es un error. Si aprendemos a serenarnos, a aceptar que no es necesario que todo sea perfecto y asumimos nuestras limitaciones, estaremos combatiendo esa ansiedad generalizada que nos envuelve.

● E.: **Dices "asumir nuestras limitaciones", "no somos perfectos"... ¿No suena eso a conformismo? ¿A no querer mejorar?**

○ R.S.: Bueno, se trata de tener una mente de preferencias en lugar de una mente de exigencias. No exigirnos nos ayuda a ir más lejos; exigirse mucho te bloquea y te rompe. Necesitamos cambiar ese diálogo interior autoexigente y terribilizador.

● E.: **Pero, ¿cómo?**

○ R.S.: Mira, desde la psicología cognitiva entendemos que nuestros sentimientos son el resultado de nuestros pensamientos. No somos infelices por lo que nos pasa, sino por lo que nos decimos acerca de lo que nos pasa. ¿Cuál es la clave? Controlar nuestros pensamientos, no terribilizar acerca de lo que nos sucede, aprender a relativizar, a minimizar los inconvenientes, y utilizar la mente para provocarnos unas emociones y no otras. Pero para eso es muy importante que nosotros creamos que podemos cambiar nuestra manera de pensar y de sentir.

● E.: **Hasta aquí la técnica pero, ¿y la práctica? ¿Cómo lo hacemos? ¿Por dónde empezamos?**

○ R.S.: Pues a base de ejercicio, ejercicios mentales. Es cuestión de práctica y de constancia. Hay que ponerse en forma a nivel mental, es igual que ir al gimnasio. Y hay que trabajar cada vez que tengamos un pensamiento negativo.

● E.: **Bueno, pues seguiremos tus consejos, Rafael. Hasta aquí la charla de hoy. Muchísimas gracias, ha sido un placer y te deseamos mucho éxito con tu libro.**

○ R.S.: Eso esperamos, muchas gracias a ti y hasta pronto.

Fuentes: https://www.youtube.com/watch?v=tQWrR779AZg y https://www.youtube.com/watch?v=1BeRp4UceR0

16. Bienvenido/a, imagen, revuelto, comuniqué, bibliotecario/a, Geografía, kimono, observar, detergente, cómic, hierve, Güell, Biología, traduje, ronqué, cigüeña, recibir, dirigente, traje.

17. **Persona 1**

Para mí, el mejor cacao del mundo es el cacao *Chuao* de Venezuela. Este producto, de altísima calidad, ha sido famoso desde la época colonial, siendo uno de los más finos del mundo y más apreciados por los grandes chocolateros internacionales. El aroma y sabor que aporta el cacao venezolano son inigualables y marcan la diferencia al escoger un chocolate. ¿Sabéis que otros países fabricantes de chocolate añaden un porcentaje de cacao venezolano para mejorar la calidad del producto?

Persona 2

Pocas personas saben que el café de Veracruz cuenta con una Denominación de Origen que avala su calidad y que incluso ha permitido que los caficultores incrementen sus ventas. Este café es cultivado a una altura mínima de 750 metros sobre el nivel del mar, sobre una región volcánica, lo que influye en la calidad y sabor de los granos. ¿Sabéis que Veracruz produce el 75 por ciento de todo el café que México exporta al exterior?

Persona 3

Yo os voy a hablar del café de Colombia. Es la denominación que se le otorga al café producido en las regiones cafeteras de Colombia. Se ha demostrado que la calidad del producto obedece no solo a las condiciones específicas de clima, localización y tierra del café, sino al respaldo y control de calidad en cada uno de los procesos de producción asociados con el café de Colombia.

Persona 4

Yo quiero hablar del tequila, que es originario del estado de Jalisco, en México. Se elabora a partir del jugo extraído del agave. Es, quizás, la bebida más conocida y representativa de México en el mundo. Para llamarse tequila, la bebida debe estar elaborada en México y contener al menos un 51% de azúcares provenientes del agave, aunque los tequilas más puros contienen el 100%.

Persona 5

El queso manchego es un queso que tiene que ser elaborado en la región de La Mancha, en el centro-sur de España, a partir de leche de oveja manchega. Una vez hecho, el queso deberá ser envejecido en cuevas durante al menos dos meses. El queso tiene un sabor distintivo, bien desarrollado, pero no demasiado fuerte, y deja un regusto que es característico de la leche de oveja. Actualmente, 70 queserías forman la Denominación de Origen Queso Manchego.

Persona 6

La cooperativa agrícola de Pica, en Chile, inició a partir del año 1999 el proceso para la obtención de la Denominación de Origen del Limón de Pica. El Limón de Pica fue traído a Pica por los españoles por el año 1536, donde fue adquiriendo notables características de aroma, color y sabor. Es muy apreciado por ser especialmente jugoso y porque se puede consumir durante todo el año.

UNIDAD 6: UN POCO DE EDUCACIÓN

18. **Manuel**

Yo nací y he vivido siempre en un pueblo y aquí, en mi época, solo estudiaban carrera los niños ricos. Los demás, la mayoría, apenas íbamos unos años a la escuela y aprendíamos a leer, a escribir y las cuatro reglas, porque había que ayudar en casa y en el trabajo en el campo. Claro que a mí siempre me ha gustado estudiar por mi cuenta y leo muchísimo. Ahora, por suerte, las cosas han cambiado mucho. Cuando me jubilé, me apunté a una escuela de mayores y volví a estudiar, ¡y hasta me saqué el Bachillerato! ¿La universidad? Bueno, eso ya son palabras mayores… No sé yo cómo me sentiría rodeado de tanta juventud… Pero… nunca se sabe… siempre me ha gustado mucho la Historia y…

Ay, cuando veo a gente joven con tantas oportunidades desaprovechando el tiempo, me da mucha pena…

Marta

Pues en mi época, casi todo el mundo tenía acceso a la enseñanza, bueno, también es verdad que muchos no fuimos a la universidad. Yo, por ejemplo, después del Bachillerato, estudié Formación Profesional y empecé a trabajar como secretaria en un bufete de abogados. Y fue allí donde descubrí mi verdadera vocación, bueno… y algo más. Allí conocí a Pedro, mi marido. Fue él el que, al ver mi interés, me animó a seguir estudiando. Yo al principio no lo tenía tan claro, pensaba que ya era demasiado mayor para volver a estudiar, pero al final me decidí. Fue duro, porque compaginaba mis estudios con el trabajo y, entre tanto, nos casamos y me quedé embarazada de mi primer hijo. Pero hoy estoy segura de que fue una de las mejores decisiones de mi vida. Ahora soy abogada y me apasiona mi trabajo. Por eso pienso que cuando alguien quiere algo, tiene que luchar para conseguirlo. Nunca es tarde para hacerlo. ¿Que si ahora lo tienen más fácil de lo que lo tuve yo? Pues no sé, entre la subida de las tasas para la educación, el recorte de becas y el panorama laboral…, no lo tengo tan claro.

Santi

Yo vengo de una familia de médicos, así que desde pequeño nadie ponía en duda que seguiría los mismos pasos que mis padres. Hasta que empecé el instituto, claro… Me acuerdo perfectamente del primer día de clase. Estábamos todos charlando en nuestras mesas cuando entró él. Era un tipo muy peculiar y desde el primer momento llamó nuestra atención. La verdad es que nunca me había sentido atraído especialmente por el arte, pero con él todo ese mundo se volvió mágico para mí. En sus clases nos transportaba a las épocas en las que se construyeron las grandes catedrales o se pintaron las obras maestras de la historia, y nos hacía vivirlo como auténticos protagonistas… Cuando les dije a mis padres que quería estudiar Bellas Artes, casi se mueren. Recuerdo que mi padre estuvo una semana entera sin hablarme. Pero al fin comprendieron cuál era mi verdadera vocación. Hoy soy diseñador y me acuerdo muchas veces de aquel profesor. Intento hacer mi trabajo con la misma pasión que le ponía él. ¿Mi consejo para los jóvenes? Que estudien lo que verdaderamente les guste. La vida universitaria está muy bien, pero también requiere mucho esfuerzo y dedicación, y lo más importante, te prepara para aquello a lo que te dedicarás en el futuro, por eso pienso que es fundamental elegir bien.

Paula

Pues yo, la verdad, no tengo nada claro qué hacer. A mí me gusta mucho el cine, cantar, interpretar…, pero mi madre siempre me dice que eso está muy bien como *hobby* pero que debería estudiar algo más serio, que me permita encontrar un buen trabajo cuando termine los estudios. Y, no sé, a lo mejor tiene razón, pero ahora mismo es que no hay nada más que me motive... Bueno, igual es que como el panorama está tan negro parece que no importa mucho lo que elijas... Yo a veces le digo a mi madre: "y, si todo está tan mal y nadie me garantiza que después de estudiar vaya a encontrar un buen trabajo, ¿no será mejor al menos estudiar lo que te gusta?". Además, siempre hay otras opciones, mucha gente se marcha al extranjero y... ¡no pasa nada! Menos mal que aún me quedan dos años para entrar en la universidad, porque la verdad es que ahora mismo no tengo ni idea de qué quiero hacer...

19. **1.** faja; **2.** afligido; **3.** aflojar; **4.** finjan; **5.** desfigurado; **6.** fijar; **7.** centrifugar; **8.** alforja; **9.** fichaje; **10.** diafragma; **11.** sufijo; **12.** faringe; **13.** aguafuerte; **14.** refugio; **15.** fijación; **16.** festejo; **17.** configurar; **18.** crucifijo; **19.** justificar; **20.** frijoles.

20. **1.** abrasar/abrazar; **2.** hacia/Asia; **3.** basar/bazar; **4.** ceda/seda; **5.** cepa/sepa; **6.** riza/risa; **7.** ves/vez; **8.** zueco/sueco; **9.** asada/azada; **10.** bazo/vaso; **11.** cause/cauce; **12.** siervo/ciervo.

21.
- Claudia: Hola, Antonio, ¿qué tal? ¿Cómo estás?
- Antonio: Pues muy bien, gracias, aquí vengo de la facultad, que he tenido un examen.
- C.: ¿Qué estudias?
- A.: Estoy en tercero de Fisioterapia.
- C.: Ah, pensaba que estabas en Medicina.
- A.: No, qué va. Como desde pequeño he andado muy metido en el deporte y tal, siempre quise hacer lo que los fisios hacían, me gusta bastante.
- C.: ¿Y qué deportes practicas?
- A.: Triatlón.
- C.: Ah, qué guay. ¿Y qué tal te va en la carrera?
- A.: Pues, bien, es muy dura... Para esta carrera tienes que tener muchas ganas, no es fácil, y necesitas mucho tiempo...
- C.: ¿Qué es lo que más te gusta?
- A.: Pues te tiene que gustar mucho el trato directo con los pacientes, si no...
- C.: Sí, es verdad, tienes que ser sociable y tener mucha paciencia. Tengo un amigo que estudia también Fisioterapia y siempre me dice que lo más agradecido es ayudar sobre todo a las personas mayores, que le llevan bombones, ja, ja, ja, sí que es muy agradecido, sí. ¿Tienes muchas prácticas?
- A.: ¡Qué va! Es lo que no me gusta de esta universidad, que tengo pocas prácticas. Las hacemos entre nosotros, porque en los primeros años hay pocas. Esta universidad es muy teórica, estudias y luego al mes lo olvidas todo. Me han dicho que en la universidad de Alcalá hay más prácticas: ya desde primero tienes, y creo que sales más formado. No sé si el año que viene me cambiaré. ¿Y a ti qué tal te va en Químicas? Estudiabas Químicas, ¿verdad?
- C.: Sí, sí.
- A.: ¿Ves? Tengo buena memoria, ja, ja, ja.
- C.: Ja, ja, ja. A mí me va genial. Yo en cambio tengo muchísimas prácticas. Es lo que más me gusta de esta carrera, las prácticas, estar en el laboratorio, estar trabajando en algo a lo que te vas a dedicar en un futuro.
- A.: Y, ¿por qué te decidiste por Químicas?
- C.: Al principio no tenía claro lo que iba a elegir. Sabía que iba a ser algo de ciencias. Y, finalmente, me decidí por Químicas.
- A.: Ya veo que te gusta.
- C.: Hombre, la verdad es que lo peor es que me paso allí todo el día, por la mañana las clases y por la tarde las prácticas.
- A.: Jo, mi carrera es mucho de memorizar...
- C.: Pues lo que más me gusta de la mía es que es de lógica y pensar, más que de memorizar. Es más de entender y aplicar lo que has aprendido.
- A.: Perdona, Claudia, ¿te vienes a la cafetería y seguimos hablando? Es que después del examen necesito un buen café, que me estoy quedando dormido.

UNIDAD 7: ¿SABES POR QUÉ...?

22. **¿Por qué se deshiela el planeta?**

En el Ártico, cada vez se derrite más hielo en verano. Esto es un gran problema para los osos polares, que necesitan el hielo para sobrevivir, y también es un gran problema para todo el mundo, porque nuestro planeta necesita el hielo del Ártico para mantenerse fresco. Como hay demasiado dióxido de carbono en la mezcla de gases que envuelve el planeta, y este retiene el calor del sol, la tierra se está calentando.

¿Por qué se oye el ruido del mar en las caracolas?

Pues la explicación es mucho más sencilla y menos romántica de lo que se piensa. Tenemos la sensación de estar oyendo las olas del mar debido a que el flujo de la sangre circula por nuestro oído y su sonido es amplificado por la propia concha. Además, los flujos de aire entre la concha y la oreja aumentan la sensación de estar oyendo las olas del mar.

¿Por qué en las pastas dentales salen los colores sin mezclarse?

La pasta de dientes con rayas se consigue mediante un juego de diferentes densidades. La pasta blanca está en la parte inferior del tubo, puesto que tiene menor densidad. La pasta azul o roja es la encargada de dibujar las estrías, ya que tiene una mayor densidad. Es el diseño de la boquilla el encargado de repartir los dos componentes realizando el curioso dibujo.

¿Por qué se nos duermen los brazos o las piernas?

Lo cierto es que esto ocurre cuando estamos despiertos durante mucho tiempo, y puede ocurrir por diversas razones. Puede ser que comprimamos un nervio, con lo cual se pierde la sensibilidad de esa zona del cuerpo, sobre todo en los miembros superiores o inferiores. También puede deberse a una falta de riego sanguíneo en esa parte del cuerpo.

¿Por qué nos encogemos cuando tenemos frío?

Dado que al encogernos se reduce el área de nuestro cuerpo en contacto con el exterior, se disminuye la pérdida de calor. Es un mecanismo de defensa.

23. **1.** La contaminación de los mares y el desarrollo turístico y urbano en las playas en donde las tortugas anidan son algunas de las causas que anticipan la extinción de esta especie. Además, el cambio climático produce catástrofes naturales como las mareas, que destruyen el hábitat de este animal.

2. Cada año es más grande el porcentaje de reducción del hielo en el Ártico, hábitat de los osos polares. Si continúan derritiéndose las capas de hielo, los osos polares desaparecerán dentro de 75 años.
3. Se prevé que para el 2060 el hábitat del tigre de Bengala estará destruido y, como consecuencia, desaparecerán el 70%. Por otra parte, la comercialización indiscriminada de esta especie es otro factor importante en la extinción de estos animales.
4. Para algunos científicos, el deshielo en la Antártida también será la causa de extinción de los pingüinos en el 2100. El hielo marítimo es esencial para la vida del pingüino emperador, ya que en él protegen a sus crías, es la fuente de su alimentación y el lugar en donde mudan de plumas.
5. El incremento de la temperatura y la sequía por falta de lluvia son las consecuencias del cambio climático que afrontará el único hábitat de estos animales. Las altas temperaturas producen incendios forestales que acaban con gran parte de los canguros.
6. Las ballenas están en continua amenaza. Una de las consecuencias del cambio climático es que las rutas migratorias de las ballenas son alteradas por las variaciones de la temperatura del océano. Esto hace que algunas se pierdan en mar abierto.

24. **1.** mejilla; **2.** chaleco; **3.** yacimiento; **4.** ladrillo; **5.** yegua; **6.** bueyes; **7.** murmullo; **8.** cancha; **9.** yema; **10.** zambullir; **11.** trinchera; **12.** cepillo; **13.** yeso; **14.** atropello; **15.** cachalote; **16.** arcilla; **17.** reyes; **18.** yacer; **19.** chocolate; **20.** llave.

25. **Noticia 1**

El concejal de Medioambiente del Ayuntamiento de Madrid, Alberto Sánchez, había convocado ayer a los medios de comunicación a las 12:45 para informarles sobre los compromisos adquiridos en el Pacto de Conservación de la Flora y Fauna de la sierra madrileña. Llegó a su cita a las 13:30, excusándose porque la reunión anterior se había alargado más de lo previsto. Insistió en sus disculpas a través de las redes sociales, algo que tampoco es muy habitual en un político.

Noticia 2

¿Por qué nos cuesta tanto resolver acertijos? La respuesta, según los expertos, está en el llamado "pensamiento lateral", término acuñado por Edward de Bono en 1967 para referirse a un tipo de pensamiento diferente al convencional o racional, y que consiste en solucionar problemas de una forma creativa. Así, los acertijos, aunque se presentan como un problema tradicional cuya respuesta parece evidente una vez conocida, ponen a prueba los principios lógicos de quienes hemos de resolverlos y nos exigen enfocar el problema desde un ángulo completamente nuevo o, como dicen en inglés, "pensar fuera de la caja".

Noticia 3

Descubren por qué algunas personas son más hábiles con los idiomas. Para algunas personas aprender una lengua nueva es relativamente sencillo, mientras que para otras se vuelve una tarea complicada. La clave de esa diferencia podría estar en la calidad de las conexiones entre las dos zonas del hemisferio izquierdo del cerebro implicadas en el habla, según una investigación española publicada recientemente. Este hemisferio es, para el 95% de las personas diestras y el 70% de las zurdas, la base del lenguaje verbal; mientras que la comprensión de los aspectos no verbales, como la fonética y el ritmo, se localizan en el hemisferio derecho.

Noticia 4

Alejandro González Iñárritu gana el Óscar a mejor director por *Birdman*.

Finalmente, tras varios coqueteos con el Óscar por *Amores Perros* y *Biutiful*, se lleva por fin el Óscar al mejor director por *Birdman*, film que también gana el Óscar a la mejor película.

Esto, además, es historia. Es el segundo mexicano seguido en ganar este honor. El año pasado ganó Alfonso Cuarón por *Gravity*.

El director dio las gracias a la academia por este reconocimiento y también a su familia, a los actores... y a toda la gente que ha hecho posible su película. Por último, mandó un saludo a todos sus compatriotas mexicanos.

Noticia 5

La presencia del buitre leonado en Guipúzcoa goza de buena salud. El número de parejas reproductoras de buitre leonado que anidan en Guipúzcoa se ha cuadruplicado en los últimos quince años. El censo contabiliza 210 parejas y 150 ejemplares jóvenes repartidos en doce colonias.

El Plan vasco de aves necrófagas también prevé regular la alimentación de estas aves con ganado muerto en zonas de pastoreo.

Sin embargo, a pesar del aumento de los últimos años, esta especie carroñera conserva su régimen de protección como especie amenazada.

Noticia 6

Según los resultados del último Barómetro del Real Instituto Elcano sobre la imagen de nuestro país en el mundo, los estereotipos que más se identifican con España de una manera espontánea son el fútbol y los toros. La consulta, que refleja también una recuperación de la imagen de España con respecto a barómetros anteriores, se realizó en diez países de distintas partes del continente. En la mitad de los países, después de los toros y el fútbol, se identifica a España con el sol o con la crisis, aunque también con nuestras ciudades y con el turismo en general. Por el contrario, estereotipos como el flamenco o la siesta, siguen apareciendo aunque se mencionan menos que otros años.

Posiblemente el elemento más novedoso a la hora de dar una imagen de España es la entrada de la crisis, que aparece en primer y segundo lugar en algunos países.

Adaptado de:

Noticia 1: http://www.elperiodicodearagon.com/noticias/opinion/impuntualidad-disculpas-publicas_1002801.html

Noticia 2: http://www.elconfidencial.com/alma-corazon-vida/2014-07-28/10-acertijos-clasicos-que-pondran-a-prueba-tu-capacidad-logica_166413/

Noticia 3: http://www.abc.es/sociedad/20130723/abci-facilidad-aprender-idiomas-201307222009.html

Noticia 4: http://www.vivelohoy.com/entretenimiento/8434513/oscar-2015-alejandro-gonzalez-inarritu-gana-mejor-director-por-birdman

Noticia 5: http://www.noticiasdegipuzkoa.com/2015/02/09/sociedad/el-numero-de-parejas-reproductoras-de-buitre-leonado-que-anidan-en-gipuzkoa-se-cuadruplica-desde-1999

Noticia 6: http://www.elmundo.es/espana/2015/02/18/54e479f4ca474120438b4589.html

26. 1. En la calle Infantas hay una vieja mansión del siglo XVI que sorprende por las siete chimeneas de su tejado. Este palacete, popularmente conocido como la casa de las siete chimeneas, ha estado desde su construcción rodeado de misterio.

Se dice que la mansión fue construida por un cazador de la corte del Rey Carlos V para su hija Elena, aunque fue probablemente Felipe II, hijo de Carlos V y supuesto amante secreto de la joven, quien en realidad ordenó construirla.

Poco después de su construcción, Elena se casó con un capitán del ejército que murió en la guerra de Flandes. Días más tarde, Elena apareció muerta en su habitación en extrañas circunstancias.

¿Qué provocó la muerte de la joven? Aunque algunos creyeron que posiblemente murió de pena por la muerte de su marido, se decía que tal vez fue asesinada para ocultar su relación con el príncipe, idea que cobró fuerza cuando su cuerpo desapareció misteriosamente.

Pasado un tiempo, durante una noche de invierno, un labrador que volvía a su casa afirmó haber visto una espectral figura de mujer que caminaba por el tejado de la casa y que señalaba hacia el Alcázar, donde vivía Felipe, ya rey, para después desaparecer misteriosamente. ¿Quizá era el fantasma de Elena reclamando justicia?

El misterio quedó sin resolver y poco a poco fue olvidándose, hasta que a finales del siglo XIX, durante unas obras, se descubrió bajo el suelo un esqueleto de mujer. Aún más sorprendente fue que, junto a sus huesos, se encontraron varias monedas de oro del siglo XVI, la época en que reinó Felipe II.

2. El parque del Retiro es uno de los principales símbolos de Madrid. En él encontrarás monumentos tan originales como el Palacio de Cristal o la estatua del Ángel Caído, dedicada al diablo. Pero no tan conocido es un tejo situado cerca del estanque. Si consigues encontrar este árbol, lo verás rodeado por una valla protectora que impide poder acercarse demasiado a él. Y si miras con más atención, puedes encontrar algún pájaro muerto bajo su sombra. ¿Qué misterio oculta este árbol para que los pájaros que a él se acercan encuentren la muerte?

Desde la antigüedad, el tejo ha estado asociado a Hécate, diosa del mundo de los muertos y la brujería. Hay quienes dicen que puede ser que este no sea un simple árbol, sino que se trate de una entrada secreta al más allá y que tal vez Hécate, con sus hechizos y misteriosos poderes, atraiga a los que pasan cerca de él, provocando, en ocasiones, su muerte.

La realidad es que se trata de un árbol muy tóxico, así que si ves algún pájaro muerto bajo su copa, es muy probable que se haya envenenado con sus semillas.

3. No importa dónde te alojes ni el motivo por el que la visites. Si vas a Madrid, lo más probable es que termines pasando por la Puerta del Sol. Su historia es la historia propia de la ciudad, ya que en ella se produjeron y se siguen produciendo importantes acontecimientos. Rodeada de cafés, hoteles y comercios, la Puerta del Sol es una de las más animadas de la capital. Sin embargo, lo más curioso es su nombre: ¿de dónde proviene si no hay "puerta" ni hay excesivo "sol"?

Una de las teorías que se han planteado se remonta al año 1520. En aquel entonces, muchas poblaciones de Castilla pasaban hambre y miseria, mientras que Carlos V malgastaba el dinero en guerras para dominar toda Europa. Así, la gente descontenta se convirtió en una amenaza para la ciudad, que fue fortificada por una gran muralla y un foso con el fin de proteger a los partidarios del rey. Posiblemente, una de las puertas de la muralla estaba en el lado este de la plaza, por donde sale el sol, y de su ubicación le venga el nombre. Algunas hipótesis apuntan a que quizás su nombre venga de una pintura del sol en esta entrada de la muralla.

Otras teorías afirman que es posible que su construcción sea de época musulmana, aunque es improbable que sea cierto, ya que no existe ninguna mención a esta puerta en documentos anteriores a 1570.

4. Si has tenido la ocasión de conocer Madrid y a su gente, lo mismo has escuchado a alguien decir orgulloso que él es un verdadero "gato", es decir, un madrileño de verdad. Pero, ¿de dónde viene esta expresión? ¿Igual se llaman así porque son ariscos, o porque son muy ágiles? ¿O a lo mejor su nombre viene por estar siempre en la calle, a cualquier hora del día?

Probablemente se deba a la hazaña de un valiente soldado de las tropas de Alfonso VI que permitió conquistar la ciudad musulmana Mayrit (actual Madrid) en 1085. Las tropas cristianas se pararon ante la ciudad en silencio para no llamar la atención y un soldado, utilizando tan solo una daga, comenzó a escalar la pared de la muralla con una agilidad sorprendente. Una vez arriba, quitó la bandera árabe y puso la cristiana. Gracias a él las tropas españolas pudieron reconquistar la ciudad.

Al soldado que escaló la muralla le empezaron a llamar "gato", y posteriormente a su familia también. Con el paso de los años, se convirtió en un apellido de los más ilustres de la ciudad, y más tarde, se acabó usando para denominar a todo aquel nacido en Madrid.

Adaptado de:

La casa de las siete chimeneas: Adaptación de *Madrid oculto (una guía práctica)*, Ediciones La Librería, 2010.

¿Dónde está la puerta en la Puerta del Sol?: Adaptación de *Madrid oculto (una guía práctica)*, Ediciones La Librería, 2010.

Unos madrileños muy felinos: http://www.muyinteresante.es/cultura/preguntas-respuestas/por-que-se-les-llama-gatos-a-los-madrilenos-831405595837

27. **¿Cómo se acuerdan los camareros de quién ha pedido café con leche, té con limón y uno solo, pero con sacarina?**

Un estudio de la Universidad de Favaloro y del Instituto de Neurología Cognitiva de Buenos Aires mostró que los camareros entrenan su memoria a corto plazo y asocian los pedidos con la localización del comensal en la mesa. También usan acrónimos y palabras clave que les ayudan a memorizar los platos. No se trata de estrategias conscientes, sino de una habilidad desarrollada con tiempo y práctica. La posición del cliente en la mesa es fundamental: la habilidad de los camareros desaparecía cuando los participantes en el estudio se cambiaban de silla después de pedir.

¿Por qué los aviones no están hechos del mismo material que la caja negra?

Según *Quora*, red social dedicada a hacer preguntas y contestarlas, los aviones están construidos para volar, no para estrellarse. Un avión hecho del mismo acero de la caja negra, sería demasiado pesado para despegar. Además, también hay que tener en cuenta que las cajas negras no son indestructibles: el 10% quedan tan dañadas que no se pueden utilizar para investigar el accidente.

Las plantas de interior, ¿dónde viven en la naturaleza?

La respuesta es simple: viven en otros países. Como explican en *planthogar.net*, la mayor parte son plantas que en sus países de origen, por su clima, se dan de forma espontánea y natural. Cuando las importamos, se cuidan en interiores porque es necesario crear un ambiente que recuerde al máximo el de origen para favorecer su desarrollo o evitar que mueran.

¿Por qué los dibujos animados van siempre con la misma ropa?

Valerie Fletcher, directora de animación que ha participado en series como *South Park*, *Padre de Familia* y *Padre made in USA*, escribe también en *Quora*: "Primero, en muchos casos resultaría muy difícil identificar a los personajes, como en *South Park*, donde todos tienen casi la misma cara. Segundo, porque cada cambio en un personaje se tiene que diseñar y aprobar, por lo que no merece la pena hacerlo si no ayuda a la trama. Cambia la ropa de los personajes de *South Park* en cada episodio y verás qué lío".

¿Por qué en películas y series nadie se despide cuando cuelga el teléfono?

Simplemente, porque es una pérdida de tiempo. ¿Realmente necesitamos oír también "bueno, pues hasta luego, ya hablamos más tarde" al final de cada conversación? No. Puede que sea realista, pero por lo general es aburrido e innecesario. Además, los guionistas pueden aprovechar esos segundos para añadir más elementos a la trama.

¿Por qué bajamos el volumen de la radio cuando buscamos sitio para aparcar?

La atención que podemos prestar es limitada, "un juego de suma cero", como explican en Sharpbrains. Para dedicar más atención a una actividad (buscar aparcamiento), debemos restar atención de otra (escuchar la radio). En cambio, antes de buscar aparcamiento es muy probable que hayamos necesitado atender menos al camino y más a la música, porque cada día hacemos la misma ruta al volver de la oficina. En definitiva, no somos multitarea.

¿Dónde van a parar los calcetines que perdemos?

Según un estudio, un español medio pierde alrededor de tres calcetines al año... Si los multiplicamos por toda la población española, eso supone un total de unos 120 millones de calcetines perdidos. ¿Dónde están esos 120 millones de calcetines? ¿Es tal vez la lavadora una puerta a otra dimensión? ¿Se van acaso a morir a un cementerio de calcetines? Difícil de creer... La explicación más sensata es que, antes o después, terminan en la basura, ya sea por un descuido o porque después de mucho tiempo sin lograr encontrar a ese compañero perdido acabamos tirando el otro.

Adaptado de: http://verne.elpais.com/verne/2015/01/08 articulo/1420715269_823448.html

28. **1.** sazonar; **2.** camiseta; **3.** recesión; **4.** vecinos; **5.** perezoso; **6.** sociedad; **7.** rocío; **8.** necesidad; **9.** especial; **10.** quizás; **11.** salazón; **12.** casilla.

29. **1.** pesadilla; **2.** belleza; **3.** mayores; **4.** lluvia; **5.** arroyo; **6.** llave; **7.** hallazgo; **8.** leyes; **9.** orilla; **10.** ayudar; **11.** llanto; **12.** cordillera.

30. Aurora: Hola, Felipe.

Felipe: Aurora, ¿qué tal?

A.: Veo que estás leyendo *Los sueños: realidad y ficción.*

F.: Sí, es que ya desde hace varios días me he interesado en este tema, en especial, en la interpretación de los sueños, y me he comprado este libro.

A.: ¿Por qué?

F.: Es que un día, por curiosidad, decidí buscar el significado de un sueño que había tenido ya varias veces. Acababa de tener un problema con un amigo muy cercano. Cuando leí el significado de mi sueño, me di cuenta de que había una conexión entre el problema que había tenido con mi amigo y mi sueño, y entonces me compré este libro para saber más sobre este tema.

A.: Muy interesante, pero yo creo que las experiencias que tenemos a lo largo del día suelen ser posiblemente el origen de las imágenes que generamos mientras dormimos. Además, no entiendo por qué lo buscas en un libro. El mejor intérprete de los sueños es uno mismo. Seguramente el sentido lo encontraste tú mismo y si es válido, así lo percibiste, entonces fue una interpretación real de tu sueño, hecha por ti.

F.: No solo me refiero a eso. He tenido sueños tan vivos, que a veces me da por pensar que vivo aquí y allá a la vez, entre el mundo de los sueños y la realidad, como si fuera otra dimensión... y a veces me despierto en medio de un sueño y cuando me vuelvo a dormir, continúo mi sueño, ¿no es raro?

A.: Ja, ja, ja... ¡Qué loco!

31. Bien, pues, ahora vamos a dialogar sobre el tema de la actividad durante tres o cuatro minutos, ¿de acuerdo? Muy bien, pues dígame, aparte del enigma del que ha hablado durante la actividad anterior, ¿hay otros fenómenos curiosos que le parezcan interesantes? ¿Cuáles?

- ¿Qué enigma piensa que es un montaje? ¿Por qué?
- ¿Y un fenómeno paranormal? ¿Por qué?
- Ya ha oído hablar de las caras de Bélmez. ¿Qué son? ¿Qué opina de este misterio?
- ¿Y las líneas de Nazca? ¿Qué sabe de ellas?
- ¿Cuál es su opinión sobre los sueños premonitorios?
- ¿Cuál de los fenómenos que ha visto en esta unidad le ha llamado más la atención? ¿Por qué?

UNIDAD 9: LEER ENTRE LÍNEAS

32. *En este audio solo se escuchan los sonidos que se describen a continuación:*

1. Sonido de teléfono que suena y nadie lo coge. De repente, se oye la ducha.
2. Coche que no arranca varias veces. Después, se oye el timbre de la puerta. Ruido de un coche que arranca.
3. Gente que baila en una discoteca. De repente, se oye una sirena de bomberos.
4. Sonido de lluvia y puerta que se cierra. Sonido de cafetera.
5. Se oye batir un huevo y freír. Llaman al timbre. Ruido de mucha gente hablando y música.

6. Claxon insistente de un coche. Suena el móvil. Alguien dice: *¿Cómo?* Sorprendido.

33. 1. Hola, Matías. Te veo muy bien aquí en el parque, y por tu cara pareces bastante relajado, ¿no?

Pues más que relajado, feliz. Hoy he empezado a colaborar en un comedor social para los más necesitados. Siento que después de mi jubilación, de nuevo vuelvo a sentirme valorado cuando ayudo a los demás.

2. Pues Javier era mi vecino de abajo. Siempre nos veíamos en el ascensor, pero no hablábamos mucho. Un fin de semana mi vecino Javier tuvo que viajar urgentemente y me pidió el favor de si podía quedarme con su perro Toby. Ese día coincidí con él en el parque y empezamos a hablar de perros. Al final, Toby nos unió y ya llevamos tres años juntos.

3. Pues resulta que el otro fui al centro comercial a comprar una cosas y dejé aparcado mi coche perfectamente. Cuando volví de hacer las compras, resulta que otro coche había aparcado fatal y había golpeado el mío. No fue mucho el golpe, pero es que el coche no era mío, sino de mi madre.

34. **Diálogo 1**

Voy a ir al banco, ¿estará abierto todavía?

¡Sí, sí!

Diálogo 2

Tengo que ir a Madrid y mi coche no me funciona bien. Me prestarás el tuyo, ¿verdad?

¡Ni hablar!

Diálogo 3

No encuentro mi bolso. Me lo habrán robado.

¡Qué dices! Aquí en la clase es imposible.

Diálogo 4

¿Te vienes a tomar algo a Café Rock? Estarán allí los demás.

¿Estás seguro?

Sin ninguna duda.

Diálogo 5

Pedro iría al concierto de Rosaura este fin de semana porque no lo localicé.

¡Qué dices! Estuvo todo el finde enfermo del estómago.

Diálogo 6

Esta maleta de Marta pesa un montón. Llevará todos los libros y apuntes del año.

Ségurísimo.

Diálogo 7

Ese hombre será el nuevo portero del edificio.

¡Hombre, claro! ¿No lo habías visto antes? Se llama Federico.

Diálogo 8

Vi a tus padres buscando en Internet un restaurante japonés. Habrán ido a celebrar allí su aniversario de bodas.

¿Mis padres? ¡Jamás! Para la comida son muy especiales y no les gusta mucho innovar.

35. –¿Entendería bien dónde quedamos? –había preguntado Marta.

–Siempre ocurre lo mismo con él. Ya verás como pierde el tren.

Por fin, pasadas las diez menos cuarto, decidieron bajar a los andenes. Al llegar a su tren ya no les resultó fácil encontrar tres asientos vacíos en el mismo departamento, y después de colocar sus mochilas y bultos en la rejilla, habían salido del vagón y miraban con ansiedad hacia el principio de las vías.

–De veras que nunca más contaré con Piri para nada –repetía Juan Luis.

–Igual le ha pasado algo –dijo Marta.

–Qué le va a pasar. Que no se organiza.

Un mozo se acercaba mientras iba cerrando las puertas de los vagones. Los acompañantes que aguardaban la partida desde el andén recuperaban la vivacidad, iniciando los gestos del adiós. Los brazos de los viajeros gesticulaban fuera de las ventanillas.

–Vamos –dijo el mozo–. Hay que cerrar.

–¡Espere! –exclamó Marta.

Junto al extremo anterior del tren había aparecido por fin una figura que corría, y que enseguida pudieron identificar. Marta y Juan alzaron los brazos y llamaron a gritos al recién llegado. Sosteniendo con esfuerzo su mochila, aturdido y sofocado, Piri seguía corriendo hacia ellos. Estaba ya cerca cuando sonó la señal de partida y, casi al mismo tiempo, el tren arrancó. Haciendo un esfuerzo, Piri llegó junto al vagón, se agarró al asidero de la puerta y continuó corriendo hasta que el mozo extendió un brazo y pudo sujetarle. Juan Luis le cogió también y Piri subió con dificultad los escalones y alcanzó la plataforma.

–Por los pelos –exclamó Piri, entre jadeos.

–Hay que llegar antes –advirtió el mozo–. Esto no está permitido.

–Eres un desastre –dijo Juan Luis–. No sé por qué hacemos planes contigo.

–¿Ya me vas a reñir? ¿Tú sabes el atasco que había en la Castellana? He estado más de una hora metido en el autobús.

–Haber salido antes.

–Salí cuando pude.

–Dejadlo y vamos a sentarnos –propuso Marta–. Al fin y al cabo, ya estamos los tres juntos.

Fragmento de: *Los trenes del verano* de José María Merino

36. **Persona 1**

Para mí, la mejor adaptación y una de las mejores películas del cine español es, sin duda, *Los santos inocentes*. Se trata de un drama rural ambientado en los años 60, escrita por Miguel Delibes y llevada al cine por Mario Camus. Intensa y desgarradora, todo en ella es magnífico: el desarrollo, los personajes, la ambientación... Si tengo que elegir, me quedo con la soberbia interpretación de Rabal y Landa, ambos en uno de los mejores papeles de su carrera.

Persona 2

Yo, la última adaptación que vi fue *El coronel no tiene quién le escriba*, basada en la novela de Gabriel García Márquez en la que se narra la historia de una larga espera. Lo que más me sorprendió fueron las buenas críticas, especialmente las de García Márquez, porque lo que yo vi fue una película aburridísima en muchos momentos, con intromisiones que no están en la novela, algo que no me parecería mal de no estar metidas a la fuerza. En mi opinión, el filme no logra transmitir la esencia de la novela, y lo peor: que casi dura más que esta.

Persona 3

Para mí, una decepcionante adaptación fue la de *La casa de los espíritus*, basada en la novela de Isabel Allende, que cuenta la historia de una familia a lo largo de tres generaciones. A pesar de contar con un reparto y equipo técnico internacional de primera fila, encontramos fallos de ambientación y caracterización, además de una narración un tanto brusca. Parece que se han dedicado a cortar fragmentos de una obra tan extensa como es el original y a pegarlos en el guion, hilando los hechos de forma desafortunada.

Persona 4

A mí la adaptación de una obra literaria que más me ha gustado es *El perro del hortelano*, una comedia de enredo del Siglo de Oro escrita por Lope de Vega y llevada al cine por Pilar Miró. Me encantó, todo, la excelente recreación de la época, el vistoso vestuario, la fotografía, la interpretación de los personajes. Pilar Miró no solo no se equivocó llevando al cine este clásico, sino que logró transportarnos al Siglo de Oro gracias a la conservación íntegra del verso original de la obra.

Persona 5

Yo he visto hace poco *La fiesta del chivo*, una adaptación de la novela de Vargas Llosa que gira en torno al asesinato del dictador dominicano Trujillo. La película está bien hecha: ambientación y fotografía sólidas, interpretaciones creíbles, se respeta la compleja estructura de la obra, y es muy fiel a los hechos y a la esencia de la historia, pero el enorme poder de fascinación que poseía la novela está ausente. Tal vez si no hubiera leído la novela, me habría gustado mucho más la película.

Persona 6

Yo lo tengo claro, la mejor adaptación es *El Sur*, de Víctor Erice. La obra fue escrita años antes por su mujer, aunque no la publicó hasta después de estrenada la película. El original es una obra más breve que apenas apunta muchos de los motivos desarrollados en la película. Se incluyen escenas nuevas y, además, se gana mucho con la fotografía, que logra crear una atmósfera ideal. En resumen, Erice logra crear un universo propio a partir de un pequeño embrión.

UNIDAD 10: POR TU FUTURO

37. **Pedro, dueño de un restaurante**

En mi caso, empecé a estudiar una ingeniería creo que más por contentar a mis padres, que no habían tenido la oportunidad de estudiar. Pero aquello fue un rotundo fracaso, abandoné la carrera a los dos años por falta de motivación, total y absoluta, y al final, después de muchos disgustos, terminé dedicándome al negocio familiar, para seguir con la tradición, ja, ja, ja... A mi hijo lo que siempre le digo es que no siga mi ejemplo... Yo he tenido suerte, también eran otros tiempos... Lo importante es saber que nadie puede decidir por ti, y saber lo que se quiere también, algo que, cuando eres muy joven, no es tan fácil. Por eso también le digo que si una vez que ha empezado se da cuenta de que aquello no es lo suyo, que no siga perdiendo el tiempo y que no tenga miedo de volver a empezar.

Mateo, médico

Yo siempre tuve claro lo que quería hacer, aunque sabía que sería duro y que tendría que estudiar muchísimo. ¡Me quemé las pestañas para conseguirlo! Sin embargo, muchos jóvenes no tienen ni idea de las funciones reales ni de las exigencias de algunas profesiones. Probablemente han visto *Anatomía de Grey* o *Doctor House* y deciden hacerse médicos. Puede que la sangre les dé "mal rollo", como dicen ahora, pero, bueno, seguro que habrá alguna especialidad en la que no tengan que cortar ni coser a la gente. A mi hija, que quiere ser abogada, lo que le digo es que aunque parece muy "guay" en las películas –"protesto, Señoría, mi cliente es inocente"–, se entere bien de lo que su trabajo implica hacer realmente.

Alicia, abogada

Yo soy abogada, de padre y de abuelo abogados también, je, je, así que no sabría decir si estudié por vocación o por tradición, supongo que un poco por las dos cosas. A mí me gusta mucho mi trabajo, aunque a veces sea agotador. Además, en esta profesión hay que formarse continuamente para estar al día, porque en materia legal todo va cambiando... A quien se cree que con estudiar la carrera y conocer las leyes lo tiene todo hecho, está muy equivocado. En cuanto a mis hijos, claro que me gustaría que siguieran mis pasos, pero, y aunque suene mal que lo diga yo, no todos vamos a ser médicos o abogados en la vida... Lo importante es que estudien algo que realmente les convenza a ellos.

Susana, estudiante

Yo soy de un pueblecito de Palencia. Mis planes iniciales eran estudiar cerca de casa pero tuve que cambiarlos para poder estudiar lo que realmente quería. Así que, aunque estoy muy unida a mi familia y mi novio está aquí, el año que viene me tocará irme a Madrid. Por eso estoy trabajando en verano, para ayudar a mis padres con los gastos. Aquí el alquiler es carísimo, no encuentras una habitación por menos de 300 euros, y a eso hay que sumar transporte, comida, libros, viajes... Además, ahora en España las cosas están difíciles en mi sector, pero es lo que quiero hacer, así que no voy tirar la toalla antes de intentarlo. Siempre hay opciones, y si no es aquí, ya me buscaré la vida en otro sitio.

Elena, economista

A mí se me daban bien las matemáticas, así que no lo pensé mucho y fui práctica, estudié Económicas. Después, en la carrera, me lo pasaba muy bien y cada vez me gustaba más lo que hacía. Aunque no todo fue coser y cantar, tuve que estudiar mucho e incluso hubo un par de asignaturas que se me atravesaron, pero me esforcé y las saqué...

Y ahora mi hija quiere ser pintora, y estudiar Bellas Artes, y no sé... Claro que es bonito estudiar lo que te gusta, pero, en según qué casos, no sé hasta qué punto compensa... Para mí, tal vez es más sensato dedicarte a algo que te pueda proporcionar un mejor futuro laboral. Obviamente, no seré yo quien le corte las alas y seré la primera en alegrarme si le va bien, pero siempre le digo que piense en otras posibilidades, y que igual, llegado el caso, puede dedicarse a algo artístico pero rentable...

Jorge, arquitecto

Yo terminé los estudios hace dos años y, menos unas prácticas y algún trabajo puntual, no he conseguido encontrar nada de lo mío. He enviado un montón de currículos por correo, por email, en persona... ¡No se puede decir que no me he movido! Pero casi todas las ofertas son para un perfil que no se corresponde con el mío. Ahora acabo de solicitar una beca para especializarme más, pero solo hay

10 plazas para 500 candidaturas, así que más que difícil, veo negro que me la concedan.

También estoy pensando en irme por primavera a Alemania con otros amigos de la carrera, a ver si por allí hay más trabajo, y, de paso, aprendo idiomas. Pero si para septiembre tampoco he encontrado nada allí, creo que me volveré para España y gastaré mis ahorros en hacer un buen máster.

38. **Los violines que derrotaron la violencia**

Unos 130 jóvenes de barrios 'calientes' de El Salvador asombran a Washington con sus destrezas musicales.

"Cuando me integré a este grupo, mi mentalidad cambió por completo", cuenta Diego Marinero, un joven violinista de la orquesta Don Bosco en San Salvador.

Él es uno de los 130 jóvenes de barrios peligrosos y marginados de la capital salvadoreña que tuvieron la oportunidad de viajar a Washington esta semana para interpretar obras de Bach, Mozart o Carl Orff.

La orquesta y el coro Don Bosco busca prevenir la violencia en el país, con una idea simple: darles más oportunidades a los niños, niñas y jóvenes a través de la música y el arte.

José María Moratalla, conocido como Padre Pepe, el presidente de la Fundación Edytra que dirige el proyecto, explica que la orquesta unió a los jóvenes, muchos de ellos de escuelas y barrios que pueden ser considerados rivales. "De pronto aquí no es una rivalidad, es algo nuestro", afirma el sacerdote.

En su viaje, el primero fuera de su país natal, los jóvenes fueron desde El Salvador hasta Estados Unidos e hicieron presentaciones en el afamado Kennedy Center, así como en el auditorio del Banco Mundial.

Adaptado de: http://internacional.elpais.com/internacional/2015/05/01/actualidad/1430503815_623993.html

39. ceño, saña, ordeñar, sonar, uña, ordenar, sana, cana, soñar, ceno, caña, una.

40. No busques trabajo. Así te lo digo. No gastes ni tu tiempo ni tu dinero, de verdad que no vale la pena. Tal como está el patio, con uno de cada dos jóvenes y casi uno de cada tres adultos con edad de trabajar en paro, lo de buscar trabajo ya es una patraña, una mentira y una estúpida forma de justificar la ineptitud de nuestros políticos.

No busques trabajo. Te lo digo en serio. Si tienes más de 30 años, has sido dado por perdido. Aunque te llames Diego Martínez Santos y seas el mejor físico de partículas de Europa. Da igual. Si ahí afuera tengo a 20 mucho más jóvenes que no me pedirán más que una oportunidad, eufemismo de trabajar gratis.

Por eso me atrevo a darte un consejo que no me has pedido: tengas la edad que tengas, no busques trabajo. Porque lo único a lo que te arriesgas es a no encontrar. Y a frustrarte. Y a desesperarte. Y a volverte a hundir.

No utilices el verbo "buscar". Utiliza el verbo "crear". Utiliza el verbo "reinventar". Utiliza el verbo "reciclar". Son más difíciles, sí, pero lo mismo ocurre con todo lo que se hace real.

Ha llegado el momento de las empresas de uno. Tú eres tu director general, tu presidente, tu director de marketing y tu recepcionista. La única empresa de la que no te podrán despedir jamás. Suena difícil. Porque lo es.

Mejor búscate entre tus habilidades. Mejor busca qué sabes hacer. Qué se te da bien. Todos tenemos alguna habilidad que nos hace especiales. Alguna rareza. Y entre esas rarezas, pregúntate cuáles podrían estar recompensadas. Si no es en tu país, fuera. Si no es en tu sector, en cualquier otro.

No busques trabajo. Mejor busca un mercado. O dicho de otra forma, una necesidad insatisfecha en un grupo de gente dispuesta a gastar, sea en la moneda que sea. Aprende a hablar en su idioma.

No busques trabajo. Mejor busca a un primer cliente. Ofrécele una prueba gratis, sin compromiso, y prométele que le devolverás el dinero si no queda satisfecho. Y por el camino, gánate su confianza, convéncele de que te necesita aunque él todavía no se haya dado cuenta. Y a continuación, déjate la piel por que quede encantado de haberte conocido.

Por último, no busques trabajo. Busca una vida de la que no quieras retirarte jamás. Y un día a día en el que nunca dejes de aprender. Ah, y olvídate de la estabilidad, eso es cosa del siglo pasado. Intenta gastar menos de lo que tienes.

No busques trabajo. Solo así, quizás, algún día, el trabajo te encuentre a ti.

Adaptado de: http://agenciaeternity.com/2013/05/19/no-busques-trabajo-4/

UNIDAD 11: A PUNTO DE TERMINAR

41. Univisión es la cadena de televisión en español más grande de los Estados Unidos. El canal se dirige principalmente a la población hispanohablante de ese país. Su principal competidor es Telemundo. Ha mantenido su liderazgo gracias a que es la cadena en español con más estaciones en ciudades con población hispanohablante.

Los orígenes de Univisión se remontan a 1962, cuando la emisora KWEX comenzó a emitir para la comunidad hispana en San Antonio, Texas. En los siguientes años, comenzó a adquirir estaciones en ciudades con gran presencia de latinos como Los Ángeles, Miami, Nueva York y Chicago. En 1986, la cadena empezó a emitir el programa *Sábado Gigante*, desde los estudios en Miami, convirtiéndose en un gran éxito y programa de referencia para la cadena. En 1988, la cadena se decidió por programas para una audiencia masiva, al mismo tiempo que expandía sus informativos y lanzaba el noticiero de tarde *Noticias y Más*. En 2005 se convirtió en la quinta cadena más vista en Estados Unidos. Actualmente, Univisión tiene 45 estaciones propias y 15 afiliadas en los Estados Unidos.

42.

1. Los programas dedicados a difundir los diferentes géneros musicales son los que más gustan entre nuestros espectadores. El programa *Sabadazo* se sitúa como líder en los índices de audiencia.
2. Los programas de corte cinematográfico que emite Univisión por las noches es una de las opciones preferidas por los menores de 25 años. Entre las propuestas están el cine de aventuras, ciencia ficción, acción, dramas y comedias.
3. En tercer lugar sitúan a este género televisivo producido originalmente en varios países de América Latina, y cuya principal característica es contar una historia de amor a lo largo de varias decenas de capítulos. Muchos telespectadores apuestan por *Un refugio para el amor* entre sus títulos preferidos.
4. Estos programas están entre los que tienen mayores índices de audiencia los viernes por la noche. Actualmente, el más popular que trasmite Univisión es *Hotel todo incluido*, donde personas reales viven situaciones disparatadas.

5. El sábado por la mañana es el día en el que los protagonistas son los niños, con programas infantiles tan exitosos como *Pocoyó*.
6. Estos programas tienen una amplia aceptación, especialmente entre el público masculino. Univisión apuesta por el fútbol, el béisbol o el boxeo en su programación semanal.
7. Los programas más vistos en nuestro canal para estar informados de lo que pasa en el mundo son el *Noticiero Univisión* y *Despierta América*.
8. Univisión dedica también espacio a los programas que desarrollan producciones sobre temas controvertidos. En *Infiltrados* se relata la historia de varios agentes secretos de la policía colombiana que permanecieron encubiertos varios años en las FARC, una de las organizaciones terroristas activas más antiguas del mundo.

43.
1. Daniel Guzmán sorprende con una perfecta descripción de la duda, la emoción y el tiempo.
2. ¿Te gustaría ver esta película? Te la recomiendo...
3. Es un retrato bienintencionado, de espíritu realista, de un adolescente conflictivo e inclinado a la delincuencia.
4. ¡Ojalá tenga éxito en la gran pantalla!
5. La película encuentra su propio estilo, pero...
6. ¡De qué manera consigue Daniel Guzmán ese tono próximo y sincero!
7. Si mejorara la credibilidad en sus diálogos...
8. ¿Consideráis que el guion está bien desarrollado?
9. ¿Ambiciosa? ¿Bien contada? No lo sé, pero la película da credibilidad a Guzmán como director.
10. ¡Para nada una ópera prima!

44. **Noticia 1**

Sofía Vergara, una estrella en Hollywood. La actriz Sofía Vergara descubrió su estrella en el Paseo de la Fama de Hollywood, rodeada de admiradores y seguidores. La colombiana estuvo acompañada por familiares, colegas y amigos, que no quisieron perderse un momento tan importante para la protagonista de *Modern Family*. Con una gran sonrisa, la actriz posó para los miles de medios y de fans congregados en el famoso paseo. "Trabajando mucho, y respetándose a uno mismo y a los demás, se pueden lograr cosas que uno nunca soñó", aseguró Vergara.

Noticia 2

Risto Mejide está de vuelta. Tras su sonada salida de Telecinco, el presentador y publicista ya tiene nuevo programa en Antena 3: *Al rincón de pensar*. El espacio, que arrancará el próximo día 19, seguirá en la línea de entrevistas poco habituales que Mejide mantenía en su anterior programa, *Viajando con Chester*. De hecho, en lugar de ser un programa de entrevistas al uso, los responsables del espacio insisten en que se trata de un espacio de "conversaciones". "No soy periodista ni lo pretendo. Yo solo me siento y escucho. Eso sí, como tengo una fama, seguramente hay una predisposición por parte del invitado", explicó Mejide en la presentación ante la prensa del nuevo programa.

Noticia 3

***Historia de nuestro cine* repasará la historia del celuloide español a partir de mayo.**

El veterano espacio televisivo sobre cine de La 2 homenajeará a partir de mayo al cine español. Según ha comunicado Radiotelevisión Española, los programas de *Historia de nuestro cine*, que se han venido emitiendo de lunes a viernes, harán un repaso desde los años 30 hasta finales del siglo XX, recuperando, así, algunos títulos que no se han emitido en televisión durante los últimos años. Las películas se programarán por bloques temporales de décadas según el día de la semana. El director de Radiotelevisión Española, José Ramón Díez, ha explicado que se trata de un proyecto "muy ambicioso, en el que se emitirán 690 películas a lo largo de los próximos tres años".

Noticia 4

Jordi Évole gana el Premio José Couso de libertad de prensa. La XI edición del Premio José Couso de la Libertad de Prensa ha recaído en Jordi Évole, conductor del programa *Salvados*. En el fallo del premio en memoria del cámara de televisión asesinado en la Guerra de Irak en 2003, el presentador y guionista de televisión ha mostrado su agradecimiento por este galardón que supone "un honor", según sus palabras. Por último, ha hecho referencia a los problemas que hay en la actualidad para conquistar la libertad, aunque reconoce que él es un privilegiado comparado con otros colegas, porque puede pelear para que se haga público un tema. Para Évole, "lo mejor que te da la audiencia es la libertad de elegir los temas y pelear por ellos".

Noticia 5

Enrique a pesar de Iglesias. El "rey del pop latino" sigue triunfando veinte años después de iniciar una carrera musical al margen de su famoso padre. El "planeta Enrique" ha vendido más de 100 millones de discos en todo el mundo, cosechando éxitos en inglés y en español, idiomas válidos los dos para el amor, en opinión del astro de la canción. El cantante, cuya relación con Julio Iglesias parece prácticamente inexistente, ha conseguido dejar atrás el peso de su apellido. Lejos quedan ya, para este eterno adolescente, unos difíciles inicios en los que apellidarse Iglesias no le benefició, y cuando los 2500 dólares que le prestó Elvira Olivares, la nana que hizo para él de madre y de padre, le abrieron las puertas de la música.

Noticia 6

En marcha el rodaje de la segunda parte de *Ocho apellidos vascos*. El rodaje de la segunda parte del film español más taquillero de la historia, ya está en marcha. Cambia el escenario, País Vasco por Cataluña, pero se mantienen los personajes, el director, Emilio Martínez Lázaro, y las ganas de reírse a carcajadas. Hasta el 5 de julio se rodará esta segunda parte que aspira a ser más que buena. El humor sigue siendo el primer plato de un menú que se sirve en un encantador pueblo de Gerona, Monells.

Adaptado de: www.20minutos.es; www.elpais.es; www.telecinco.es

UNIDAD 12: VIAJA CON NOSOTROS

45.
- Ana: ¿Qué estás leyendo?
- Pablo: El suplemento de viajes del periódico, esta semana hablan de "Nuevas filosofías de viaje, otras formas de viajar...".
- A.: Parece interesante, ¿no?
- P.: Sí, según la revista estamos en la época del *boom* de los viajes alternativos y de las ideas *low cost*.
- A.: ¿Por ejemplo?
- P.: Pues mira, ¿habías oído hablar antes del *couchsurfing*?

A.: ¿*Couchsurfing*? No...

P.: Pues se trata de una red social en la que los usuarios ceden el sofá de su casa a los viajeros que quieran.

A.: Hombre, yo había oído lo del intercambio de casas, pero eso de convivir con tus huéspedes... no sé, no lo acabo yo de ver. Que te levantes a prepararte tu desayuno y tengas a un desconocido durmiendo en el sofá...

P.: Bueno, supongo que es cuestión de adaptarse un poco, como cuando tienes invitados.

A.: No sé, a mí lo de compartir tu casa con quien no conoces... Bueno, ¿y de qué otras formas de viajar hablan?

P.: Pues mira, hablan también del *wwofing*.

A.: ¿Del wwo... qué?

P.: *Wwofing*. Aquí explican que se trata de trabajar como voluntario en granjas ecológicas a cambio de alojamiento y manutención.

A.: ¿Irte a trabajar en vacaciones? Ja, ja, ja... ¡Lo que me faltaba!

P.: Bueno, no es el tipo de trabajo que haces normalmente, se trata de vivir una experiencia, de conocer otras realidades...

A.: Pablo, trabajo es trabajo, lo mires como lo mires.

P.: Ya... Mira, y aquí hablan también de viajes *low cost*... Por ejemplo, dicen que en Europa es cada vez más frecuente el alquiler de caravanas para hacer un *road trip*.

A.: Vamos, el viaje por carretera en caravana de toda la vida...

P.: Bueno, sí, pero por lo visto hablan de una web *Alquilamiautocaravana.com* nacida en Francia y que ahora acaba de aterrizar en el mercado español. Parece que la plataforma está muy bien, porque puedes... "alquilar autocaravanas a muy buen precio y con la tranquilidad de que se ha verificado el estado del vehículo, la identidad del dueño, y de que pagas de un modo fácil y seguro".

A.: ¡Ah! Pues eso sí que parece interesante, ¿no?

P.: Sí..., aunque no sé, yo no me veo conduciendo una caravana, tendría que probarlo antes... Mira y aquí hablan de viajes de crecimiento personal, viajes en solitario...

A.: ¿En solitario? Qué horror, ¿no? Si lo bonito de viajar es compartirlo con alguien. Vaya gracia hacer turismo solo, ir a comer solo... Además, ¿quién te hace las fotos?

P.: Bueno, para las fotos ya existen los "palos *selfie*", ja, ja, ja... No sé, yo nunca he viajado solo pero no me desagrada la idea. Ya sabes el refrán... "más vale solo que mal acompañado". Además, así te ahorras las típicas discusiones o tener que depender de nadie.

A.: Sí, puede que tengas razón, pero a mí ahora no me apetece irme sola a ningún sitio, me apetece más salir, divertirme, conocer gente...

P.: Bueno, pues entonces un viaje en grupo. Mira, aquí tienes un montón de páginas que organizan viajes de todo tipo: con gente de tu edad, gente con tus aficiones, gente que busca amigos, que busca algo más...

A.: No sé... a mí me da un poco de reparo también. Una cosa es que viajes con amigos y que conozcas gente, y otra irte con personas que no conoces y que no sabes cómo te van a caer...

P.: Pues la experiencia no debe de ser tan mala si hay tantas agencias que se dedican a organizar este tipo de viajes. Ana, hay mucha gente con ganas de viajar que por circunstancias no siempre coincide con los demás para hacerlo. A mí me parece muy buena opción.

A.: Sí, en eso tienes razón. Bueno, cuando termines con la revista me la dejas, ¿sí?

Adaptado de:
http://www.lne.es/sociedad-cultura/2013/08/05/couchsurfing-wwofing-maneras-viajar/1451737.html
http://www.02b.com/es/notices/2015/04/otra-forma-de-viajar-del-coche-compartido-al-alquiler-de-autocaravanas-12357.php

46. **1.** ¡Hala!; **2.** Si hace buen tiempo, podemos bañarnos en la playa.; **3.** ¿Seguro que has cogido el pasaporte?; **4.** Si nos dejaran acercarnos más a las ruinas...; **5.** Pues no sé, puede ser...; **6.** ¿Me permite pasar?; **7.** ¡Guau!; **8.** ¡Es impresionante!; **9.** Ayer compré esta guía de viajes; **10.** ¿Qué números tienen nuestros asientos?; **11.** ¡Siempre llegas tarde!

47. **Mensaje 1**

Buenas tardes. Ha llamado al servicio de información automatizada de la estación de trenes de Atocha. En este momento todas nuestras líneas están ocupadas, de forma que, si lo desea, puede esperar unos minutos. Si no quiere esperar, puede llamar más tarde o al número 900 32 45 45. El coste de esta llamada hasta este momento es de 50 céntimos de euro.

Mensaje 2

Este es el contestador automático de la agencia de viajes AviaTour. Le recordamos que pueden consultar las ofertas de viajes a través de nuestra web www.aviatour.es/ofertas o llamando en horario de oficina, de nueve de la mañana a seis de la tarde. Este mes los viajes a América le saldrán más baratos, con un 50% de descuento en la segunda persona, o sea que paga uno y el acompañante solo la mitad.

Mensaje 3

Jaime, soy Lucía... Mira, llámame en cuanto oigas este mensaje, ¿de acuerdo? Es muy urgente. Es que esta mañana me han llamado de la agencia de viajes para decir que el vuelo que seleccionamos a través de su página web, aquel que salía a las seis de la mañana, ¿te acuerdas?, pues que resulta que ha sido aplazado, y sale al día siguiente. Bueno, llámame, por favor, porque tengo que responder urgentemente si nos va bien o no. Un beso.

Mensaje 4

Aeropuerto de Barcelona-El Prat. Atención. Este es un aviso importante para todos los pasajeros del vuelo 543 con destino Londres. Por razones técnicas, el embarque no se realizará en la puerta de embarque 15C sino en la puerta 29B. Por consiguiente, el cambio va a suponer algunos retrasos. Sentimos las molestias.

Mensaje 5

Muy buenos días. Habla usted con el departamento de reservas del hotel Playa MonteMayor. Muchas gracias por habernos elegido. Si quiere hacer una reserva de habitación, diga su nombre, apellidos, un número de móvil, y para cuándo y para cuántas personas desea la habitación. Le enviaremos un correo para confirmarle la reserva. En caso de no disponer de plazas para la fecha seleccionada, nos pondremos en contacto con usted. Gracias por su llamada.

Mensaje 6

Este es el contestador automático de la compañía de BlaBlaCar. Si quiere que le atiendan en inglés, pulse uno. Si quiere compartir un viaje en coche de un usuario, pulse dos. Si desea compartir su propio coche en un viaje, pulse tres. Para otras consultas, llame al número 900 220 220. Muchas gracias por su llamada.

SOLUCIONARIO

Unidad 1: EXPERIENCIAS EN ESPAÑOL

1. **Texto 1**

   1. ha tenido/tuvo; 2. se acababan; 3. empezaban; 4. conocías; 5. llegué; 6. fui; 7. cambió; 8. pensé.

   Texto 2

   1. empecé; 2. me di cuenta; 3. estaba; 4. era/sería; 5. hice; 6. era; 7. había; 8. tuve/había tenido; 9. hice; 10. resultó; 11. asignaron; 12. se adaptaba.

   Texto 3

   1. Llegué; 2. Estaba; 3. era; 4. viajaba; 5. empezaba; 6. hice; 7. ofrecía; 8. fue; 9. fue; 10. pudimos; 11. me di cuenta; 12. empecé; 13. sorprendió.

2. 1. V; 2. F; 3. V; 4. F; 5. F; 6. F; 7.V; 8. V.

3. 1. por eso; 2. Además; 3. porque; 4. Cuando; 5. ya; 6. todavía no; 7. pero.

5. 1. Querríais; 2. llegaría; 3. tendría; 4. sería; 5. podría; 6. encantaría; 7. sería; 8. haría; 9. hablaría; 10. Pensaría.

7. Expresar una acción futura respecto a otra pasada: 2, 3, 4; Expresar hipótesis en pasado: 7, 10; Pedir u ofrecer algo con cortesía: 1, 5; Dar consejos: 8, 9; Expresar deseos: 6.

8. 2. e: Estaban agotados porque habían bailado mucho; 3. c: No habíais dormido bastante y por eso llegasteis tarde a clase; 4. j: Ya nos habíamos arreglado para salir cuando dijo que venía; 5. d: La profesora explicó una cosa que nunca antes habíamos estudiado; 6. f: Quería comprar una barra de pan, pero era demasiado tarde: ya habían cerrado la tienda; 7. g: Cuando la profesora llegó a clase, ya había descubierto la sorpresa; 8. b: A pesar de que la novela no había tenido mucho éxito, Steven seguía decidido a triunfar; 9. i: Hasta ese día, nunca me había llevado la contraria en nada; 10. h: Desconocíamos lo que le había hecho cambiar de opinión.

9. 1. era; 2. Era; 3. era; 4. Estaba; 5. era; 6. era/estaba; 7. Era; 8. era; 9. Eran; 10. estaba; 11. estaba; 12. estaba; 13. era; 14. había estado; 15. Era; 16. estaba; 17. era; 18. estaba; 19. ha sido.

10. Agudas: sección; arroz; ansiedad; complexión; corazón; ficción; relax; después; corregir.

    Llanas: azúcar; césped; exhausto; cohete; carácter; fácil; solemne; César; ángel; huésped; instante.

11. 1. Después de mucho pensar... no quise aceptar su regalo; 2. Leemos en el libro de ortografía: "El punto es una pausa..."; 3. Admiro a los grandes escritores como Cervantes, Góngora...; 4. Ya lo dijo Descartes: "Pienso, luego existo"; 5. Ya era la hora del concierto y estaríamos... unas veinte personas; 6. Querido amigo: Te escribo esta carta para comunicarte...; 7. Las palabras del médico fueron: "Reposo y una alimentación equilibrada"; 8. No sé quién ganará, en realidad... no tengo ni idea; 9. La noticia decía así: "Una afortunada persona..."; 10. Se fue la luz y, de repente... alguien me tocó en el hombro.

12. **La utilidad de los signos de puntuación**

    El hombre perdió la coma, empezó a temer a las oraciones complejas, buscó frases más sencillas. Frases sencillas implicaron pensamientos sencillos.

    Después, perdió el signo de exclamación y comenzó a hablar en voz baja, monótonamente. No le alegraba ni le indignaba nada, todo le tenía sin cuidado.

    Más tarde, perdió el signo de interrogación y dejó de formular preguntas; ningún acontecimiento le despertaba curiosidad, ya sucediera en el Cosmos, en la Tierra o, incluso, en su propio hogar.

    Luego de un par de años, perdió otro signo de puntuación –los dos puntos– y dejó de explicar a la gente su conducta.

    Hacia el final de su vida, no le quedaron más que las comillas. No expresaba ninguna idea propia, sino que siempre citaba a otros... Así que se desacostumbró a pensar y llegó hasta el punto final. ¡Cuide los signos de puntuación!

13. 1. E; 2. C; 3. F; 4. B; 5. I; 6. A.

14. 1. D; 2. I; 3. G; 4. H; 5. A; 6. B.

Unidad 2: ¡MÓJATE!

1. 1. esté; 2. vivas; 3. aprendas; 4. coma; 5. te independices; 6. avises; 7. celebremos; 8. ayude; 9. hables; 10. se preparen.

2. 1. sepa, sepamos; 2. entienda, entendamos; 3. diga, digamos; 4. pida, pidamos; 5. salga, salgamos; 6. sueñe, soñemos; 7. vaya, vayamos; 8. tenga, tengamos; 9. cierre, cerremos; 10. quiera, queramos; 11. lea, leamos; 12. oiga, oigamos; 13. construya, construyamos; 14. vea, veamos; 15. juegue, juguemos; 16. haga, hagamos.

3. 1. pueda; 2. vayas; 3. tenga; 4. sea; 5. comiences; 6. vuelva; 7. hagas; 8. conozcas; 9. vengáis; 10. tengáis.

4. 1. reducir; 2. dedique; 3. es; 4. probemos; 5. sea; 6. es; 7. reduzca; 8. tener; 9. cuidemos; 10. ponerse; 11. es; 12. disminuya.

5. a. Expresa opinión en forma afirmativa: 3, 6, 11; b. Expresa opinión en forma negativa: 5, 12; c. Hace una valoración de manera general: 1, 8, 10; d. Hace una valoración de acciones que realizan otras personas: 2, 4, 7, 9.

7. a. 3; b. 4; c. 1; d. 2; e. 5; f. 4; g. 1; h. 5; i. 1.

8. Acuerdo total: 1, 5; Desacuerdo total: 3, 8; Acuerdo parcial: 2, 6; Escepticismo: 4, 7.

10. Expresar acuerdo total: Tienes razón; Expresar desacuerdo total: ¿Pero qué dices?, En absoluto, No tienes razón; Expresar acuerdo parcial: Bueno, depende; Por una parte sí, pero por otra no; Estoy de acuerdo en parte; Expresar escepticismo: Si tú lo dices...

11. 1. den; 2. pasen; 3. mejorar; 4. decidamos; 5. sea; 6. se cumplan; 7. podamos; 8. tenga; 9. sirvan; 10. hagan.

    a. Como; b. incluso; c. sin embargo; d. encima.

12. WWF es una organización sin ánimo de lucro que lucha contra el cambio climático en varios ámbitos: sensibili-

zando a la población mediante campañas, participando en los foros donde se deciden las políticas para la reducción de gases de efecto invernadero, así como liderando iniciativas sobre eficiencia energética y disminución de emisiones.

Prácticamente han sido los pioneros en educación ambiental, a través de novedosos proyectos educativos que, basados en el desarrollo sostenible y la conservación (consumo, uso del agua, contaminación marina, cambio climático, bosques...), han llegado a más de 10 000 colegios, institutos y asociaciones de vecinos.

WWF trabaja en cientos de proyectos de estudio y recuperación de especies amenazadas (lince ibérico, lobo, oso pardo, águila imperial, etc.), proyectos de cooperación internacional con países en vías de desarrollo (Marruecos, Líbano, Colombia...) y numerosas acciones para conseguir la protección de lugares de interés ecológico (Doñana, Picos de Europa, Daimiel...).

Toda esta experiencia les convierte, seguramente, en la organización más comprometida con los temas ambientales, que ejecuta programas de conservación e impulsa la cultura ambiental en España. Además, WWF tiene gran capacidad de influencia política, de mediación y coordinación entre organismos y empresas. Todo ello, les hace ser un referente obligado en comunicación y formación ambiental de la opinión pública

Por último, WWF ha recibido recientemente múltiples premios que reconocen su labor en defensa de la naturaleza, como el Premio Príncipe de Asturias y el Premio Nacional.

13. 1. C; 2. A; 3. B; 4. C; 5. B; 6. A.

14. 1. Ana; 2. Carlos; 3. Ana; 4. Ninguno de los dos; 5. Ninguno de los dos; 6. Carlos.

Unidad 3: COMPORTAMIENTOS

1. 1. integrarme; 2. tenga; 3. conocer; 4. pueda; 5. te levantes; 6. te quedes; 7. pases; 8. sean; 9. vaya; 10. cuentes; 11. hacer; 12. decir; 13. tengas.

2. Expresar deseos: *Deseo* + infinitivo, 1; *Espero que* + subjuntivo, 2; *Quiero* + infinitivo, 3; *Ojalá* + subjuntivo, 4; *Que* + subjuntivo, 9, 13. Dar consejos y hacer recomendaciones: *Te aconsejo que* + subjuntivo, 5, 6; *Te aconsejo* + infinitivo, 11; *Te recomiendo que* + subjuntivo, 7, 10; *Te recomiendo* + infinitivo, 12.

3. una valoración; 1. subjuntivo; 2. hables; 3. os vayáis.

5. 1. incluso; 2. es que; 3. o sea; 4. En definitiva; 5. es que; 6. luego; 7. mientras; 8. al mismo tiempo.

6. Expresa una excusa: es que; "Después": luego; Introduce dos acciones contemporáneas o simultáneas: mientras, al mismo tiempo; Expresa conclusión: en definitiva; Añade información: incluso; Reformula una idea: o sea.

7. 1. e; 2. i; 3. h; 4. f; 5. a; 6. d; 7. g; 8. c; 9. b.

8. 1. pasar la aspiradora; 2. fregar los platos; 3. hacer la cama; 4. tirar la basura; 5. Limpiar el polvo; 6. hacer la comida, poner, quitar la mesa; hacer la compra; 7. poner la lavadora, tender la ropa, planchar; 8. barrer el suelo; 9. limpiar los cristales, limpiar, baño.

9. 1. limpiar el baño; 2. hacer la comida; 3. poner la lavadora; 4. planchar la ropa; 5. fregar los platos; 6. hacer la cama.

10. 1. decirte una cosita; 2. enfades; 3. es que; 4. Perdona; 5. lo siento; 6. es que; 7. cumplas con tu parte; 8. volverá a pasar; 9. entiéndeme; 10. te impliques; 11. verdad; 12. razón; 13. ten más paciencia.

11. 1. te ruego poner más atención, entiéndeme, te pido que te impliques más, ten más paciencia conmigo; 2. por favor, tengo que decirte una cosita, no te enfades pero...; 3. es que...; 4. perdona, lo siento mucho, (de verdad que) no volverá a pasar, es verdad, tienes razón.

12. Hola, Nacho:

Te escribo porque esta mañana me he encontrado a tu novia Birthe en una cafetería y me he acordado de ti. Me imagino que te lo habrá contado, porque le he dicho que te dé recuerdos de mi parte, pero como te conozco y sé que tú no vas a escribirme a mí, pues soy yo OTRA VEZ la que te escribo a ti...

No sé si es que estás muy liado en el trabajo, pero por más que lo intento, últimamente no hay forma de verte el pelo. ¿Por qué no me llamas y quedamos un día para tomar un té? Te digo lo del té porque mi nuevo novio es inglés y lo hace muy bueno (no te he contado lo del novio precisamente porque ¡¡nunca nos vemos!!).

Se lo podríamos decir también a Carlos, aunque ya sabemos que él está siempre más liado que tú. Yo últimamente le he escrito algunos correos, mas no he recibido respuesta. ¿Tú sabes si sigue por Madrid?

Venga, sé bueno, contéstame al correo y dime que sí vamos a quedar de una vez.

Un beso, Laura.

13. 1. c; 2. b; 3. c; 4. a; 5. b; 6. a.

14. 1. c; 2. a; 3. a; 4. b; 5. c; 6. b.

Unidad 4: SOBRE GUSTOS, COLORES

1. Descansar, ver una película en el cine, bañarse, viajar, hacer ejercicio, ir a un parque de atracciones, hacer senderismo, ir al gimnasio, ir de compras.

2. 1. encanta, gusta; 2. Odio; 3. gusta; 4. gusta; 5. fastidia; 6. encanta; 7. gusta; 8. encantan; 9. molesta; 10. gusta; 11. encanta.

3. 1. Me gusta, dé; 2. te gustan, me gustan, Odio, esperar; 3. me gustaban, Me fastidiaba, saber; 4. nos molesta, sea; 5. les gustaban, odian; 6. me encantaron; 7. les ha encantado; 8. me gusta, hagan; 9. me disgusta, se enfade; 10. os gustó, me gustó/gustaron, me molestaron; 11. le gustan; 12. odia, corrijan; 13. les gustó; 14. Te gusta, llueva, nieve, haga; 15. Me encantó; 16. Les fastidia, conteste.

4. 1. donde; 2. que; 3. que; 4. que; 5. que; 6. donde; 7. que, que; 8. donde.

5. 1. vende; 2. venda; 3. hable; 4. habla; 5. puedo; 6. pueda; 7. es; 8. sea.

6. 1. que no puedo; 2. que me ayuden; 3. donde puedo; 4. que tenga; 5. donde haya; 6. que son; 7. que cierran; 8. que tiene; 9. donde pueda; 10. que sean; 11. donde hay; 12. que me ayudan.